Secrets de psys

Ce qu'il faut savoir
pour aller bien

© Odile Jacob, janvier 2011
15, rue Soufflot, 75005 Paris
ISBN : 978-2-7381-2507-1
www.odilejacob.fr

Sous la direction de

Christophe André

Secrets de psys

Ce qu'il faut savoir
pour aller bien

SOMMAIRE

INTRODUCTION

On doit exiger de moi que je cherche la vérité, mais non que je la trouve.
Denis DIDEROT, *Pensées philosophiques*

J e ne sais pas pour vous mais, personnellement, je n'ai jamais rencontré de surhommes. Ni de surfemmes. En fait, je n'ai jamais rencontré d'humains qui n'étaient pas plus ou moins cabossés, du présent ou du passé, qui ne présentaient ni failles ni vulnérabilités. J'en ai rencontré beaucoup, par contre, qui faisaient semblant d'aller bien alors qu'ils allaient mal. Ou d'autres dont tout le monde pensait qu'ils allaient très bien, alors qu'ils allaient très mal.

Vous me direz que mon point de vue est biaisé, et que ceux qui vont vraiment bien ne viennent pas me consulter. C'est vrai. Mais j'ai aussi d'autres postes d'observation de l'humanité que mon bureau de consultation à l'hôpital ! Et à chaque fois que je fréquente d'autres humains de suffisamment près, à chaque fois que je peux les voir vivre au quotidien ou écouter leurs proches parler d'eux, je redécouvre que nous sommes tous construits sur des failles et des faiblesses.

Alors, à la longue, je me suis forgé quelques convictions. Conviction numéro 1, donc : tout le monde a des faiblesses. Conviction numéro 2 : les gens qui « vont bien » sont ceux qui composent intelligemment avec ces faiblesses. Conviction numéro 3 : c'est plutôt réconfortant de savoir qu'on n'est pas seul à avoir des problèmes. Conviction numéro 4 : c'est plutôt intéressant de savoir comment les autres s'y prennent, ou s'y sont pris, pour régler leurs problèmes.

Les psys vont-ils mieux que leurs patients?

Les psys n'échappent évidemment pas à la règle : nous aussi, nous avons des difficultés, des angoisses, des coups de déprime. Certains d'entre nous sont tombés dans la dépression, la toxicomanie, ont connu une enfance difficile ou ont songé au suicide. Nous le savons parce qu'il nous arrive de nous en parler, de nous entraider, de nous conseiller, et de nous soigner les uns les autres.

Pendant longtemps, on n'a pas parlé de ça. Ou seulement en faisant des blagues sur « ces psys aussi fous que leurs patients », ce qui était une façon de ne pas en parler vraiment. Les plaisanteries sont ainsi faites pour mettre les pieds dans le plat tout en évitant d'approfondir. Pourtant, c'est un sujet intéressant, celui des points communs entre les psys et leurs patients…

Il y a quelques années, lors d'un congrès de psychiatrie, je me souviens que nous avions organisé avec des collègues un symposium consacré aux relations entre thérapeutes et patients. Nous avions invité des représentants d'associations de patients à venir parler à nos côtés et, du coup, c'était logique, de nombreux patients membres de ces associations étaient aussi présents dans le public. Cela ne se faisait pas trop à l'époque, et beaucoup de nos confrères étaient embarrassés de se trouver ainsi côte à côte avec des patients, et parfois un peu hostiles à l'idée de mélanger ainsi les genres. De notre côté, nous pensions que les avantages de ce genre de rencontres étaient très supérieurs aux inconvénients. Malheureusement, à un moment, une main s'est levée dans la salle et un monsieur à l'œil légèrement fixe s'est dressé pour poser une interminable et incompréhensible question, sur un ton exalté. Sourires entendus ou compatissants de quelques-uns : « Voilà ce qui se passe quand on invite des patients… » Mais, en fin de symposium, le monsieur est venu me trouver et m'a expliqué, toujours assez exalté, qu'il était en fait médecin psychiatre. Comment dire ? J'étais ennuyé pour lui, bien sûr, mais j'étais aussi soulagé, conforté dans ma conviction que les soignants et les patients sont bien plus proches que ces derniers ne le pensent ! Et que ce n'est pas forcément un souci, sous certaines conditions tout de même…

Est-ce qu'avoir souffert aide à mieux soigner ?

Qu'est-ce qui est nécessaire pour être un bon soignant ?

Eh bien, pour être un bon soignant, il y a d'abord ce qui est indispensable : c'est, bien sûr, que le soignant ait appris à soigner. D'où l'importance des diplômes et des formations : il faut toujours oser demander à son thérapeute quel est son diplôme (psychologue, psychiatre, médecin ou autre), quelles sont les méthodes qu'il propose, et en quoi elles consistent. Un thérapeute digne de ce nom prendra toujours le temps de vous répondre et de vous expliquer sa façon de travailler. La thérapie, ce n'est pas simplement de l'écoute et du bon sens. En tout cas, ce n'est pas que ça. C'est aussi un ensemble de techniques, un savoir-faire, des repères fondés sur la recherche scientifique, l'expérience apprise d'autres thérapeutes, etc.

Pour être un bon soignant, il y a ensuite ce qui est préférable, c'est-à-dire qu'au moment où il soigne, le thérapeute n'aille pas trop mal dans sa tête. Bien sûr, on peut soigner tout en étant stressé, abattu, perturbé. Mais cela ne marchera pas très longtemps. La formule de Nietzsche : « Plus d'un qui ne peut se libérer de ses chaînes a su néanmoins en libérer son ami » ne peut s'appliquer durablement à la psychothérapie. Il est malhonnête et mensonger de prétendre soigner des patients alcooliques si l'on est soi-même dépendant de la boisson. Il est malhonnête et mensonger de prétendre soigner des patients anxieux ou déprimés si l'on est soi-même en pleine dépression ou sujet à des attaques de panique. Je me souviens de cette anecdote d'un psychanalyste de renom venu un jour faire une conférence sur les phobies dans une grande ville loin de chez lui : il était lui-même totalement phobique, et les collègues qui l'avaient invité devaient l'accompagner dans tous ses déplacements pour qu'il ne panique pas ; ces collègues étaient du coup un peu perplexes face à ce grand écart entre discours et réalité. Bien sûr, il ne s'agit pas d'exiger un certificat de bonne santé mentale de la part des thérapeutes. Mais la moindre des choses, c'est d'attendre d'eux qu'ils aient surmonté leurs fragilités. Ainsi, une des plus grandes spécialistes de la maladie bipolaire (ce qu'on appelait autrefois maladie maniaco-dépressive) souffre elle-même de bipolarité. Elle n'a pas eu honte d'en parler dans un livre très émouvant[1] ; elle y raconte comment sa maladie aurait pu la détruire si elle n'avait pas accepté de se soigner, et comment cette fragilité lui a à la fois compliqué et enrichi la vie. La question n'est donc pas celle de la maladie mais de son traitement : à ce titre, les professionnels de santé doivent être des modèles non pas tant de bonne santé que de bonne gestion de leur santé.

Pour être un bon soignant, il y a enfin ce qui est intéressant : le fait d'avoir connu des difficultés et d'avoir eu à s'en débarrasser peut être une bonne chose pour les psys. Cela facilite l'empathie : on comprend mieux la souffrance si on a souffert soi-même. Je dis bien facilite, car il y a tout de même d'autres voies pour l'empathie que le chemin de la souffrance personnelle. Mais avoir été souffrant et s'en être sorti, cela aide à la maîtrise d'outils dont on s'est aussi servi pour soi-même. Et cela ramène à notre esprit de soignant l'humilité et la conscience de la difficulté de ce que l'on demande parfois à nos patients. En plus de leur savoir, les soignants qui sont passés par différentes formes de difficultés disposent alors d'un savoir-faire : celui de l'expérience. Ils se trouvent en général un peu en avant sur le chemin : ils se sont appliqués à eux-mêmes les démarches qu'ils proposent à leurs patients. Leur légitimité vient aussi de là. Pas d'une supériorité (en termes de personnalité) mais d'une antériorité (en termes de démarche).

Pourquoi ce livre ?

Ce livre raconte donc les expériences vécues de nombreux psychothérapeutes face à leurs difficultés personnelles. Certaines de ces difficultés sont assez répandues pour être familières à beaucoup d'entre nous, comme le stress, l'anxiété ou la dépression ; d'autres sont plus radicales et déstabilisantes, comme les maltraitances. Dans cet ouvrage, des psys vous parlent de ces difficultés, et surtout de ce qui les a aidés à s'en sortir. Et à ne pas y retomber. On y aborde aussi ce que les thérapeutes font pour prendre soin d'eux et continuer d'aller bien. Car il faut continuer d'aller bien pour bien soigner : le bien-être du thérapeute est une aide puissante à ses capacités de compassion. Les compétences d'écoute, d'empathie, de soutien se doivent de reposer sur la joie de soigner pour prétendre durer.

Vous retrouverez donc dans ces pages des conseils concrets pas seulement utiles, mais utilisés, c'est-à-dire validés par l'expérience personnelle du thérapeute. Attention : les thérapeutes de ce livre ne se présentent pas comme des modèles à admirer ; plutôt comme des modèles dont s'inspirer : faillibles, fragiles, mais qui ont mis en pratique les efforts qu'ils recommandent. Plus émouvants et plus motivants, donc. Des modèles fraternels, en quelque sorte : pas meilleurs au départ que leurs lecteurs, mais un peu plus avancés dans la démarche, et désireux de transmettre un bout de leur expérience.

Partages d'humanité

J'ai été passionné et touché de découvrir chez des collègues, dont certains sont aussi des amis, des difficultés dont nous n'avions jamais parlé. Je pense que vous serez vous aussi passionnés et touchés par ces récits. Les thérapeutes qui se livrent ici font preuve d'honnêteté et de courage. Comme les patients qui viennent nous livrer leurs souffrances, leurs échecs, leurs hontes, leurs peurs – et nous montrer leurs ressources, nous associer à leurs efforts, à leurs progrès.

Du coup, en lisant leurs récits, je me suis dit : et toi ? Je pensais me contenter d'écrire une introduction tranquille, mais là, j'ai eu le sentiment d'être un « planqué », de rester en retrait. En fait, la réalité, c'est que j'aurais pu remplir ce livre à moi tout seul tellement il me semble que j'ai passé ma vie à travailler sur mes défauts. Jules Renard parlait dans son *Journal* de ses « défauts neutralisés » ; il me semble en avoir beaucoup, de ces défauts neutralisés ! Ces efforts de neutralisation m'ont toujours semblé passionnants, d'ailleurs. Et profitables, dans mon cas. Mais le chantier n'est évidemment pas terminé !

L'été dernier, par exemple : au retour de nos vacances, j'ai découvert que mon scooter était en panne, mon ordinateur planté avec évidemment des données importantes et urgentes que je n'avais pas sauvegardées, et notre congélateur au plus mal, ainsi que son contenu… J'ai beau savoir et professer que tout cela n'est pas grave puisque ce n'est que du matériel, il m'a tout de même fallu quelque temps pour revenir à un état de calme acceptable. Sous l'œil légèrement goguenard de ma femme et de mes filles (l'interview des proches est de loin une des sources d'information les plus fiables sur nos coulisses psychologiques) : « Toi, le grand spécialiste du stress et de la méditation, t'agacer pour ça ?! » Évidemment, j'avais des arguments. Je leur expliquai qu'autrefois, avant d'être psy, ça aurait pu être bien pire en intensité. Que, finalement, mon agacement n'avait pas trop duré, et qu'une fois passée la vague d'abattement et d'agacement, la vie avait rapidement repris son cours.

Autrefois, ça m'embarrassait de ne pas être parfait dans les domaines dont j'étais un expert, en théorie du moins. Je me sentais habité par un sentiment d'imposture, celui dont parle le philosophe Alexandre Jollien dans l'un de ses livres autobiographiques, où il écrit : « Je devise sur la paix et je vis dans le trouble[2]. » Mais, aujourd'hui, ma position est plus simple : je m'accorde le droit d'être fragile et imparfait, et je m'impose le devoir de ne pas rester passif ou complaisant face à cela. Je m'applique évidemment ce que je recommande et fais travailler à mes patients : acceptation de ses défauts, puis action sur eux. Je ne relâche pas mes efforts et je m'accepte en chantier…

Tout au long de ma carrière de thérapeute, j'ai été aidé à titre intime et personnel par trois techniques : l'affirmation de soi pour ma timidité, les thérapies cognitives pour mes tendances anxieuses, la méditation de pleine conscience pour mes tendances dépressives. Du coup, j'éprouve beaucoup de gratitude envers mes maîtres et enseignants dans ces domaines : Madeleine Boisvert et Jean-Marie Beaudry pour l'affirmation de soi[3], Ivy Blackburn et Jean Cottraux pour les thérapies cognitives[4], et enfin Zindel Segal et Jon Kabat-Zinn pour la formation à la méditation de pleine conscience[5]. Avoir été formé à ces techniques a fait de moi une personne différente, que je préfère être et qui me semble aller mieux que celle qui existait « avant »… Au passage, c'est sans doute pour cela que les thérapeutes sont si souvent « accrochés » à leurs outils thérapeutiques, jusqu'à ne pas supporter parfois qu'on en fasse la critique, comme l'ont montré les récentes « guerres des psys[6] » : ils ont souvent été profondément aidés par ces mêmes outils. L'écrivain et psychanalyste Philippe Grimbert écrivait ainsi : « La psychanalyse ne guérit pas, elle sauve. » Il est difficile pour un thérapeute, quelle que soit son école, de supporter la critique envers ce qui l'a sauvé (tiens, encore un bon critère pour tester les progrès personnels de votre thérapeute : critiquer sa méthode…).

Gratitude

Mais ma reconnaissance ne va pas qu'à mes enseignants, elle va aussi à mes patients. Grâce à eux, je pratique régulièrement : lorsque j'anime mes groupes de méditation, je médite avec eux ; lorsque je réfléchis avec eux sur leur vie, je réfléchis ensuite à la manière dont je vis moi-même. Leurs difficultés m'ont toujours éclairé sur les miennes. En les comprenant, je me suis compris ; en les aidant, je me suis aidé ; en les soignant, je me suis soigné !

Et, d'ailleurs, quand mes « vieux » patients, qui me connaissent bien, me disent : « Docteur, vous n'avez pas l'air en forme aujourd'hui », je le reconnais, si c'est vrai. C'est un bon service à leur rendre : même les thérapeutes ont des états d'âme, évidemment. Il n'y a pas deux catégories d'humains, les forts et les faibles, ceux qui ont des problèmes et ceux qui n'en ont pas. Mais des humains qui en ont et d'autres qui en ont eu, des humains qui arrivent à faire face et à surmonter, et d'autres qui sont juste en train d'apprendre à le faire.

Se parler de ça, se raconter nos efforts mutuels, il nous semble, à mes collègues coauteurs de ce livre et à moi, que ça peut aider.

Que ça peut vous aider…

Christophe André est médecin psychiatre à l'hôpital Sainte-Anne à Paris.
Dernier ouvrage paru aux éditions Odile Jacob :
Les États d'âme. Un apprentissage de la sérénité

Notes de l'introduction page 344.

1 SURVIVRE
aux épreuves

Être psy ne protège pas de la maladie ni de la souf-france. Cela n'écarte ni le désarroi ni le chaos. Mais cela peut aider à ne pas y sombrer : comme on sait tout de même ce qu'il faut faire, on s'y efforce. Juste faire ce que font nos patients. Avec persévérance et humilité. Et s'apercevoir que ça marche aussi pour nous…

Je suis timide
mais je me soigne

Il n'est jamais facile pour un timide, même s'il se soigne et qu'il va mieux, de parler de lui. J'ai longuement réfléchi, avant d'allumer mon ordinateur portable, à la façon dont j'allais commencer ce chapitre, à ce que j'allais y mettre. Mille questions me sont venues en même temps à l'esprit, par exemple : quoi dire d'intéressant ? Qu'est-ce qui pourrait être utile à raconter au lecteur pour l'éclairer ou l'aider dans son propre cheminement ?

Une fois devant mon écran d'ordinateur, les choses sont devenues beaucoup plus claires : parler de soi, se révéler sans crainte, s'accepter. Tout simplement. Et c'est pour ces raisons que je décide de m'adresser à vous, maintenant, tel un thérapeute à cœur ouvert.

Premières fois

Aussi loin que je me souvienne, j'ai toujours été timide. Non pas une timidité maladive m'empêchant d'avoir des amis ou de faire des activités, mais une timidité présente quand même. Ce genre de timidité où vous avez le cœur qui s'affole dès qu'il s'agit de donner votre avis ou encore lorsque vous devez faire la conversation avec quelqu'un que vous rencontrez pour la première fois. Pour ma part, discuter avec une fille était certainement ce qui pouvait me déstabiliser le plus.

Mais la mémoire est parfois capricieuse. Difficile alors de se souvenir des toutes premières fois où s'est manifestée ma timidité avec une parfaite précision. Au fur et à mesure, le travail de mémoire se faisant, il me revient à l'esprit un épisode, qui, je m'en aperçois, m'a plus marqué que je ne le pensais.

À l'école

J'ai environ huit ans, je suis un élève moyen dans une école primaire parisienne. Comme régulièrement, le maître d'école, pas méchant pour un sou, mais très impressionnant avec sa blouse grise d'une autre époque, ses grosses mains et sa grosse voix, nous interroge en nous faisant passer au tableau. Je me souviens très bien encore de tous les stratagèmes que je pouvais mettre en place pour éviter ce moment : me cacher derrière un camarade, faire semblant de ramasser quelque chose par terre, demander à aller aux toilettes, ou encore prier le Seigneur que cela ne tombe pas sur moi. Pourtant, ce jour-là, rien n'y fait, et c'est sur moi que cela tombe.

Au moment où j'entends prononcer mon prénom, je commence à sentir mon cœur s'accélérer, mes mains trembler, mon visage rougir. Je suis maintenant devant le tableau près du maître. Il m'interroge mais c'est le noir complet. Je suis comme paralysé, rien ne sort. Je comprends à peine ce qu'il me demande. À l'intérieur, c'est comme un volcan en éruption qui ne peut exploser. Je me sens si mal qu'il me renvoie m'asseoir sous le regard à la fois étonné et moqueur de mes camarades de classe.

Au collège

Les années passent, et j'ai maintenant quatorze ans. C'est la fin de l'année scolaire. Comme tous les ans, il y a une manifestation sportive organisée par le collège où les différentes classes se rencontrent pour disputer des matchs. Sans rien demander à personne, et sans que personne ne me demande quoi que ce soit d'ailleurs, me voilà propulsé gardien de l'équipe de hand-ball. Je n'ai aucune compétence dans ce domaine, mais il en fallait bien un. Et celui-là, c'est moi ! Pour faire simple, disons que ma soirée s'est résumée à prendre une succession interminable de buts, à marquer dans les annales. Au-delà de l'exploit sportif qui n'est certainement pas resté dans la mémoire collective, je crois bien que cela fut pour moi une des scènes les plus humiliantes de mon adolescence. J'étais partagé entre la colère et les pleurs, l'envie que cela se termine et la peur de l'après. Honte et humiliation me poussant à courir me cacher dans les toilettes pendant la mi-temps. Certes, j'en voulais à la terre entière, mais j'en voulais surtout à moi-même. Ne pas être à la hauteur, c'était ça la plus grande blessure, et je me l'infligeai à moi-même. C'est aussi à partir de ce jour-là que j'ai commencé à me dévaloriser sans avoir besoin de l'aide des autres pour le faire.

Entre découverte et révélation

Quelques années plus tard et mon diplôme de psychologue en poche, le hasard et beaucoup de persévérance font que j'ai la chance d'intégrer une unité spécialisée dans le traitement de l'anxiété sociale d'un prestigieux hôpital parisien. Pleinement conscient de cette formidable opportunité qui s'offre à moi, je m'initie sous le regard de mes professeurs aux traitements psychologiques de groupe de la phobie sociale.

Je découvre sur le tard (je n'en avais jamais entendu parler de façon explicite pendant mes années d'études) que d'autres personnes à des degrés différents souffrent des mêmes symptômes que moi : évitement, rougissement, dévalorisation, manque d'affirmation, etc. Et qu'en plus, cela porte un nom : « anxiété sociale ». Sans plus attendre, je me passionne rapidement pour ce trouble et les personnes qui en souffrent. Tout cela me rappelant mes propres difficultés à être avec l'autre, j'apprends sur moi-même autant que j'aide.

Comment je m'aide moi-même en aidant les autres

Je suis donc psychologue et psychothérapeute de formation. Le psychologue est spécialiste, comme son nom l'indique, de la psychologie qu'il a apprise durant cinq années d'études à l'université. Disons que la psychologie est une science qui étudie le fonctionnement psychique de l'être humain ainsi que ses comportements. La connaissance qu'acquiert le psychologue des mécanismes psychiques lui permet de travailler avec les personnes désireuses de mieux se connaître dans le cadre d'une psychothérapie. Quant à la psychothérapie, elle consiste en une démarche très personnelle, unique pour chaque personne. Son objectif est de permettre de parler en confiance de son quotidien, de ses symptômes, de ses difficultés relationnelles, de son projet de vie. Le psychothérapeute cherche à vous aider à vous libérer de vos difficultés. Il n'est pas rare de rencontrer un psychiatre ou un psychologue ayant suivi une formation complémentaire en psychothérapie. Enfin, les courants psychothérapiques sont nombreux. Il est donc important, si vous vous engagez dans une psychothérapie, de demander à votre psychothérapeute plus de détails sur sa formation.

Depuis toutes ces années que j'aide des personnes souffrant d'anxiété sociale, j'ai appris, retenu et appliqué quelques « trucs » pour moi-même. Il ne s'agit aucunement d'une recette miracle toute faite et prête à l'emploi, mais plutôt de quelques ingrédients et le fruit de mon expérience à la fois comme thérapeute et comme timide.

Bien sûr, le chemin vers la « guérison » et le mieux-être est parfois long et souvent semé d'embûches. Si je peux vous aider à travers ces quelques conseils que je m'applique au quotidien, mon objectif sera atteint. Voici donc ce qui me paraît essentiel à connaître pour avancer.

Comprendre de quoi l'on souffre

Il n'est pas toujours évident pour le non-spécialiste de comprendre exactement de quoi il souffre si personne ne le lui a clairement expliqué. Combien de fois ai-je rencontré des patients sortant de chez leur médecin traitant en n'ayant pas compris quel était leur problème ; qu'il soit somatique ou psychologique. Et bien sûr, n'osant pas le lui demander de peur qu'il se vexe ! Longtemps, j'ai été moi-même en difficulté pour mettre des mots sur mes problèmes. Il me semble donc qu'un petit détour par quelques définitions s'impose.

En psychiatrie, le terme de timidité est souvent utilisé comme l'équivalent d'anxiété sociale. Pourtant, ces deux termes ne sont pas tout à fait synonymes. Le mot « timidité », terme laïc et peu précis, englobe différentes notions qui se rapportent à l'estime de soi, aux compétences sociales, aux capacités d'affirmation de soi, au caractère, à l'expression corporelle, à l'émotivité. Ainsi, la timidité représente un sentiment profondément humain que chacun d'entre nous peut ressentir, sans que cela soit nécessairement pathologique.

> Longtemps, j'ai été moi-même en difficulté pour mettre des mots sur mes problèmes.

L'anxiété sociale se définit comme une anxiété particulière qui apparaît exclusivement dans des situations d'échanges entre personnes. Pour résumer, disons que l'on a l'habitude de distinguer deux grands types d'anxiété sociale : la timidité et la phobie sociale.

La timidité

Elle s'applique aux cas où l'anxiété sociale reste légère et apparaît uniquement dans certaines situations sociales, comme discuter avec de nouvelles connaissances, par exemple. La timidité est plutôt perçue comme un trait de caractère qui conduit les personnes timides à se tenir en retrait, à éviter de se mettre en avant ou de prendre des initiatives. Ce comportement d'inhibition sociale s'exprime surtout avec des inconnus. Lorsque l'interlocuteur est rassurant ou familier, les timides retrouvent leurs capacités et parlent avec plus d'aisance.

La phobie sociale

Elle définit pour sa part une forme extrême et très invalidante d'anxiété sociale qui se manifeste par une peur intense et incontrôlable d'être jugé négativement par autrui, et déclenchée par certaines situations sociales : prendre la parole en public, exprimer son désaccord, etc. La personne phobique redoute ces situations et développe de nombreuses stratégies pour les éviter. Progressivement, elle organise sa vie pour ne plus être confrontée aux situations sociales qui l'angoissent terriblement.

Certains symptômes peuvent être particulièrement envahissants et perturbants, que l'on soit timide ou phobique social. Pour ma part, le symptôme le plus gênant reste le rougissement. Mais, finalement, qu'est-ce que rougir ? Le rougissement du visage est une réaction banale et normale, que tous les êtres humains à peau claire peuvent présenter. Physiologiquement, cette réaction s'explique facilement par la dilatation de tout petits vaisseaux au niveau des joues : le sang est alors plus visible sous la peau et la température de cette partie du visage augmente. Cette réaction est automatique et très peu contrôlable. Elle est aussi très en lien avec les émotions ressenties. Finalement, le rougissement étant une réaction normale de l'organisme, le problème n'est donc pas de rougir mais d'accepter de rougir. C'est la raison pour laquelle, chez bon nombre de timides, le rougissement devient un problème car il est interprété comme un signe de faiblesse, de gêne ou de honte. Il faut donc le cacher absolument !

Notons aussi que certaines personnes ont une propension physiologique à devenir plus rouges que les autres. C'est aussi le cas de la transpiration, par exemple. L'essentiel se passe donc dans la tête. Mais c'est une bonne nouvelle, car il est plus facile de changer sa façon de penser que sa physiologie.

S'exposer à ce que l'on redoute : une approche en douceur

Dans ma pratique de thérapeute, l'exposition est une technique que je propose très souvent aux personnes anxieuses socialement. Elle me sert aussi beaucoup dans ma vie de tous les jours.

On m'a toujours appris que la peur n'évite pas le danger. D'autant plus lorsqu'il n'y a *a priori* pas de danger. Pourtant, lorsque quelque chose nous impressionne, voire nous effraie, nous avons une tendance naturelle à la fuite ou à l'évitement. C'est ce que j'ai fait pendant de nombreuses années : ne pas aller à un goûter d'anniversaire, m'arranger pour ne pas me retrouver en tête à tête avec un ami de peur de ne pas savoir quoi dire, ne pas donner mon avis de peur de dire une bêtise, etc. Bien sûr, vous me direz, tout un chacun a pu un jour éviter une situation sociale. Mais là, je vous parle d'un fonctionnement de tous les jours, un mode de vie qui s'organise en fonction de cette peur.

Malheureusement, l'effet paradoxal de l'évitement est que plus nous évitons une situation, plus cette situation nous paraît insurmontable. Dans notre jargon, on dit que l'évitement renforce la peur.

Mais l'évitement n'est pas une fatalité, heureusement non ! Il existe des moyens efficaces pour passer de l'évitement à l'exposition. On pourrait définir l'exposition comme le fait de se confronter en douceur aux situations redoutées. Le « en douceur » est important, car il ne s'agit pas de s'exposer en force.

Il existe quelques règles à respecter pour s'exposer efficacement et à son rythme :

● S'exposer à la situation choisie et rester aussi longtemps que nécessaire, jusqu'à ce que le niveau d'inconfort ait diminué d'au moins 50 %. Si cela vous paraît trop difficile au début, vous pouvez par exemple rester quelques minutes puis recommencer plusieurs fois, en restant dans la situation de plus en plus longtemps. Je me souviens encore de Jérôme, un jeune patient DRH dans une grande entreprise de BTP. Il m'avait été adressé pour des difficultés à s'exprimer en public lors de réunions de travail. Il avait commencé ses premiers exercices d'exposition en organisant des réunions avec un ou deux collaborateurs. Il faisait en sorte que la réunion dure suffisamment longtemps, de telle sorte que son anxiété de départ diminue au moins de 50 % avant de mettre un terme à la réunion. Il a renouvelé l'expérience à maintes reprises en augmentant progressivement à la fois le nombre de personnes et la durée des réunions.

● Même une fois le sentiment acquis de gérer correctement cette situation, pensez à vous y confronter de nouveau, suffisamment souvent, pour qu'elle ne provoque plus d'anxiété ou presque. Tout comme l'apprentissage du vélo nécessite que l'on remonte en selle plusieurs fois avant de bien tenir en équilibre, la confiance en soi demande un entretien et des efforts de répétition. Il est plus efficace de répéter plusieurs fois un même exercice que de se forcer à supporter trop tôt un niveau d'anxiété trop important.

● Après vous être exposé, restez encore quelques minutes dans la situation afin de vous assurer qu'il n'y a pas de remontée de votre niveau d'anxiété. Si c'est le cas, prolongez l'exposition jusqu'à atteindre un degré d'anxiété raisonnable.

● L'exposition doit être complète. Cela signifie que vous devez rester parfaitement conscient de la situation, ne pas vous forcer à penser à autre chose et ne rien faire pour rendre la situation moins angoissante. N'évitez pas le regard de l'autre et ne cherchez pas à masquer vos émotions (par des lunettes de soleil, un maquillage excessif, en prenant de l'alcool ou des médicaments, en sortant votre mouchoir ou votre portable, etc.).

● Ne faites pas de « forcing ». En aucune manière, il ne s'agit de vous obliger à rester dans la situation si cela devient trop insupportable pour vous. Reconsidérez dans ce cas votre liste hiérarchique et choisissez une situation moins anxiogène. L'essentiel n'est pas de réussir tout de suite mais de persévérer.

● Soyez patient. Il est important de prendre le temps nécessaire à un changement en profondeur, même s'il est lent. Vos « mauvaises » habitudes sont probablement très anciennes, elles ne peuvent donc pas disparaître en quelques jours. Pour vous encourager, prenez bien conscience de vos réussites, aussi petites soient-elles à vos yeux, et félicitez-vous, car personne ne le fera à votre place. Vous pouvez vous en sentir fier. Rappelez-vous de ce que vous faites aujourd'hui en comparaison de ce que vous faisiez il y a quelques jours ou quelques semaines encore. Cette prise de conscience régulière vous permettra de relativiser et d'être aussi peut-être plus tolérant avec vous-même.

S'affirmer

Une autre conséquence directe de la timidité est la difficulté à s'affirmer face aux autres : peur de demander, peur de dire non, de faire ou recevoir une critique, un compliment, etc.

La peur de la réaction de l'autre

Pendant longtemps j'ai été en grande difficulté pour m'affirmer dans mon quotidien. La raison est assez simple : si je m'affirme, je m'expose à la réaction de l'autre et, comme je redoute que cette réaction soit négative, je me tais. L'absence ou le manque d'affirmation sont souvent liés à la crainte d'être rejeté, voire agressé par l'autre. L'effet pervers du manque d'affirmation de soi, c'est que cela m'enferme dans une spirale descendante qui se résume ainsi : « J'ai peur d'être rejeté, pas aimé, donc je redoute la réaction des autres, donc je ne m'affirme pas, donc je n'obtiens rien, donc je ne respecte pas mes besoins, donc je ne me respecte pas moi-même, donc je n'apprends pas à me faire confiance, donc je doute de mes capacités, et je continue donc à ne pas m'affirmer. »

Contrairement aux idées reçues, s'affirmer est quelque chose qui s'apprend. Cela n'a rien d'inné, on ne naît pas affirmé, on le devient ! Mais, au fond, s'affirmer, cela consiste en quoi ?

S'affirmer, c'est avant tout communiquer

Pour bien s'affirmer, il est indispensable de bien communiquer. Au sens strict, communiquer signifie avoir l'intention d'établir une relation avec un interlocuteur ou une interlocutrice. Je communique lorsque je réponds à une personne qui s'adresse à moi. À l'inverse, lorsque je ne réponds pas, je communique aussi quelque chose à l'autre. En résumé, *je ne peux pas ne pas communiquer !* On pourrait ainsi définir l'affirmation de soi comme la capacité d'exprimer à l'autre ses besoins, ses envies, ses désirs, et ses valeurs, tout cela sans anxiété et en respectant l'autre dans ce qu'il est et pour ce qu'il est.

Depuis toutes ces années, j'ai énormément lu et étudié sur le sujet de la timidité et de son antidote, l'affirmation de soi. Il serait illusoire et indigeste de vouloir ici développer toutes les techniques pour s'affirmer. Je vous propose plutôt de les synthétiser en quelques points à partir d'une méthode développée par un de mes collègues, éminent spécialiste de la question. Cette méthode pourra s'appliquer à toute situation que vous rencontrerez et où il serait nécessaire de vous affirmer. Allez, sans plus attendre, la voici. Il s'agit de la méthode JEEPP.

UNE MÉTHODE POUR S'AFFIRMER

La méthode JEEPP se décline de la manière suivante :

J comme je : commencer sa première phrase par *je* : « J'aimerais, j'apprécierais, je souhaite... »

E comme empathie : tenir compte de l'autre : « Je comprends bien mais j'aimerais... »

E comme émotions : les siennes : « Je suis gêné d'avoir à insister », et celles de l'autre : « Je comprends que ça t'embarrasse... »

P comme précis : être direct : « Je voudrais que tu me rendes les 15 euros que je t'ai prêtés. »

P comme persistance : répéter la phrase précise comme un disque rayé en alternant avec l'empathie : « Non, je comprends que tu es fauché en ce moment, mais je voudrais que tu me rendes mes 15 euros. »

Enfin, conclure de façon positive : « Si ce n'est pas cette semaine, ce sera la suivante. Merci de tes efforts. »

L'intérêt de ce petit modèle est de pouvoir s'entraîner tout seul. Une fois qu'on a répété, on peut se lancer. Mais, avant de faire le pas, il faut être sûr de pouvoir encaisser un échec, une réponse négative, un comportement non empathique. Il est important de toujours garder en tête que si on a le droit de formuler une demande, un compliment, une critique, les autres ont le droit de refuser, de ne pas être d'accord avec vous ; cela ne remet pas en cause votre personne, votre place parmi les autres. Ce que vous dites ou ce que vous faites ne reflète pas en totalité ce que vous êtes, vos valeurs profondes. Pensez à cela, cela vous aidera à dédramatiser les enjeux de la communication ainsi que les conséquences redoutées : rejet, critique, abandon, etc.

Pour conclure

Alors que je termine l'écriture de ce chapitre, je prends conscience, plus que jamais, de l'effort que je suis en train de faire : me révéler aux autres, exposer au grand jour ma timidité. Quoi de plus difficile pour un timide que de se confronter volontairement au regard des autres. Et pourtant, c'est l'étape ultime. S'assumer tel que l'on est, avec ses qualités et ses défauts ; tout en se rappelant régulièrement à soi-même qu'on est quelqu'un de bien.

J'aimerais finir ce chapitre par une petite histoire que je raconte souvent à mes patients et qui, d'après leurs dires, leur fait du bien :

« Et l'une des manières pour commencer à vous libérer de votre timidité est de commencer par la voir comme si c'était une montagne. Et lorsque vous vous tenez près de cette montagne, elle semble écrasante. Vous pouvez vous imaginer monter dans une voiture et rouler sur une certaine distance en vous éloignant de la montagne. Et lorsque vous êtes suffisamment éloigné, vous pouvez vous arrêter, sortir de la voiture, vous retourner et regarder en arrière, et de cette distance la montagne semble bien moins écrasante. Et à cette distance vous pouvez commencer à imaginer différentes manières d'aller au-delà de cette montagne. Peut-être découvrirez-vous un chemin qui passe d'un côté ou de l'autre de la montagne. Ou peut-être découvrirez-vous un tunnel qui traverse la base de la montagne. Mais, de toute manière, à cette distance, la montagne de timidité semble bien moins écrasante. Et vous commencez à réaliser que certaines peurs, certaines anxiétés deviennent insignifiantes, d'autres disparaissent même. Et celles qui demeurent deviennent bien plus raisonnables à cette distance. Tout devient plus facile, tout devient possible. »

À partir de cette métaphore, nous pouvons comprendre que la timidité est composée de plusieurs éléments (sentiment de peur, faible estime de soi, comportement d'évitement).

Et ces mêmes éléments qui la composent peuvent être tout à fait positifs s'ils sont perçus comme des objectifs à atteindre et à dépasser. Et, d'un certain point de vue, peut-être un peu provocateur, quand nous y réfléchissons, nous commençons à réaliser que la vie serait très ennuyeuse si nous ne rencontrions aucune difficulté. Ce sont les niveaux excessifs de timidité que nous vivons comme destructeurs qui interfèrent avec notre fonctionnement de tous les jours. Ces niveaux excessifs de timidité peuvent être contrôlés par la distance que nous pouvons mettre vis-à-vis de nos comportements. En travaillant à partir d'un certain nombre d'outils présentés dans ce chapitre et en relativisant cette timidité, il est tout à fait possible d'apprécier des niveaux de timidité sains et modérés. Ces niveaux lorsqu'ils sont atteints permettent de se dégager d'une anxiété paralysante, pour découvrir les plaisirs de l'échange et du partage avec les autres tout en conservant des qualités d'écoute et d'empathie, propres aux timides. Alors ami(e)s timides : changez un peu et restez beaucoup vous-mêmes. Apprenez à vous laisser apprécier par les autres pour ce que vous êtes sans trop vouloir répondre à leurs attentes.

Pour en savoir plus, reportez-vous page 98.

Surmonter la peur de la maladie

Il y a quelques mois de cela, je suis allé rendre visite à Luc, l'un de mes amis dermatologues.

Non seulement c'est l'un de mes meilleurs amis, mais il est de plus mon médecin. Depuis plusieurs années, je vois apparaître sur mon visage des lésions kératosiques et Luc applique consciencieusement de l'azote liquide pour les faire disparaître. Les kératoses sont des lésions bénignes, probablement liées à l'exposition solaire, mais qui peuvent éventuellement dégénérer après plusieurs années en lésions cancéreuses. Voilà, le mot est lâché, et un petit frisson envahit le lecteur, comme celui qui rédige ces lignes : CANCER.

Le processus de l'anxiété de maladie

Comme tous les médecins, j'ai appris qu'il existe des tumeurs cutanées malignes peu agressives (les carcinomes basocellulaires) et des tumeurs cutanées malignes agressives, avant tout les mélanomes malins et les carcinomes spinocellulaires. Cette « agressivité », c'est le pouvoir qu'ont ces tumeurs de s'étendre à tout le corps en créant des métastases. L'envahissement métastatique est bien entendu un élément de mauvais pronostic.

Une lésion pas si banale

Il y avait plusieurs semaines qu'une lésion que je pensais être une kératose était apparue sur mon nez. Je me suis décidé à retourner voir mon ami. C'était avant les fêtes de Noël et je devais partir à la montagne peu après. Comme à l'accoutumée, je supposais qu'il allait griller la lésion à l'azote liquide. En cinq minutes, le tour serait joué. Mais les choses ne se sont pas tout à fait passées comme je les avais imaginées. Luc déclara : « Je préfère que tu partes te reposer. À ton retour, je ferai une biopsie. Il n'y a pas d'urgence, ce n'est rien de bien méchant, mais je préfère vérifier. »

Sur le moment, et dans les deux semaines qui ont suivi, je n'ai pas eu de réaction anxieuse. Je me disais que Luc faisait preuve de prudence et qu'en définitive, la conclusion de cet événement se concrétiserait sous la même forme de traitement qu'à l'accoutumée : une cryothérapie à l'azote liquide.

Environ deux semaines plus tard, j'étais de nouveau dans le cabinet de Luc. Je m'étais préparé à la biopsie, mais pas à ce qui allait suivre. Luc fit une incision et préleva un morceau de la lésion, la mit dans un flacon, le scella et remplit un formulaire pour le laboratoire d'analyses. Peu avant de finir sa rédaction, il leva son regard vers moi et dit : « On va quand même vérifier que ce n'est pas un spino. »

Sur le moment, j'étais juste sidéré, et ce n'est qu'en rentrant à mon domicile que j'ai constaté mon état d'anxiété : je me sentais oppressé, mon cœur battait nettement plus vite et une onde glacée me parcourait le dos. Je me suis appliqué les mêmes procédures que celles que j'utilise avec mes patients.

D'abord, accepter l'émotion

J'ai observé mes symptômes physiques et je n'ai pas cherché à les neutraliser. Je me suis dit que, comme toutes les crises anxieuses, ces symptômes allaient s'estomper. Et quand ils ont commencé réellement à s'estomper, j'ai pratiqué quelques mouvements de relaxation. J'ai ensuite décidé d'examiner mes pensées et c'est là que mes patients m'ont le plus aidé. Bien entendu, la pensée la plus pénible tournait autour de la crainte de présenter un carcinome spinocellulaire et de voir ma santé se dégrader. Bien entendu, l'idée de la mort apparaissait en arrière-plan mais j'étais étonné de ne pas la voir jaillir plus violemment. Je suppose que certaines discussions avec mes patients souffrant de véritables cancers sont à l'origine de ce relativisme. Je me souviens en particulier de l'une de mes patientes qui me disait : « Vous savez, je crois que, du point de l'individu, nous sommes immortels. Je dis ça au sens où je ne me verrai jamais morte. Définitivement, je me verrai toujours en vie. Lorsque je serai morte, je ne le saurai pas. » C'est une pensée qui m'accompagne souvent, et que j'évoque parfois lorsque la discussion porte sur la mort. Elle m'aide à recentrer le débat sur les opportunités que nous négligeons et qui forment la réalité de notre existence. C'est un thème que nous reverrons avec l'histoire de Claude-Jean (page 37).

« De quoi ai-je peur ? »

Après la traditionnelle question : « De quoi ai-je peur ? » (réponse : de la souffrance et du cancer), le thérapeute cognitiviste demande à ses patients d'argumenter le pour et le contre. La colonne des arguments objectifs en faveur de la maladie était peu remplie. Il n'y avait guère que l'hypothèse d'école de Luc. La colonne « contre » était assez fournie : la lésion ne ressemblait pas vraiment à un spinocellulaire, je me sentais en bonne santé, j'avais déjà présenté des lésions comparables qui s'étaient révélées bénignes. La probabilité pour que la lésion se révèle cancéreuse était donc faible, mais pas nulle. Je suis alors allé au bout du raisonnement. Si c'est quand même un cancer spinocellulaire, est-ce grave ? Les arguments relativisant cette gravité étaient les plus forts : il existe des traitements, surtout si la lésion est prise au début (ce qui serait de toute évidence le cas). Le reste serait du ressort de la fatalité.

La conclusion de mon raisonnement m'amenait à penser que même si c'était grave, et il y avait peu de chances que ça le soit, la gravité serait tout relative. Le problème revenait donc maintenant à trouver un comportement adapté à cet état d'esprit. Un jour, Georges, l'un de mes patients hypochondriaques avec lequel j'avais souvent cette discussion, arriva en consultation et me dit : « La restructuration cognitive, c'est un truc formidable, mais, en définitive, ça ne me convainc pas. Dans mon cas, j'ai quelque chose comme une conviction que je serai un jour très malade. La seule chose qui marche, c'est de refaire le même raisonnement, aussi souvent que la pensée anxieuse vous tombe dessus, sans chercher à en faire plus, sans se triturer les méninges pour trouver d'autres arguments. Au bout d'un certain temps, je crois que mon inconscient rend les armes et me laisse en paix. » Je décidai d'appliquer la technique de Georges : à chaque apparition de mon anxiété, je referai le même raisonnement.

En fin de compte, je n'eus pas longtemps à lutter. Environ 24 heures plus tard, je pouvais constater que je n'étais presque plus anxieux. Et six jours après la consultation, Luc m'appelait pour me dire qu'il s'agissait d'un banal botriomycome, une lésion bénigne.

UN POINT CLÉ : L'ACCEPTATION DE L'ÉMOTION

Quand l'anxiété s'empare de vous, il faut lui accorder l'intérêt qu'elle mérite.

Ne cherchez pas à penser à autre chose, vous ne feriez qu'en renforcer l'intensité

Quand les patients vous apprennent votre métier

Aissa était une patiente de cinquante-deux ans lorsqu'elle est venue me consulter pour ses problèmes d'anxiété. Elle souffrait d'une peur maladive d'être atteinte d'un cancer du cerveau. Ses difficultés remontaient à son enfance où elle avait assisté, dans son pays d'origine, vers l'âge de neuf ans, à l'exécution de son père par des guérilleros d'une balle dans la tête. Avec ses frères et sœurs, elle avait survécu à la révolution locale et s'était réfugiée en France. Sans prise en charge psychologique, elle s'était bâti un univers de luttes et de débrouilles. Aissa avait pu suivre des études supérieures, s'était mariée avec un sous-préfet. Elle avait une fille de douze ans.

L'angoisse insistante de la maladie

Malgré quatre ans passés en psychanalyse, elle n'était pas parvenue à maîtriser ses angoisses. Lorsqu'elle souffrait de céphalées, elle ne pouvait s'empêcher d'imaginer une grosse tumeur lui pousser dans la tête. Elle paniquait, harcelait son médecin traitant jusqu'à ce qu'il accepte de lui prescrire une IRM ou un scanner cérébral. Rien n'y faisait : ni le refus obstiné du praticien, ni sa menace de ne pas obtenir de remboursement pour l'examen, ni le risque de démission d'un généraliste auquel elle tenait beaucoup. L'examen revenait toujours normal, ce qui n'empêchait pas Aissa de paniquer de nouveau, mais quelques jours plus tard : « Et si le radiologue n'avait pas tout vu, si le radiologue n'avait pas bien réglé la machine, et si une tumeur avait poussé en quelques jours, etc. »

Une partie du travail du thérapeute lors d'une prise en charge cognitive vise à faire passer les pensées de son patient de l'émotionnel au rationnel. En d'autres termes, le patient est amené à identifier la ou les pensées qui déclenchent ou qui accompagnent son angoisse puis il apprend à les comparer à la réalité. Ainsi, les pensées du patient anxieux sont centrées sur un danger. Toutes ses ressources d'attention sont tournées vers la vérification de ce danger et vers les issues possibles pour se sortir de ce mauvais pas, si bien qu'il néglige tout élément étranger au danger redouté. Dans le cas d'Aissa, son hyperattention à son corps entraînait un surcroît de tension se traduisant par des céphalées. Elle négligeait toutes les autres causes possibles et ne retenait que le cancer. Cette pensée renforçait son angoisse. Cherchant à se rassurer, elle allait souvent sur Internet. La description complexe des maladies et les échanges de malades ne faisaient qu'exacerber son anxiété.

Entre croyances et écoute

L'entourage des anxieux est tellement habitué à les entendre se plaindre pour des maux qui se révèlent imaginaires qu'il finit par ne plus les écouter, et souvent par s'en moquer. Le thérapeute est parfois tenté d'adopter le même comportement. S'il croit son patient à la lettre, il renforce son angoisse et, s'il ne le croit pas, il prend le risque de ne plus faire équipe avec lui et de perdre son statut de thérapeute. Avec Aissa, je décidai d'adopter une écoute vigilante.

L'un des premiers arguments discutés fut la fréquence des cancers du cerveau. « C'est normal d'y penser tout le temps, car on en parle tout le temps à la télévision (les téléphones portables) et il y en a beaucoup dans la population. La preuve, j'ai quelques cas autour de moi. » Ma première réaction fut de penser qu'Aissa exagérait la fréquence des cancers du cerveau (la fréquence des cancers du cerveau en population générale est de l'ordre de 5 à 6 pour

Si vous
consultez
un thérapeute,
n'hésitez pas
à le bousculer !

100 000 habitants par an, c'est-à-dire 3 500 à 4 000 nouveaux cas par an). Cependant, je décidai de me mettre moi aussi en situation de grande vigilance et durant une semaine, je cherchai tous les cas de cancer du cerveau dans mon quotidien et dans mon entourage. Dans les conversations en famille ou avec des amis, avec mes associés ou avec les commerçants, avec mon pharmacien, je m'arrangeais pour que cette question apparaisse à un moment ou à un autre. Après une semaine passée à me focaliser sur le sujet, je pouvais avoir l'amère satisfaction de ramener quelques cas. Aissa avait raison : quand on s'intéresse de près à un sujet, on s'aperçoit qu'il est bien plus présent qu'on ne l'imaginait auparavant.

Une autre pensée fut discutée : « Il y a tellement de sites et de pages consacrés au cancer du cerveau sur Internet que ça doit sûrement être plus fréquent que vous ne voulez bien me le dire. » De fait, j'allais voir sur Internet. Une recherche indique 520 000 pages en français. Par comparaison, si vous tapez le mot « infarctus », vous en trouverez 790 000 et seulement 210 000 si vous tapez « infarctus du myocarde ». Or la fréquence des infarctus du myocarde est de 120 000 nouveaux cas par an en France. Ainsi, le nombre de pages consacrées par Internet à ces deux maladies est très comparable alors que leur fréquence varie de 1 à 30 !

Cette histoire est bien entendu édifiante pour les thérapeutes, et pour moi. Elle doit nous inciter à être encore plus à l'écoute de nos patients. Mais elle est aussi édifiante pour les patients. Si vous consultez un thérapeute, n'hésitez pas à le bousculer ! Si vous avez l'impression qu'il ne vous croit que partiellement, arrivez en consultation avec des arguments, impliquez-vous totalement dans la discussion. Vous en ressortirez tous les deux en bien meilleure forme !

UN TRAVAIL D'ÉQUIPE

En psychothérapie, n'attendez pas du thérapeute qu'il vous « porte ». Chacun des membres de l'équipe doit donner le meilleur de lui-même pour lutter efficacement contre les troubles.

« J'ai décidé d'être heureuse car je veux vivre plus longtemps »

Mathilde souffrait d'un trouble panique. C'était une femme d'environ cinquante ans lorsqu'elle est venue me consulter. Elle sortait assez difficilement de chez elle mais elle avait organisé sa vie en fonction de son anxiété, et son handicap restait limité. Mathilde dirigeait une boutique de prêt-à-porter distante de 200 mètres de son domicile. Son mari travaillait avec elle, ses deux enfants étaient désormais à l'université. Comme bien souvent, le trouble panique se complique d'agoraphobie et c'était ce qui s'était produit chez Mathilde. Elle présentait assez régulièrement des attaques de panique, cet orage biologique qui s'abat sur le cerveau et qui entraîne en quelques secondes des symptômes caractéristiques comme des palpitations, des sueurs, une oppression respiratoire, ou une tension musculaire extrême. Ces crises comportent aussi des pensées, comme la crainte de mourir ou de devenir fou. Les prises en charge cognitives et comportementales apprennent au patient à maîtriser ses symptômes physiques et le cours de ses pensées. C'est sur ce dernier point que nos entretiens n'aboutissaient pas.

La spirale des attaques de panique

Après plusieurs séances destinées à critiquer les pensées catastrophiques, Mathilde restait convaincue que les crises de panique allaient un jour la tuer. Dans une thérapie cognitivo-comportementale, le médecin et son patient forment une équipe où chacun apporte ses connaissances. Dans le débat « croire ou non la petite voix intérieure qui suggérait une mort imminente durant les crises », Mathilde admettait qu'elle avait présenté des dizaines de crises, qu'à chaque fois elle avait été persuadée de mourir, mais que sa présence aujourd'hui en consultation démontrait qu'elle était bien en vie et qu'elle pouvait donc se tromper. Elle me croyait également, et elle l'inscrivait dans son carnet, lorsque je lui disais que les études sur le trouble panique montraient clairement que les patients ne mouraient pas au cours de leur crise. Malgré tout, la conviction demeurait.

Mathilde arriva un jour avec l'un de mes livres à la main : « Regardez vous-même ce que vous avez écrit ! Vous dites dans votre livre que les patients anxieux ont deux fois plus de (mal)chances que les autres de présenter une affection cardio-vasculaire ! Vous écrivez même qu'il existe un débat pour savoir si les anxieux vivent moins vieux que les autres ! » Bref, nous étions assez bloqués et la thérapie progressait difficilement.

Comment se défaire de ses croyances

Quelques semaines plus tard, Mathilde revint avec un air très enjoué. Elle avait assisté à une conférence d'un rabbin dont le thème était le commandement : « Tu honoreras ton père et ta mère afin que tes jours se prolongent dans le pays que Dieu t'a donné. » Parmi les commentaires du rabbin, il y avait l'idée que des relations harmonieuses avec ses parents rendaient heureux et que ce bonheur pouvait être le gage de la santé et par conséquent de la longévité. Au beau milieu de la conférence, Mathilde avait eu comme une révélation : la longévité pouvait être mise en relation avec le bonheur. Comme elle estimait que son seul obstacle au bonheur était son anxiété, Mathilde avait décidé dans l'instant de croire les enquêtes épidémiologiques (les attaques de panique ne tuent pas) et de renoncer à sa croyance. Son raisonnement était simple : si j'abandonne ma conviction d'une mort certaine, si j'accepte ma crise anxieuse, je vais pouvoir affronter toutes les situations qui aujourd'hui me pénalisent. Je vivrai ainsi à ma guise et je serai plus heureuse. Si j'atteins une forme de bonheur, ma vie se prolongera. D'une certaine façon, et quelques années avant mon ami Christophe André, elle me disait qu'elle avait décidé d'être heureuse pour vivre plus longtemps[1] ! Dès lors, ses progrès devinrent consistants et la thérapie reprit un cours satisfaisant.

Depuis cet événement, j'utilise souvent cette histoire avec d'autres patients, et pour moi-même. Avant de rencontrer Mathilde, je connaissais les études portant sur les relations entre la bonne santé et la bonne humeur (et aussi entre la dépression et la mortalité). Mais la révélation de Mathilde a été aussi pour moi une mise en évidence. Les mêmes mots, même répétés des dizaines de fois, peuvent parfois prendre en un instant un sens bien plus profond.

Ce n'est pas toujours la mort qui angoisse

Contrairement à une idée fréquente, il arrive régulièrement que des patients craignant pour leur santé ne soient pas obsédés par leur mort.

Claude-Jean était un brillant universitaire d'une quarantaine d'années. Il m'avait été adressé par son ORL car il souffrait d'acouphènes. Comme bien souvent, les acouphènes surviennent brutalement, parfois après un traumatisme sonore (par exemple, assister à un concert de rock) ou à un non-respect des règles de décompression (un accident de remontée de plongée). Mais, dans le cas de Claude-Jean, aucune cause n'avait pu être mise en évidence. Cela faisait un an que ses oreilles sifflaient. Au début, la douleur n'était pas continue, mais progressivement il avait perdu une partie de son audition sur l'oreille droite et les sifflements étaient devenus continus. Les bilans (scanner, IRM, examens otologiques) n'avaient rien retrouvé de grave, mais aucune piste ne parvenait à un traitement curatif. Il devenait nécessaire de s'adapter.

Une peur peut en cacher une autre

À la fin du premier entretien, peu avant de se quitter, alors que nous étions en train de nous saluer sur le pas de la porte, Claude-Jean tint à me faire une confidence : « Docteur, je ne vous ai pas tout dit. » Il arrive que les causes réelles d'une consultation soient très difficiles à exprimer. Dans ce cas, la fin de la consultation entraîne une tension bien perceptible pour le thérapeute. Prendre son temps avant de raccompagner son patient est l'un des conseils que je donne régulièrement aux médecins et aux psychologues que je supervise. « En réalité, ce qui me fait venir vous voir, ce n'est pas tant cette nécessité de m'adapter à mon problème. Ce qui me dérange le plus, c'est que je me réveille parfois au milieu de la nuit avec la terreur d'avoir une tumeur au cerveau. Le beau-frère de ma première épouse est décédé l'an dernier d'un cancer du cerveau. Depuis quelques semaines, je me dis que mes acouphènes sont le signe de cette maladie. Je sais bien que mes examens sont normaux, mais j'ai un doute : ils se sont peut-être trompés. »

Nous débutâmes l'entretien suivant sur cette crainte. J'avais préparé cette séance et j'avais laissé aller mes propres pensées : quelques souvenirs de patients atteints de glioblastome m'étaient revenus en mémoire. Ce n'était pas l'évolution de leur maladie qui m'avait le plus marqué, mais le fait qu'ils étaient tous décédés. Et mes pensées me menaient à la mort, à ma propre angoisse de mourir. Finalement, j'appréhendais cet entretien, persuadé que Claude-Jean allait ouvrir la séance sur la crainte de la mort, et que j'allais être moi-même mal à l'aise avec mes associations d'idées.

« Moi, ce qui m'angoisse vraiment, ce n'est pas la mort, mais la souffrance liée à la maladie. » Comme je devais avoir l'air étonné, il poursuivit : « Je sais que ça peut paraître étrange de la part d'un hypochondriaque, mais je crois que je me suis fait à l'idée de mourir un jour.

« Mon père est mort lorsque j'avais seize ans. C'était un homme assez connu dans notre région car il avait été tour à tour commerçant, conseiller municipal puis maire de notre commune. Il avait été battu aux élections législatives mais il restait très populaire. Lorsqu'il a appris qu'il avait une tumeur au cerveau, j'avais quatorze ans et nous nous parlions beaucoup. Il m'a dit qu'il avait pensé pendant un moment tout laisser tomber, faire le tour du monde avec ma mère, aller dans les meilleurs restaurants. En bref, profiter des derniers moments de sa vie. Mais, après quelques jours, mon père est revenu sur ces projets. Il m'a dit que tout compte fait, c'est ce qu'il faisait dans la commune et en famille qui le rendait vraiment heureux. Quand il est décédé, deux ans plus tard, je pense qu'il était en paix avec lui-même. Nos discussions m'habitent toujours.

« Ce sont ses six derniers mois qui me hantent. Après une première intervention, la tumeur était revenue. Les traitements étaient très agressifs. Il avait maigri considérablement. Aujourd'hui encore, vingt-cinq ans après, il m'arrive d'en faire des cauchemars. »

Voilà une bonne explication de l'utilisation très mesurée de la parole par les thérapeutes. Notre premier devoir est d'écouter nos patients, mais le suivant est de ne pas leur insuffler nos propres pensées.

TROIS CONSEILS POUR CANALISER L'ANXIÉTÉ DE LA MALADIE

● L'anxiété transforme nos façons d'observer le monde. Remettez en question le discours intérieur qui apparaît dans votre esprit en période anxieuse. Parmi les pensées de l'hypocondriaque, il y a souvent une association automatique entre douleur et maladie grave. Cherchez l'erreur !

● La pensée des anxieux au sujet de leur santé est polluée par des croyances. Une croyance fréquente est : « La santé, c'est la vie dans le silence des organes. » C'est faux ! Cette pensée du chirurgien Leriche est dysfonctionnelle. Un corps vivant se manifeste. Si vous acceptez cette évidence, vous laisserez votre corps, et votre esprit, en paix.

● Même si les thérapies comportementales et cognitives de l'anxiété sur la santé sont considérées comme des thérapies brèves, il faut prendre son temps.

Notes de ce chapitre page 344

Pour en savoir plus, reportez-vous page 98.

3

Didier Pleux

Mémoires d'un claustrophobe...

« Vous êtes un anxieux, l'armée vous fera du bien ! » En ce début des années 1970, beaucoup échappaient au Service national avec l'aval de médecins généralistes complaisants ou de militaires rétifs à recruter des « rebelles ». J'avais pourtant évoqué plein de troubles, mais rien n'y fit, « ça vous fera du bien ! »…

Comme thérapie, on pouvait faire mieux mais je ne demandais rien, j'avais vingt ans et j'allais donc vivre cette année passionnante : maniement des armes, longues marches et accélération de ma consommation de tabac et d'alcool, que du bonheur ! Lors d'une permission, ce cocktail de fatigue, de « ras-le-bol » et de produits toxiques contribua sans doute à ma première crise d'angoisse.

Roman de gare

J'étais dans une rame de métro, à Paris, avant de rejoindre la gare Saint-Lazare et le train pour ma ville natale. Le compartiment du métro était bondé et mes petits camarades de « classe » (la « 73/12 ») étaient joyeux et bruyants, impatients de retrouver ces moments attendus de liberté.

L'air était vicié, il y avait trop de monde, j'avais hâte de sortir du wagon. Subitement, la tête me tourna, une sensation de vertige forte et déstabilisante, un poids oppressant sur la poitrine, des difficultés pour respirer, les mains qui tremblent, tout mon corps devenait hors contrôle… Je commençai à paniquer et saisis le bras d'un compagnon de tranchée, je le serrai très fort, il se retourna, surpris, juste au moment où je vis le panneau « Saint-Lazare » sur le quai… La porte s'ouvrit, mon malaise disparut en une seconde…

La faute à ma mère

C'est pendant cette année militaire que je décidai de m'intéresser un peu plus à la psychologie ; je voulais aussi comprendre ce malaise vécu dans le métro de Paris et je repris les lectures de Freud qui m'avaient séduit, j'allais enfin trouver des explications à mon « symptôme ». L'hypothèse d'un quelconque « refoulement sexuel » ne me parut pas très pertinente, je bénéficiais de cette liberté des mœurs gagnée après 1968. En revanche, je sentais qu'il s'était peut-être passé quelque chose avec ma mère mais que cela devait être profondément enfoui dans les abysses de mon inconscient. Je cherchai et enquêtai sur un éventuel « traumatisme infantile » qui pouvait être à l'origine de ce que désormais je comprenais sous le nom de « claustrophobie ».

J'avais effectivement le souvenir d'un incident lorsque j'avais environ quatre ans : ma mère m'avait emmené dans un grand magasin de la ville, nous avions pris un ascenseur et il était tombé en panne. Elle me tenait la main et je revivais toute cette peur qu'elle m'avait transmise. Je me souvenais d'elle tentant de me rassurer mais aussi de ses mains moites et de sa pâleur. La situation que nous venions de vivre devait être bien dangereuse. Tout devenait clair : la relation à ma mère était en cause, et lorsque je commençai des études de psychologie après ma « libération », je continuai plus que jamais d'adhérer à cette hypothèse puisque, comme je venais de l'apprendre, à quatre ans, c'est le complexe d'Œdipe qui se jouait. Cette explication théorique me convenait d'autant plus que mon symptôme ne me tracassait plus. J'avais trouvé des combines pour ne plus ressentir d'angoisse dans le métro pendant l'année militaire : soit je faisais une longue marche entre la gare de l'Est et Saint-Lazare, soit je m'étourdissais avec quelques bières avant de prendre le métro… De toute façon, j'avais mon explication « psy » et ça allait mieux. Je vécus donc quelques années comme cela, sans me préoccuper de cette claustrophobie, c'était réglé. Pas de métro dans ma ville, je prenais rarement le train, encore moins l'avion. J'étais apparemment guéri. J'étais devenu éducateur spécialisé tout en faisant des études de psychologie à l'université de Caen et je constatais chaque jour l'écart entre la « théorie » de l'université et la réalité du quotidien. Je commençais à contester les hypothèses psychanalytiques. Si je ressentais de temps à autre des moments d'angoisse démesurée, cela n'était pas fréquent mais suffisait à me faire penser que l'explication trouvée à ma claustrophobie devait être revue… Le postulat du « tout dysfonctionnement signe un problème dans l'inconscient » ne me satisfaisait plus et mes « symptômes », mes vieilles angoisses reprenaient peu à peu le dessus. J'avais toujours peur de me trouver enfermé et j'évitais tant bien que mal les endroits anxiogènes.

PANIQUE À BORD

Quand la crise de panique survient, on ne comprend pas ce qui nous arrive – sensation de mort imminente, perte de contrôle, peur de la peur. Ensuite, on évite les situations anxiogènes, on cherche des explications « psy » !

Rencontre avec Albert Ellis

Au même moment, je constatais que l'écart était aussi très grand entre mon quotidien avec les jeunes délinquants multirécidivistes qui nous étaient confiés dans notre foyer d'action éducative et ce que m'enseignait la théorie « psy ». Quand l'institution dans laquelle je travaillais commença des thérapies de groupe de « rêve éveillé de Desoille » (une psychothérapie où les « analysants », en groupe, livrent leurs associations libres, leurs « rêves éveillés » soit par la parole, soit par le dessin), je vis que l'on pouvait tout faire dire à l'« inconscient freudien » : les délits de nos jeunes augmentaient mais on m'assurait « qu'ils allaient mieux » car, psychiquement, inconsciemment, quelque chose se construisait en eux… Bref, j'assistais quotidiennement à la magie de la psychanalyse et surtout à la mauvaise foi de ses chamans. Je démissionnai et décidai de rencontrer des opposants au mythe freudien. Au début des années 1980, c'est aux États-Unis que je découvris l'œuvre d'Albert Ellis, le précurseur des approches « cognitives », et je choisis de me former à son institut de New York.

Je dus prendre l'avion pour rejoindre les États-Unis et, lors du premier voyage, j'eus une crise de panique aussi forte que celle du métro parisien quelques années plus tôt : un corps qui s'agite, tremble, se crispe, devient incontrôlable, une respiration que je ne peux pas réguler tant la sensation d'étouffer et de ne plus avoir assez d'air m'envahit, une envie de crier, d'appeler au secours. Je me souviens d'avoir saisi le bras de mon voisin de voyage, d'avoir chiffonné un magazine que je lisais, j'étais prêt à hurler de peur, à demander qu'on ouvre immédiatement portes et hublots, je ne contrôlais plus rien… Mon voisin appela l'hôtesse. Elle me donna de l'eau. Peu de temps après c'était l'heure du repas, je me sentis mieux. Mon voisin me fit la conversation, je lui parlai de cette maudite claustrophobie mais n'osai pas lui dire que j'étais psychologue et que j'allais devenir psychothérapeute… La honte !

> J'étais prêt à hurler de peur, [...] je ne contrôlais plus rien.

L'Empire State Building

Lorsque je m'étais inscrit à la formation de l'institut « RET » d'Albert Ellis, j'avais bien spécifié que je tenais à être hébergé dans un immeuble « bas », ce qui avait bien fait rire la secrétaire de l'institut à qui j'avais téléphoné : « Vous savez, à New York, ça va être dur ! » Arrivé à l'institut, on me donna l'adresse de l'hébergement et « Eurêka ! », ils m'avaient trouvé une location de chambre tout près de la 65e rue, chez un avocat : une belle demeure début de siècle et la chambre allouée était au… quatrième étage. Victoire ! Habiter New York sans avoir à prendre un ascenseur !

J'arrivai chez l'avocat et sa femme me reçut. Le hall d'entrée était énorme et je pouvais voir un escalier style « colonial » qui partait du rez-de-chaussée. Je m'y dirigeai quand l'hôtesse me dit : « C'est un escalier privé, pour votre chambre vous prendrez notre petit ascenseur qui va directement au quatrième. » Je me retournai, vis cette porte d'ascenseur. Je n'étais pas inquiet, quatre étages, la belle affaire ! J'entrai dedans, j'appuyai sur le bouton : c'était un monte-charge. Il n'y avait qu'un mur de béton qui se déroulait lentement devant moi : j'avais l'impression d'être emmuré tant il faisait sombre, aucun rayon de lumière ne filtrait et j'endurai cette pénombre angoissante jusqu'à mon étage puisqu'il n'y avait pas d'arrêt intermédiaire. J'ai calculé ensuite le temps de la montée : une minute vingt secondes, plus qu'il n'en fallait pour gravir tous les étages de l'Empire State Building avec des ascenseurs ultrarapides. La crise de panique était imminente, je pressentis la crise cardiaque, je ne pouvais survivre dans ce monte-charge mais, miracle, je réussis à atteindre la chambre, vivant ! Je décidai d'en parler aux séances de supervision animées par Ellis le lendemain, je voulais régler les choses une fois pour toutes…

Je ne suis pas « humain » !

Nous étions une petite dizaine dans son bureau de Manhattan, une pièce immense qui ressemblait à une bibliothèque avec ses milliers d'ouvrages et ses nombreux sofas et fauteuils. Ellis avait à l'époque soixante-dix ans, il était assis dans son rocking-chair et attendait que chacun des « psys » (tous étaient des praticiens de longue date) évoque un problème personnel devant le groupe… Cet exercice, ô combien anxiogène, me mettait dans tous mes états. J'avais l'intention de trouver une bonne excuse pour me défiler, je voulais mettre en avant le décalage horaire, les mots anglais qui risquaient de me faire faux bond… « *What's your problem "Dideur" besides being French ?* » (« Quel est ton problème, Didier, mis à part que tu es français ? »)… Tout le monde rit, c'est la blague habituelle pour un Américain, être d'origine française étant en soi une pathologie… Je ne savais pas à cette époque que l'on ne pouvait pas ressentir deux émotions en même temps, mais rapidement je ressentis un certain agacement en entendant la blague et cela chassa sans doute une bonne partie d'anxiété et me donna le courage de parler « du » problème… Bref, j'évoquai pour la première fois ma claustrophobie, l'ascenseur de mon avocat. Tout le monde m'écoutait, on ne se moquait plus du *French* mais ma voix tremblait un peu, je me sentais tout de même ridicule.

Ellis : « Tu n'as pas l'air bien en racontant cela… Qu'est-ce que tu te dis ?

— Je pense que c'est stupide d'être "psy", de soigner les autres et d'être incapable de régler cette histoire de claustrophobie…

— Parce que, pour toi, ça n'est pas normal d'avoir des problèmes psychiques quand on est psychologue ?

— Normalement, pour soigner les autres, on doit avoir réglé ses problèmes personnels !

— Selon toi, un psy "doit" être sans problème ! Chers collègues, notre ami français vient de nous dire que les "psys" de son pays "doivent" être infaillibles, est-ce rationnel de penser ça ? »

« Infaillible, infaillible… », je ressassai cette remarque d'Ellis toute la soirée et compris mieux ce qu'il entendait par pensée « irrationnelle » : je m'endoctrinais depuis des années avec cette « cognition » (une pensée devenue automatique, subconsciente) : « Je ne dois pas montrer de "faille" puisque je suis psychologue psychothérapeute… » Et je comprenais que cet « absolu de pensée » m'avait empêché, jusque-là, de parler de cette claustrophobie. Je m'obligeais à régler ce problème tout seul et surtout je gardais cette souffrance pour moi, je la taisais et bien sûr je m'en rendais subrepticement coupable et, peu à peu, sans le savoir, j'amplifiais les troubles. C'était donc cela qu'entendait Ellis par la tyrannie du regard de l'autre et de son propre regard sur « soi ». La toute première chose pour entamer une psychothérapie est cette « acceptation » de soi et de ses failles, la seconde est de « disputer » cette quête incessante d'être « apprécié, reconnu par les autres » avec son corollaire : « Je ne dois pas montrer de moi des choses que je juge ridicules et qui risquent de faire baisser l'estime que l'on me porte ! » J'étais déjà loin de l'hypothèse psychanalytique des relations à ma mère.

Une thérapie brève ?

Je comprenais l'impact des pensées automatiques « auto-défaitistes » sur mes émotions et je ne cessais d'évoquer ma claustrophobie de « psy » à tous mes collègues en formation. Michler Bishop, mon « superviseur », m'encouragea à me mettre dans des situations que j'évitais jusque-là puisque j'avais déjà compris certaines choses avec la « PCER » (« psychothérapie cognitive émotivo-rationnelle ») d'Albert Ellis. « N'oublie pas, "D.J." (il prononçait mon prénom comme l'acronyme de "Disc-Jockey" !) que c'est en t'exposant progressivement aux situations où tu as vécu une panique que tu vas pouvoir te guérir… », me dit-il. Alors, je décidai de l'accompagner chez lui en métro ! Dès que j'arrivai sur le quai de la première station, je n'eus qu'une envie : m'enfuir et reprendre une bouffée d'air en surface !

L'angoisse monta vite, je n'arrivais pas à me concentrer sur ce que j'avais appris, j'avais beau me dire que Michler me voyait paniquer et que ce n'était pas ridicule, la crise d'angoisse montait... Il vit mon malaise et décida de quitter le métro au prochain arrêt... « Sauvé ! »

Confortablement installé dans un taxi, il me dit qu'il fallait que j'apprenne à mieux contrôler ma respiration, qu'une crise de panique devait être attaquée de toutes parts.

J'appris donc à réguler ma respiration en la bloquant volontairement au moment d'inhaler ou d'exhaler. Cela me faisait du bien, et quand je prenais l'ascenseur « monte-charge », je réussissais à mieux contrôler le sentiment d'angoisse... Premières victoires, le métro, ce serait pour plus tard !

Et je venais d'apprendre une chose essentielle, ma claustrophobie n'allait pas se guérir en un tour de main. Il s'agissait non seulement de comprendre ma façon de penser ma maladie mais aussi d'accepter ce long travail de confrontation à mes peurs en affrontant progressivement les dangers que je voulais éviter...

Voyage en Témesta

Toujours pas de métro dans ma ville, pas encore de tramway, je voyageais rarement, donc ni trains ni avions. Bref, tout allait pour le mieux quand je retournai chez moi et j'avais progressé, je pouvais enfin parler de « ma » claustrophobie, c'était tout de même un grand mieux ! Une année passa, je devais retourner à l'Institut Ellis pour le deuxième stage de certification.

L'idée qu'il fallait reprendre l'avion commença à me travailler de longues semaines à l'avance et plus la date fatidique se rapprochait moins je me voyais prendre cet avion. Les sentiments anxieux me submergeaient et, courageusement, j'allais consulter mon médecin généraliste pour qu'il me donne « quelque chose » pour m'aider à prendre l'avion. D'où la prescription de Témesta...

Dès l'aéroport, je pris un cachet et commençai à me sentir mieux, ça « planait » déjà avant l'envol. Un deuxième petit cachet dans l'avion en plein voyage et le tour était joué ! Bien sûr, à l'arrivée, je devais paraître passablement « shooté » puisque les douaniers avaient semblé me regarder de travers, mais après tout j'étais souriant.

De retour à l'Institut, je continuais de travailler mon anxiété pour parler en public et d'autres petites tâches qui m'étaient difficiles. Je mettais de côté la claustrophobie. Puis, un soir, un ami m'invita au restaurant, une belle soirée en perspective ! Devant le building où il m'attendait, je commençai à m'inquiéter des « étages » pour rejoindre ce fameux restaurant. « Tout en haut, me dit-il, c'est un restaurant panoramique avec une superbe vue sur Manhattan. » Aussitôt dit, aussitôt fait, il m'embarque dans l'ascenseur, j'ai juste le temps de chercher le clavier… (quand on est claustrophobe, le premier réflexe est de repérer les boutons d'étage pour pouvoir appuyer sur l'un d'eux en cas de panique et sortir immédiatement du cercueil). Seulement deux boutons : le rez-de-chaussée que nous venions de quitter et le bouton « 43 », rien entre les deux. Panique exacerbée, je vais mourir… Je me retourne, c'est un ascenseur extérieur… « Pour la vue », me dit mon ami américain. « Dur dur, pour le claustrophobe que je suis », lui dis-je. Mon malaise se dissipait peu à peu, j'arrivai tant bien que mal au restaurant, m'engouffrai dans la salle à manger et commandai *illico* un margarita. Et bien d'autres ensuite qui m'aidèrent pour le retour en ascenseur ; l'ami remarqua que j'étais désormais « hilare » ! L'alcool comme le Témesta me faisaient du bien. Pendant ce second stage, je m'informai de la « chimie » de l'anxieux et je compris beaucoup de choses…

Une chimie déréglée

J'avais donc une chimie d'anxieux, c'est ce que j'appris rapidement. Mon métabolisme était hypersensible, j'étais le plus souvent en « hypervigilance », je répondais d'une façon disproportionnée aux *stimuli* dangereux ou censés tels de la vie. Mes « déclencheurs d'alarme », ces sortes de radars qui permettent à tout un chacun d'éviter les situations qui pourraient nous mettre en péril, s'activaient dès le moindre changement : de la clarté du jour à la nuit, du plancher des vaches aux hauteurs (prendre l'avion), de l'air libre aux sous-sols à l'air pollué ou aux endroits fermés (du métro aux tunnels). Bref, j'étais « fait » comme ça, une sorte d'handicapé de l'hypervigilance et de l'hypersensibilité… Je ne pouvais plus déroger à ce que me proposaient les thérapeutes cognitivistes de l'Institut Ellis, il me fallait accepter ce dysfonctionnement sans doute génétique et agir constamment pour tempérer cette anxiété omniprésente : s'exposer, au début, graduellement aux situations qui me faisaient le plus peur et accepter de le faire toute ma vie durant.

Et ce fut sans doute cette acceptation-là qui fut le plus difficile : puisque ma « chimie » (la « sérotonine » en l'occurrence) me faisait défaut dans les contextes inconsciemment surévalués comme dangereux, je me devais de la provoquer en abandonnant mes comportements d'évitement. Si j'avais le choix entre prendre le métro d'une grande ville ou prendre un taxi, j'optais pour les voies souterraines. *Idem* lorsque je peux prendre le bus ou le tramway dans ma ville : je m'astreins dès que je peux à m'enfermer dans le tram aux heures de pointe. Et chaque fois que je quitte mon cabinet de consultation, je décide de prendre notre ascenseur brinquebalant alors que l'escalier me fait des clins d'œil. J'habitue peu à peu mon cerveau à « relativiser » ces pseudo-dangers surévalués et restimule sans doute ma sérotonine puisque j'arrive à me relaxer dans ces endroits où je vivais tant d'angoisse.

Pour l'avion, c'est autre chose puisque je n'ai pas l'occasion de le prendre régulièrement. Mais, là encore, je m'oblige à ne prendre aucune médication et si, au décollage, je ressens immédiatement cette peur démesurée qui veut devenir angoisse, puis crise de panique, je pratique immédiatement une respiration lente et interrompue pour éviter l'hyperventilation.

Vivre ma claustrophobie, c'est donc « faire avec » et l'accepter pour mieux la réguler et la vaincre. C'est aussi ce *modus vivendi* qui me permet de « disputer » cette croyance universelle profondément ancrée chez les humains : « La vie ne doit pas me procurer de déplaisir… Les frustrations sont insupportables… » Et chaque fois que je ressens cette difficulté à vaincre mes angoisses, chaque fois que je dois « travailler » ma peur, je me remémore Ellis et son : « Où est-ce écrit que l'homme doit toujours vivre dans le confort ? »

Vivre ma claustrophobie, c'est « faire avec » et l'accepter.

Pouvons-nous devenir philosophes ?

C'est sans doute l'hypothèse la plus difficile de l'approche cognitive d'Ellis. Savoir utiliser les méthodes cognitives et comportementales pour se débarrasser, par déconditionnement, des symptômes qui nous font souffrir mais aussi, et surtout, travailler inlassablement à la « connaissance de soi » : comment se sont construites mes attentes, mes demandes le plus souvent irrationnelles sur moi, sur les autres, sur la vie et comment les « disputer » ?

Il existe une deuxième phase indispensable à toute entreprise psychothérapique : il est nécessaire non seulement de connaître l'origine (génétique, socioculturelle, familiale, affective, éducative) des réponses émotionnelles dysfonctionnelles, mais aussi et surtout d'évaluer « sa » philosophie de vie. Ma « façon d'être dans le monde » est-elle rationnelle et m'apporte-t-elle la joie de vivre ? Se construit-elle autour des trois « acceptations » incontournables du principe de réalité que sont l'acceptation inconditionnelle de soi, l'acceptation des autres et de la réalité ?

LES « PHRASES DÉCLIC » QUI CONTINUENT DE M'AIDER

● Je SUIS anxieux, toutes les situations anxiogènes vont déclencher du stress.

● J'ACCEPTE ce moment d'inconfort lié à mon anxiété, je peux le réguler.

● Je TRAVAILLE et n'évite aucune situation anxiogène.

Et au final :

● Je suis MORTEL, pas terrible mais c'est comme ça !

Disclosure... Parler de la réalité de la maladie psychique

Je me souviens de ce soulagement lorsque j'ai vu cette petite pancarte à l'entrée d'un manège du Disneyland d'Orlando : « Interdit aux claustrophobes ». Finie la maladie honteuse, je souffrais d'une maladie « psychique ». Le symptôme psychique n'est pas plus honteux qu'une maladie physiologique, c'est bien la représentation que nous en avons qui participe à la dramatisation du problème. À chaque fois qu'un patient vient pour traiter ses symptômes de claustrophobe, je lui annonce rapidement que j'ai aussi cette maladie et que l'on peut s'en sortir. L'acceptation de « la » maladie est essentielle dans un premier temps. Révéler (le *disclosure* des Anglo-Saxons) une pathologie au patient n'est pas un aveu d'impuissance ou une façon de ne parler que de soi. Bien au contraire, l'alliance thérapeutique entre le thérapeute et le patient s'en trouve renforcée : nous sommes deux êtres humains qui peuvent partager certaines souffrances mais l'un a sans doute plus d'outils pour mieux vivre et réguler certains symptômes invalidants. Je continue de travailler ainsi sur l'autre cognition irrationnelle qui me joue souvent des tours : le regard de l'autre et mon propre regard sur mon injonction d'infaillibilité, mais c'est une autre histoire…

Pour en savoir plus, reportez-vous page 98.

Dépression,
quand tu nous tiens !

4

Stéphany
Orain-
Pélissolo

*Même quand on est psy, on peut connaître la dépression
et avoir besoin d'aide pour s'en sortir !*

« Vous avez de la chance d'être psy ! Vous nous aidez mais finalement, vous ne savez pas ce que c'est de souffrir ! » Paroles de patients souvent entendues au cœur des consultations… Ce à quoi je réponds : notre profession ne nous immunise en rien contre la douleur et ne nous prévient pas des événements de vie difficiles (deuil, séparation, harcèlement, agression, maladie, perte d'emploi, surcharge de travail…). Ils font partie de la vie de tout être humain et ressentir de la tristesse, de la peur, de la colère dans ces moments-là est tout à fait NORMAL. Personne ne peut contrôler leur survenue ni prévoir la manière dont il va gérer la violence des émotions qui vont surgir, moi la première…

Peut-on apprivoiser la souffrance ?

Comment accepter ce qui nous arrive ? Comment vivre avec ? Il y a plusieurs années, en début de carrière, j'ai connu la dépression dans un contexte de harcèlement moral au travail. J'étais convaincue de n'avoir aucune valeur. À l'époque, je pensais qu'un antidépresseur, la « pilule du bonheur », réglerait l'affaire (pas mal comme préjugé pour une psy). Effectivement, après deux mois de traitement et le soutien de nombreux amis et collègues, je retrouvai progressivement de l'énergie, je n'étais plus envahie par mes pensées et la tristesse. Seulement, ma joie habituelle, mon enthousiasme avaient disparu, et la pensée « je ne vaux pas grand-chose », apparue lors de cet événement, me rongeait sérieusement. Si je ne vaux rien, pourquoi mes amis sont-ils encore là, pourquoi mon mari est-il encore à mes côtés ? Je me disais : « Ils sont juste gentils. » Le seul domaine dans lequel je me sentais sûre de moi était ma profession. Mon métier me procurait beaucoup de plaisir et de satisfaction et, de ce fait, j'y consacrais beaucoup de temps. Si j'étais efficace pour aider mes patients, je ne l'étais pas pour moi.

Quelques années plus tard, la surcharge de travail m'avait épuisée physiquement, provoquant ce que l'on appelle parfois un *burn-out*. Alors, progressivement, la perte de motivation et de plaisir à faire les choses s'est installée. Et ma pensée favorite est revenue me hanter jour et nuit : « Je n'ai aucune valeur », accompagnée de ses petites sœurs : « Je n'y arriverai jamais », « Je ne suis pas capable d'assumer le boulot, les enfants, la famille, les amis ».

Cette fois-ci, je me décide à en parler à un ami psychiatre bienveillant qui me prescrit un antidépresseur, me conseille une psychothérapie et me parle d'une nouvelle approche : une retraite d'initiation à la thérapie cognitive basée sur la « pleine conscience ». Ces expériences m'ont tellement apporté que je souhaiterais les partager un peu avec vous.

La spirale de la dépression

Tristesse, perte de motivation, fatigue intense, disparition de l'appétit, trois heures pour sombrer dans le sommeil, l'impression d'être un boulet pour l'entourage, prisonnière de mes pensées, douleur morale intense : c'est ce que je vivais au quotidien quand j'étais déprimée. Les ruminations qui envahissent et intoxiquent l'esprit m'étaient particulièrement pénibles. Ces pensées négatives en boucle ne pouvaient qu'augmenter ma profonde tristesse : « Où se trouve le bouton "off" ? Je travaille trop, je passe trop peu de temps avec les miens, je suis une mauvaise mère, une mauvaise femme, une mauvaise amie… Je prends le temps d'écouter mes patients chaque jour. Je suis patiente, disponible… Et quand ma famille, mes amis, mes enfants demandent une écoute bienveillante de ma part, je n'ai plus l'énergie pour répondre à leurs attentes. Je rentre le soir, je suis épuisée, je n'ai plus envie de parler, j'interprète tout de travers… Ils ne me sautent pas au cou quand j'arrive à la maison, ils se foutent de moi, je ne suis rien pour eux… Je suis minable ! Finalement, je ne vaux rien. » Ce monologue incessant me rongeait de l'intérieur. Je n'étais plus que ces pensées, et elles étaient insupportables.

Ne plus penser, ne plus souffrir

Je cherchais par tous les moyens que je connaissais à modifier cet état, seule au départ. J'essayais notamment ce que nous nommons dans notre jargon la « restructuration cognitive ».

LA RESTRUCTURATION COGNITIVE : FONCTIONNEMENT ET PRINCIPE

La restructuration cognitive consiste à soumettre ses pensées négatives à l'épreuve de la réalité : « Cette croyance que j'ai, à quel point est-elle réaliste ? Quelles sont les preuves concrètes à charge et à décharge ? » Cette méthode « rationnelle » consiste à relativiser les convictions négatives et, ainsi, à limiter les émotions pénibles qui en découlent.

Je notais alors, consciencieusement, mes jugements sur un carnet, et me demandais à quel point ils étaient réalistes sur une échelle de 0 à 100. Le résultat ? Ils l'étaient à 100 %… Je trouvais toutes les preuves à charge, aucune à décharge. Rien à faire, j'étais enfermée dans le tourbillon de mon pessimisme et dans la tristesse. La restructuration cognitive est une méthode très efficace quand les symptômes de la dépression sont encore légers, que l'on arrive à prendre du recul, ou alors quand on va mieux, pour consolider la guérison et éviter une rechute. À ce moment précis, les symptômes étaient trop intenses et je n'avais plus d'énergie pour raisonner, j'étais submergée par la tristesse et je voyais tout à travers son prisme.

J'ai débuté un traitement médicamenteux. Un mois après, l'énergie réapparaissait et je pouvais m'engager dans deux démarches thérapeutiques aux noms barbares : EMDR et MBCT !

Suivre une psychothérapie en étant très déprimé, confus, ralenti ou submergé par la souffrance morale ou par le pessimisme est un effort souvent impossible; la prise d'un antidépresseur peut alors être une aide déterminante pour rendre la thérapie possible.

Le nettoyage des événements de vie douloureux non digérés par l'EMDR

Qu'est-ce que l'EMDR ?

L'EMDR, acronyme anglais signifiant *Eye Movement Desensitization and Reprocessing*, que l'on peut traduire par « retraitement et désensibilisation par mouvement oculaire », a été conçu par une psychiatre américaine, Francine Shapiro, à la fin des années 1980, pour traiter surtout les souffrances psychiques liées à des événements traumatisants.

La plupart de nos souvenirs, qu'ils soient positifs, neutres ou négatifs, sont normalement archivés en mémoire à long terme (MLT). Parfois il nous arrive d'évoquer un mauvais souvenir; cela est désagréable mais ne réactive pas pour autant des émotions négatives puisque nous savons que l'épisode est terminé, qu'il est « digéré ». En revanche, malgré leur ancienneté, certains souvenirs négatifs provoquent encore des émotions intenses quand ils sont évoqués. Surtout, ils ont tendance à surgir alors que l'on ne veut pas d'eux ! Ces souvenirs douloureux ne sont en fait pas correctement archivés en mémoire à long terme. Ils restent un peu dans l'état « brut » dans lequel nous avons vécu l'épisode, associés à des images, des pensées négatives sur nous-même, des émotions et des sensations corporelles. Le souvenir n'est alors pas une information (« Je sais qu'il est arrivé telle chose à telle heure »), mais une sorte de cauchemar que l'on revit à chaque fois dans son intégralité, comme si on y était. Non digéré, non archivé, le souvenir parasite en permanence tout ce que nous vivons, dans des contextes qui n'ont souvent plus rien à voir avec celui de l'événement. Tout signal rappelant les conditions de l'épisode réactive les émotions associées, comme ma phase de *burn-out* a relancé mes idées noires qui couvaient depuis le premier épisode de dépression.

Retraiter le souvenir douloureux

La thérapie EMDR vise à « retraiter » le souvenir douloureux, c'est-à-dire à le débarrasser des émotions et sensations négatives qui y sont associées, collées. Pendant une séance d'EMDR, après une préparation minutieuse, le thérapeute demande au patient de s'exposer mentalement aux composantes visuelles, intellectuelles, émotionnelles et sensorielles du souvenir traumatique, tout en prêtant une attention particulière aux mouvements de sa main qu'il déplace horizontalement devant ses yeux. Après une série de mouvements oculaires de 30 secondes environ, le thérapeute demande au patient ce qui lui est « venu » : parfois il rapportera des images, des émotions, des pensées, des sensations corporelles, parfois rien. Le « matériel » produit ne fait l'objet d'aucune interprétation du thérapeute qui demande au patient de se concentrer sur son ressenti tout en suivant une nouvelle série de stimulations. Cette séquence est répétée jusqu'à ce que le contenu révélé par les stimulations devienne positif, ce qui se fait (étonnamment…) presque tout seul ! Ainsi, lorsque nous revenons au souvenir traumatique initial, il ne réactive plus d'image pénible, ni de jugement négatif, ni d'émotion douloureuse.

Le traitement en EMDR peut être comparé à un voyage en train. Nous partons d'une gare avec des wagons chargés en éléments négatifs ; à chaque station, le patient en décharge quelques-uns et, progressivement, des éléments positifs montent dans les wagons… Le voyage prend alors fin. Et le souvenir déplaisant peut être archivé en MLT, il ne parasitera plus le présent et l'avenir…

Ce que l'EMDR m'a apporté : la paix avec les mauvais souvenirs

Si l'énergie augmentait progressivement, je sentais que l'estime de moi-même restait défaillante (« les autres sont meilleurs que moi, je ne vaux rien »), notamment dans le domaine personnel… J'avais été une petite fille sereine, souriante, sociable, sportive, appréciée. Qu'est-ce qui avait provoqué cette faille, ce sentiment de dévalorisation ?

Cette cascade de pensées (« Je ne vaux rien ») prenait sa source dans le harcèlement moral au travail que j'avais vécu. Lorsque j'évoquais ce souvenir lointain, j'avais la gorge nouée et des images flash surgissaient. Pour des raisons complexes, une personne que j'estimais, que je trouvais brillante sur le plan intellectuel et avec qui tout s'était bien passé pendant un an m'a soudainement ignorée, tournant les talons dès qu'elle m'apercevait, ne m'adressant pas un mot, me jetant des regards haineux et me maudissant auprès de mes collègues. J'étais devenue sa bête noire ! Une incompréhension totale, une grande et profonde tristesse m'ont gagnée progressivement, son indifférence a fini par me convaincre, effectivement, que je ne valais pas grand-chose.

Finalement, cet épisode de harcèlement moral était un souvenir non digéré traumatique, donc pouvant être retraité en EMDR. Avec ma psychothérapeute, nous nous y sommes donc attaquées. L'image qui me venait était précise comme une photo : moi dans son bureau, lui, le visage rouge de colère, les yeux haineux, la mâchoire serrée, tapant du poing sur la table. La pensée négative associée était le fameux : « Je ne vaux rien. » Je ressentais alors une profonde tristesse avec l'envie de pleurer et la gorge serrée. Les pleurs sont arrivés en effet très rapidement, mais les mouvements des yeux fixant la baguette animée par la thérapeute ont produit un réel soulagement, un apaisement nouveau. Il aura fallu trois séances d'une heure pour que l'image de départ devienne plus floue, qu'une nouvelle pensée – « J'ai de la valeur » – devienne crédible à mes yeux, et que la tristesse disparaisse. Un processus que je vivais pour la première fois de l'intérieur, dans mon corps. J'avais souvent observé des résultats très positifs chez les patients pour lesquels j'employais cette méthode et, pour la première fois, je ressentais enfin ce soulagement, cette légèreté dont ils me parlaient. J'avais retrouvé ma joie de vivre ! Ce changement rapide est en fait assez déroutant mais tellement agréable à ressentir. Rien de miraculeux pour autant car, lors de ces trois séances, j'ai connu des moments très douloureux, des réactions émotionnelles fortes, passant notamment par une immense tristesse et une grande colère. Ce travail n'est pas facile et il faut accepter de se confronter à sa vulnérabilité pour l'entreprendre.

Il faut accepter de se confronter à sa vulnérabilité pour entreprendre l'EMDR.

L'accès à la sérénité et à l'acceptation par la méditation

Qu'est-ce que la *Mindfulness* (« pleine conscience ») ?

La MBCT (*Mindfulness Based Cognitive Therapy*) a été développée il y a une dizaine d'années par un scientifique américain, Jon Kabat-Zinn. Il la définit comme un « état de conscience qui résulte du fait de porter son attention, intentionnellement, au moment présent, sans juger, sur l'expérience qui se déploie moment après moment ». Cet état de conscience est opposé au fonctionnement en « pilote automatique ».

Le plus souvent, dans la vie quotidienne, nous faisons plusieurs choses à la fois, nous fonctionnons en mode automatique, nous sommes rarement là où nous sommes. Le matin, à peine le pied posé par terre, nous sommes déjà en train de penser à tout ce que nous avons à faire dans notre journée puis, sous la douche, en buvant notre café ou en nous rendant au travail, c'est la même chose. Vous avez sûrement déjà fait l'expérience d'avoir parcouru votre trajet du domicile au travail sans tenir compte, et sans vous souvenir ensuite, du paysage, du nombre de feux… À l'arrivée, vous étiez surpris d'être déjà là.

Le principe de la pleine conscience est de nous apprendre à nous arrêter et à être présents, moment après moment, à ce que nous vivons. Vous me direz que c'est une perte de temps de ne faire qu'une seule chose à la fois, et il est vrai que beaucoup de choses nous poussent à « papillonner » d'une pensée à une autre, d'une tâche à une autre. Mais, quand nous faisons plusieurs choses à la fois, nous sommes moins concentrés sur chacune d'elles, nous dépensons plus d'énergie car notre attention se déplace tout le temps, nous risquons fort d'oublier certains détails et nous sommes moins rapides. Et surtout, nous risquons des « dérapages », des sorties de route quand les pensées négatives qui surgissent malgré nous en entraînent d'autres et finissent par échapper à notre contrôle volontaire et conscient, produisant les fameuses ruminations. Difficile dans la société actuelle qui nous demande d'être hyperactifs de modifier cette habitude de pilotage automatique. Pour cela, il faut s'entraîner, « rééduquer » notre attention comme nous pourrions rééduquer une cheville après une entorse en faisant de la musculation. Muscler son esprit consiste, lors d'exercices de pleine conscience (méditation, étirements, marche, manger, faire du sport…), à rediriger encore et encore son attention dans l'instant présent : des pensées surgissent quand vous faites un footing, processus tout à fait normal, votre cerveau est une machine à fabriquer les pensées qui ne s'arrêtera pas ! En revanche, vous avez le choix entre suivre ces pensées, ruminer, anticiper, monologuer (c'est-à-dire augmenter le volume de la radio) ou juste observer qu'elles sont là, sans vous y enliser mais en reportant votre attention à la pleine conscience des sensations corporelles, de vos muscles, de votre souffle (ce qui revient à baisser le volume de la radio pour n'avoir qu'un bruit de fond inaudible).

Revenir à l'instant présent

Comme vous le voyez, cette méthode ne vise pas à ne plus avoir de pensées négatives mais juste à noter qu'elles sont là sans les suivre et reporter votre attention au souffle et au corps. Nous entraînons notre esprit à rester dans l'instant présent, à ne pas voyager sans cesse dans le temps, passé ou futur.

Méditer en pleine conscience pendant 30 à 45 minutes, c'est aussi faire un exercice sans rien en attendre de spécifique (bien-être, état de transe…). Plus nous espérons quelque chose de précis, moins nous sommes dans l'instant présent car notre attention est alors portée vers des signes qui iraient dans le sens de notre attente. Nous passons par différents états, jamais semblables d'un jour sur l'autre, éphémères, comme l'impatience, l'irritabilité, l'envie de se lever, la détente profonde, le silence mental, la tristesse, la colère ; nous apprenons à savoir être avec ces états, à les observer sans chercher à les modifier ou à lutter contre eux comme nous avons l'habitude de le faire. Nous apprenons à accepter les choses telles qu'elles sont, agréables ou désagréables. Cette acceptation est facilitée par le constat sans jugement que nous pouvons faire du caractère éphémère de nos pensées, de nos émotions, de nos sensations physiques, grâce à notre observation sans jugement et distanciée.

Comment la pleine conscience peut-elle vous aider dans votre vie de tous les jours ?

Souvent, quand nous sommes tristes, angoissés ou en colère, nous avons peur que ces émotions pénibles perdurent et nous commençons à monologuer sur cette peur : « Je savais bien que cela allait revenir, je ne pourrai jamais être serein, je n'y arriverai jamais. Pourquoi ne suis-je pas heureux ? Pourquoi ne suis-je pas comme tout le monde ? » Ces ruminations et ces anticipations ne font qu'amplifier les émotions pénibles qui elles-mêmes augmentent les ruminations et les anticipations. C'est un cercle infernal !

La méditation permet d'apprendre à connaître ses émotions et à ne plus en avoir peur. Nous avons expérimenté le fait qu'elles étaient éphémères si nous arrivons à les accueillir avec « bienveillance », c'est-à-dire sans enclencher la machine à penser et sans chercher à les chasser, mais en essayant de les ressentir dans notre corps et de respirer avec cette sensation, parfois désagréable mais qui, finalement, passe d'elle-même. Accueillir la sensation physique désagréable liée à une émotion pénible permet déjà de prendre conscience de notre état et de prendre soin de nous-même comme nous prendrions soin de la douleur d'un être proche. Si un ami vous dit qu'il est triste, lui dites-vous que ce n'est rien, en le laissant souffrir seul ? Probablement pas. Vous l'invitez à vous parler de ce qui ne va pas, vous le prenez peut-être dans vos bras, vous accueillez sa souffrance. Il est normal d'être triste dans certaines situations, mais cette tristesse passe naturellement avec le temps. Pour des raisons physiologiques, toutes les émotions, positives ou négatives, sont transitoires si rien n'entrave leur flot naturel. C'est pour cela également qu'il est indispensable de savoir profiter de l'instant présent en savourant, jour après jour, ce que la vie nous offre de positif. Il ne sert à rien d'attendre tel ou tel événement pour s'autoriser à être heureux, trop d'obstacles risquent de rendre cette attente infinie. L'état de bien-être est davantage dû à la somme de petits moments de bonheur que de bonheurs très intenses qui sont plus rares au cours d'une vie. L'acceptation de cette réalité, qui est une des clés de la

> Nous apprenons à accepter les choses telles qu'elles sont.

démarche de méditation, permet de concentrer son énergie sur les moments positifs et de mieux surmonter les moments négatifs.

LA PLEINE CONSCIENCE : POUR QUI ?

La pleine conscience s'adresse à chacun d'entre nous, mais elle est particulièrement bénéfique aux personnes souffrant d'anxiété ou de dépression. En effet, ces états empêchent en général d'être dans l'instant présent. La plupart du temps, les personnes qui en souffrent s'accrochent aux pensées négatives (regrets, ruminations, anticipations anxieuses) et se laissent submerger par elles et leurs émotions.

Ce que la pleine conscience m'a apporté : plus d'attention à moi et aux signaux corporels

La thérapie cognitive basée sur la pleine conscience n'est pas une méthode facile. Elle exige beaucoup de rigueur et, lorsque cet ami m'a conseillé de participer à une retraite MBCT, je dois avouer que j'étais réticente : cinq jours de formation, cinq jours pendant lesquels nous pratiquons la méditation, nous expérimentons le silence, nous apprenons juste à être là où nous sommes et à faire avec ce qui est là sans chercher à le changer. Rester assise pendant des heures en silence m'était assez inconcevable. Jusqu'à ce *burn-out*, j'évitais soigneusement les moments d'inactivité pour ne pas être confrontée à mes pensées pénibles. J'étais hyperactive, je ne m'arrêtais jamais, je recherchais sans cesse les stimulations. Et puis, à cette époque, j'avais surtout besoin de parler à quelqu'un de ces satanées pensées qui me faisaient souffrir. Là, j'allais me noyer dans ce silence !

Lors des premières séances de méditation, les pensées ne cessaient d'absorber toute mon attention mais, progressivement, la pleine conscience m'a aidée, en me centrant sur ma respiration et sur mes sensations corporelles, à ne plus m'enferrer dans mes pensées négatives. J'observais qu'elles étaient là, sans les mettre à la porte, je notais ce qu'elles étaient, et je ramenais sans cesse mon attention vers mon corps. Je me souviens très précisément de la séance de méditation au cours de laquelle beaucoup de choses se sont dénouées. Les idées sombres revenaient sans cesse, je tentais de ramener mon attention à mon corps qui se tendait de plus en plus, et je ressentais juste ces douleurs sans chercher à savoir ce qu'elles faisaient là. Et, d'un seul coup, j'ai ressenti de la colère, c'est elle qui me tenaillait le corps. J'ai pris conscience que la fatigue accumulée me consumait à petit feu. Stop ! Je ne pouvais pas continuer à travailler comme je le faisais, sans tenir compte de mes limites. Mon problème n'est pas que je suis mauvaise en tout mais que je travaille trop pour ne pas penser, et cela au détriment de ma santé, de ma famille et de mes amis. Cette lutte stérile contre mes pensées négatives grille toute mon énergie, alors que je devrais entendre ce qu'elles me disent : « Tu es fatiguée, fais attention à toi. » J'ai pris conscience de mon souffle de son rythme ; j'ai pris soin de mes sensations et, après plusieurs minutes, elles sont parties…

Cette expérience m'a fait prendre conscience que je percevais la réalité à travers un prisme, celui de ma tristesse et de ma fatigue.

NOS PENSÉES SONT INFLUENCÉES PAR NOTRE ÉTAT

Nous avons tous connu un état de fatigue. Rappelez-vous de quelle manière vous abordez votre journée quand votre batterie est à plat, ou quand vous vous levez du mauvais pied. La plupart du temps, nous sommes plus sensibles, plus irritables, nous prenons tout de travers. Si nous croisons un collègue qui nous dit bonjour sans s'arrêter, nous allons penser : que se passe-t-il ? J'ai dû faire quelque chose qui ne lui a pas plu, il ne m'apprécie plus, etc. Ces pensées, nous les moulinons toute la journée… Et il y a de forts risques pour que nous sélectionnions tous les éléments extérieurs les confirmant ! Tout cela pour arriver en fin de journée à la conclusion : « Je suis seul », « Je ne suis pas assez bien », ou « J'ai fait quelque chose de mal ». Lorsque nous sommes sereins, en pleine forme, ce même événement passe inaperçu et est interprété de la manière suivante : « Il est pressé » ou « Il a un rendez-vous ».

Les pensées qui nous traversent l'esprit ne sont pas la réalité ! Et pourtant, c'est à elles que je me suis accrochée quand j'allais mal. Ce sont ces pensées qui augmentent notre angoisse, notre tristesse, et qui nous précipitent dans le gouffre de la dépression. Que sont-elles au juste ? Juste une interprétation de la réalité. Les pensées ne sont pas des faits ! Cette notion est essentielle pour ne plus s'identifier à elles, pour « défusionner » d'avec elles. Je ne suis pas ce qu'elles disent, leur présence m'indique juste que je suis fatiguée ou triste ou en colère ou anxieuse… Et cela change tout. Cette émotion a une raison d'être là, maintenant, je dois prendre soin de moi, elle va passer.

À retenir pour sortir de la dépression

Quand est-on vraiment déprimé ?

Être triste, ne pas avoir envie de quelque chose, ne pas réussir à s'endormir, cela ne suffit pas à poser le diagnostic de dépression. L'état pathologique de dépression est défini par la présence simultanée de plusieurs signes caractéristiques qui perturbent l'individu dans sa vie quotidienne, et cela de manière durable.

● On considère en général que ces perturbations constituent une dépression lorsqu'elles sont présentes depuis au moins deux semaines, en continu tous les jours.

● Deux symptômes sont presque toujours présents, l'un ou l'autre ou les deux, dans un état dépressif : la tristesse et la perte de l'envie et du plaisir. L'humeur triste, c'est le cafard, l'envie de pleurer, une douleur morale proche de celle que l'on ressent lors d'un deuil, mais parfois en beaucoup plus fort. Cette tristesse peut être présente en continu toute la journée, ou surgir seulement à certains moments, ou prédominer le matin ou le soir. La perte du plaisir, que les psys appellent « anhédonie », s'accompagne d'un désintérêt pour les activités gratifiantes habituelles (loisirs, cinéma, lecture, etc.), qui sont abandonnées ou affrontées difficilement, en se forçant. Cela peut concerner aussi la rencontre des proches, des amis, les activités sexuelles.

En plus de ces deux perturbations principales, une dépression est souvent marquée par plusieurs des symptômes suivants :

● troubles de l'appétit, en général à la baisse, avec modification involontaire du poids (par exemple prise ou perte de 5 % ou plus du poids habituel en un mois) ;

• troubles du sommeil, diminution (insomnie) ou augmentation (hypersomnie) du temps de sommeil ;
• troubles de la concentration, de la mémoire, difficultés à prendre des décisions ;
• troubles de l'action avec agitation ou ralentissement, qui peuvent être remarqués par l'entourage ;
• asthénie, sensation de fatigue ou de diminution d'énergie, tout effort devient un problème ;
• sentiments de culpabilité et autodépréciation ;
• idées noires et suicidaires, qui peuvent aller d'un désir vague de disparaître à une réelle volonté d'en finir.
L'angoisse et l'anxiété ne sont pas mentionnées dans cette liste car elles peuvent exister dans beaucoup d'autres pathologies que la dépression, mais elles y sont très fréquentes (inquiétudes pour l'avenir, ruminations, phobies, etc.).

Que faire quand on souffre de dépression ?

Un état dépressif réel nécessite une aide extérieure, car il est illusoire et parfois dangereux de vouloir se battre seul ou d'attendre que les choses passent d'elles- mêmes. Si votre dépression est peu intense, la psychothérapie peut être la meilleure solution pour en sortir. Mais si elle est sévère, la douleur morale et l'épuisement sont tels que vous êtes peu réceptifs à la psychothérapie et le traitement par antidépresseur devient très utile, voire indispensable. Pourtant, vous êtes nombreux à être réticents à prendre un traitement : « Je ne veux pas être drogué, je ne veux pas devenir dépendant. » Mais continuer une psychothérapie sans traitement, c'est comme si vous preniez votre voiture pour vous rendre quelque part alors qu'elle n'a plus d'essence. Le traitement permet de recharger les batteries en reconstituant une partie des défenses et en apportant un peu de calme intérieur, sans rien vous enlever de vos capacités (les antidépresseurs actuels ne font pas dormir et ne créent pas de dépendance). C'est une béquille qui va vous permettre de profiter pleinement des bienfaits de votre psychothérapie.
Quant au choix de votre psychothérapie, les thérapies comportementales et cognitives sont reconnues efficaces dans le traitement de la dépression. Si votre dépression est la conséquence d'un deuil, d'une agression, d'une enfance difficile,

d'un accident, d'une séparation, d'un licenciement, encore douloureux quand vous l'évoquez aujourd'hui, l'EMDR peut être efficace dans le « retraitement » de ces événements de vie négatifs. La thérapie cognitive basée sur la pleine conscience a démontré son efficacité dans la prévention de la rechute dépressive.

Prévenir la dépression et sa rechute
Arrêtez-vous au moins 30 minutes par jour pour prendre de vos nouvelles

Pour détecter d'éventuels signes de rechute, il faut vous arrêter. Le psychiatre Edel Maex lors d'une conférence avait dit : « Si vous souhaitez connaître une ville, il ne suffit pas de la traverser en voiture. Il faut s'arrêter, trouver une place pour se garer, descendre de la voiture et parcourir les rues en étant curieux de ce qui s'y trouve... » Pour apprendre à vous connaître, vous devez arrêter de foncer tête dans le guidon, et essayer de ne faire qu'une seule chose à la fois. Choisissez un moment dans votre journée pendant lequel vous allez vous poser 30 minutes et prendre de vos nouvelles ! Vous êtes capable de prendre ce temps pour écouter vos proches et vos amis, prenez-le pour vous !

Pendant ces 30 minutes, essayez du mieux que vous pouvez de porter votre attention sur les différentes parties de votre corps et sur le trajet de votre souffle dans votre corps. Assez souvent, votre attention sera détournée de votre corps par des pensées, des sensations particulières, ceci est tout à fait normal. Sans jugement, observez ce qui est présent en cet instant : « Tiens ! J'ai une crampe », « Tiens ! L'exercice m'agace » ou « Tiens ! Revoilà ma pensée favorite : je ne vais jamais y arriver... » Et ramenez votre attention à votre corps. Rappelez-vous que les pensées ne sont que des créations de votre esprit qui reflètent juste l'état dans lequel vous êtes au moment où vous faites cet exercice. Si vous avez beaucoup de difficultés à ramener votre attention à votre corps et à votre souffle, ce n'est pas que vous avez raté l'exercice mais juste que vous êtes fatigué ou stressé. Donc, quand vous constatez cela, demandez-vous de quelle manière vous pouvez prendre soin de vous, et notez les pensées sur un carnet spécial « analyse et discussion de mes pensées ».

Pour chaque pensée, demandez-vous d'où elle vient ? Quel événement a provoqué son apparition ? À quel point, est-ce réaliste de penser cela de moi suite à cet événement ? Quelles sont les preuves à charge et à décharge de cette affirmation ?

Ayez un carnet pour compagnon de route

Adoptez un compagnon de route, un beau carnet qui vous aidera à prendre conscience de votre bonheur et vous servira dans les moments plus difficiles de votre vie, ayez-le toujours à portée de main. Notez-y :

● Vos qualités que vous aurez demandées à votre entourage.
● Les activités qui habituellement vous donnent une bonne image de vous-même (ranger, trier les papiers, faire du sport…) et celles qui vous procurent du plaisir (préparer un bon repas, prendre un bain, aller au cinéma, appeler un ami, promenade en forêt, jardiner, jouer de la musique, sortir avec les amis…). Ces activités sont à faire quand vous commencez à sentir la tristesse, la baisse de votre motivation : attention, vous savez sans doute, que lorsque vous allez mal vous n'avez plus envie de rien. N'attendez pas d'avoir envie pour faire des activités qui vous font du bien : faites et la motivation et le plaisir reviendront d'eux-mêmes.
● Au moins un événement positif de votre journée. Attention, ne cherchez pas forcément de grands événements, le bonheur se trouve parfois dans un sourire, une odeur, un paysage, le temps qu'il fait, un coup de fil, un bon repas… Quand les pensées négatives réapparaissent, relisez ces moments de petits bonheurs.

Vous pouvez aussi écrire, dessiner, coller un article qui vous a plu ou encore des photos.

Soyez plus attentif à vos besoins et à vos envies : respectez-vous !

Osez prendre du temps pour vous ! Vous passez beaucoup de temps à être attentif et à répondre aux besoins de votre entourage familial, amical et professionnel au détriment de votre santé physique et morale. Vous aussi, vous avez des besoins (amour, attention, reconnaissance, plaisir, repos…) et il est important que vous les considériez.

Le traitement, l'EMDR et la pleine conscience m'ont ouvert les portes de la sérénité et m'ont appris à prendre soin de moi, ce qui est essentiel pour être bien avec les autres, sa famille, ses amis et ses patients.

Cette expérience me sert au quotidien : me rappelant une période noire, elle me permet d'autant plus d'apprécier la vie, les moments de bonheur que je ne percevais pas auparavant. Je ne me perds plus dans des luttes interminables, je refuse de perdre mon temps et mon énergie à cela. La seule lutte que je concède est celle contre la souffrance car, même si les événements de vie font que nous la connaîtrons tous un jour, il y a de nombreuses méthodes qui permettent de les vivre mieux. Face à une personne en souffrance, je comprends ce qu'elle vit, ce qu'elle ressent, et là, oui, je mobilise toute mon énergie pour l'amener vers la sérénité.

L'enseignement de mon expérience

Personne n'a envie de connaître la souffrance et pourtant la vie fait que nous sommes tous amenés à la croiser sur notre route. Prise dans la tempête de la dépression, ma douleur morale a été intense. Je pensais qu'il serait difficile de me sortir de ce marasme. Après un an d'EMDR et de pratique quotidienne de la méditation, je me sentais enfin moi-même. Le bonheur ! L'EMDR permet de « nettoyer » et de se débarrasser des vieilles casseroles comme nous le disons familièrement et de se réconcilier avec soi-même. La thérapie cognitive basée sur la pleine conscience m'a ouvert la voie de l'acceptation car, même si l'EMDR balaye les fausses croyances, notre personnalité avec ses qualités et ses défauts reste. Mais la méditation permet d'aborder ses défauts avec de la distance, voire de l'humour : « Te revoilà ! Tu ne m'auras pas ! » Mais aussi, la méditation m'a permis d'accepter la vie, les autres tels qu'ils étaient.

Pour conclure

Même en étant « spécialiste » du soin et de la psychothérapie, le recours à une aide extérieure m'a été indispensable pour comprendre ce qui se passait en moi et me sortir de moments difficiles. Il faut donc consulter quand on va mal, malgré toutes les réticences que l'on peut ressentir (les psys qui font peur, la crainte de se confier, le prix que ça coûte, etc.). Par ailleurs, les différentes méthodes de thérapies comportementales et cognitives et les approches émotionnelles comme celles que j'ai décrites sont souvent dénigrées par certains psychologues ou psychiatres, qui considèrent qu'il ne s'agit pas de traitements en « profondeur » des problèmes psychiques (contrairement à d'autres méthodes comme la psychanalyse). Mon expérience personnelle, celle de nombreux patients montrent qu'au contraire ce travail sur soi et sur ses émotions ouvre la voie à un véritable changement durable et bénéfique pour l'avenir, et à un bien-être que nous recherchons tous.

Puissè-je avoir la sérénité d'accepter les choses que je ne peux changer, le courage de changer les choses que je peux et la sagesse d'en connaître la différence.
MARC AURÈLE

Pour en savoir plus, reportez-vous pages 98-99.

5
Quand la peur vous immobilise

Dr Christine Mirabel-Sarron

Pas d'espoir sans crainte, pas de crainte sans espoir.
Spinoza

Dans les années 1980, je poursuis mes études de médecine dans la région lyonnaise. Cela me permet de profiter à la fois de la ville, des alentours arborés et des Alpes. Comme pour beaucoup d'étudiants, aller faire du ski signifiait partir tôt le matin, et repartir à la fermeture des pistes, malgré la fatigue. Et puis un jour, une sortie comme une autre, un accident bête : je chute, je ne déchausse pas et c'est la fracture. Hospitalisation, chirurgie, soins de suite, rééducation et retour au foyer se succèdent rapidement.

Une expérience inattendue
La peur au bout de la porte cochère

Tout a commencé un jour sans prévenir. C'était ma première sortie de mon immeuble, accompagnée de mon conjoint : je pouvais remarcher, me déplacer, mais je ne pouvais plus sortir seule dans la rue. Je ressentis brusquement une montée d'angoisse sans raison, qui se manifesta tout d'abord par une forte oppression thoracique, un cœur qui se mit à battre à tout rompre, et un début de sensations vertigineuses. La première fois, j'attribuai tous ces symptômes à la première sortie, à l'effort fourni pour me déplacer, me sécuriser de nouveau après ce traumatisme. Mais, dès le lendemain, cela recommença et, à chaque sortie, c'était la même chose. Ma panique démarrait lorsque j'approchais de la sortie de l'immeuble, dès que j'entrevoyais l'extérieur, mon cœur battait de plus en plus vite, mes mains commençaient à trembler, j'écoutais les battements de mon cœur, je ressentais les pulsations jusque dans les tempes, j'avais peur que les vaisseaux se rompent, que je m'évanouisse. Je me disais que mon corps ne pourrait pas résister ainsi longtemps et je craignais la chute, je cherchais un point d'appui contre le mur de l'entrée. Je m'arrêtais et je me calmais un peu, ma respiration s'apaisait. Cela me ressemblait si peu, moi qui étais surnommée l'« aventurière », mon Everest devenait le banc situé à quelques mètres de la porte d'entrée de l'immeuble.

Je me demandais ce qui m'arrivait et si, un jour, je retrouverais une vie normale. Pendant toute une année, je fus habitée par l'angoisse. J'évitais toute sortie, je trouvais toutes sortes de prétextes pour cela, et je me cantonnais à de très rares trajets à l'extérieur, accompagnée d'une personne sûre.

Un parcours thérapeutique chaotique

Dès les premières semaines, j'ai consulté un médecin, puis un homéopathe, un ostéopathe, un kinésithérapeute et d'autres spécialistes. On me prescrivit un régime alimentaire de type « macrobiotique » puis un autre, et encore toutes sortes de traitements, depuis les massages, les remèdes par les plantes, jusqu'aux anxiolytiques et neuroleptiques, certains apportant un soulagement de quelques heures et d'autres aggravant les symptômes. Personne n'avait alors pensé au psychiatre ou au psychologue, moi non plus.

Après quelques examens, le diagnostic de crise d'angoisse aiguë (attaque de panique avec agoraphobie secondaire) était devenu évident.

RECONNAÎTRE L'ATTAQUE DE PANIQUE ....

Au moins une des attaques de panique est accompagnée pendant un mois (ou plus) des symptômes suivants :

● crainte persistante d'avoir d'autres attaques de panique ;

● préoccupation à propos des implications possibles de l'attaque ou de ses conséquences ;

● changement de comportement important en relation avec les attaques.

....

Quels sont les critères de l'agoraphobie ?

L'anxiété est liée au fait de se retrouver dans des endroits ou des situations d'où il pourrait être difficile (ou gênant) de s'échapper ou dans lesquels on pourrait ne pas trouver de secours en cas d'attaque de panique, soit inattendue, soit facilitée par des situations spécifiques, ou bien en cas de symptômes à type de panique.

Selon le *DSM-IV*, les peurs agoraphobiques se caractérisent typiquement par :

● Un ensemble de situations caractéristiques incluant le fait de se retrouver seul en dehors de son domicile, d'être dans une foule ou dans une file d'attente, sur un pont ou dans un autobus, un train ou une voiture.

● Le fait que ces situations sont soit évitées soit subies avec une souffrance intense ou bien la crainte d'avoir une atta-que de panique ou des symptômes à type d'ADP ou bien nécessitant la présence d'un accompagnant.

L'anxiété, ou l'évitement phobique, n'est pas mieux expli-quée par un autre trouble mental.

Je n'y croyais pas trop au début. L'anxiété pouvait-elle ren-dre si malade ? Pouvait-elle totalement m'immobiliser ? Étudiante, je n'avais eu aucun enseignement de psychiatrie, et mes recherches dans les livres ne m'apportaient guère de solution. Je voulais revenir à un état de santé normal, comme avant, avant que ce cauchemar ne débute et je ne trouvais pas de piste.

Un entourage qui me fait confiance

Les attaques de panique survenaient à chaque tentative de sortie. Il suffisait que je pense à sortir pour me sen-tir immédiatement tendue, mal à l'aise, et la peur faisait son apparition : peur d'avoir une attaque de panique, de ressentir ce mal-être aigu où tout le corps est sous une extrême tension, avec une impression tout à fait anormale qu'il va éclater.

Mes proches ont insisté pour que je sorte, en argumentant sur la rééducation locomotrice, sur la reprise de confiance en moi dans les trajets ; nous nous sommes mis d'accord sur de tout petits trajets successifs qui m'ont menée, au bout de quelques jours de répétition, à l'angle de ma rue.

Pour mes proches, il était ensuite logique de traverser puisque j'arrivais alors dans une zone commerçante; mais je n'étais pas dans cette logique de l'attrait pour l'extérieur. Ma peur me permettait de rester sur le même trottoir dans une même continuité, sans rupture; l'autre côté de la rue m'apparaissait comme un fossé, un gouffre. Avec la logique émotionnelle de ma peur, je pouvais continuer sur le même trottoir, en progressant, jour après jour, pour arriver après deux semaines à faire le tour du pâté de maisons. Trajet qui paraît certes inutile au regard d'une personne qui fonctionne rationnellement, mais il n'était pas encore question pour moi de traverser.

Chaque jour, j'arrivais à faire un peu plus de chemin, mais toujours guidée par mon angoisse. Il m'avait semblé plus facile de progresser et je gagnais un peu chaque jour du terrain sur l'angoisse qui m'aurait bien « clouée à la maison ». Chaque jour, je faisais une sortie, dont l'objectif était fixé par mon niveau de peur et non par les autres. Les progrès étaient certes continus, mais lents et j'aurais tant aimé pouvoir aller plus vite, mais la peur et la phobie de l'extérieur me freinaient terriblement.

De mois en mois, ma famille, mes amis vont ainsi se relayer et me faire très progressivement franchir des étapes dans l'autonomisation de mes déplacements. Il aura fallu plus de six mois d'une confrontation quotidienne aux situations de sortie si redoutées pour que mon aisance s'acquière dans tous les lieux.

Un autre regard sur la peur

À une période où je n'avais aucune connaissance en psychologie, j'ai pu vivre en quelque sorte une exposition progressive à mes peurs du moment, aux attaques de panique qui engendraient une agoraphobie.

Cette expérience personnelle est celle de la moitié des phobiques qui, stimulés ou non par leur entourage, se confrontent progressivement à leurs peurs et connaissent une rémission progressive de leurs peurs pathologiques. Cette expérience, si elle avait été plus structurée, organisée par un thérapeute, se serait assimilée à une prise en charge de thérapie comportementale et cognitive.

> Chaque jour, j'arrivais à faire un peu plus de chemin.

La bonne nouvelle est que tout cela peut s'arrêter très vite ! Je n'ai plus jamais eu d'attaques de panique. Je ne souffre plus d'agoraphobie et je vis une vie normale. Je voyage beaucoup et je ne me réveille plus dans la peur chaque matin. Pourtant je n'ai pas changé ma vie. Je ne cherche pas à éviter quoi que ce soit. J'ai tout simplement et naturellement repris le contrôle de mon existence, des événements. Je me souviens juste que, dans le passé, j'ai eu un problème d'angoisse et d'attaques de panique. Mais c'est du passé ; c'est fini. C'est loin, comme une histoire très ancienne.

Je pourrais incriminer des facteurs de risque comme le fait d'être une femme, d'avoir une histoire de vie qui fragilise, la vulnérabilité biologique ou génétique qui prédispose clairement certaines personnes à faire des attaques de panique plus facilement que d'autres. Mon regard est devenu alors différent ; toute personne a ses vulnérabilités et doit y trouver des solutions les plus appropriées pour elle-même.

Qu'est-ce que cette expérience m'a appris ?

J'ai découvert dans cette expérience qu'il y avait plusieurs types de peur, la peur banale transitoire qui accompagne la prise de conscience d'un danger, que je connaissais bien quand le bruit du tonnerre me surprenait ou quand j'allais au parc d'attractions.

Comprendre sa peur pour la surmonter

Je découvrais qu'il existait d'autres visages de la peur, durables, totalement irrationnels, sur lesquels vous avez l'impression de n'avoir aucun contrôle. Je n'avais peur de rien de palpable sur ce trottoir.

Si la peur réactionnelle se comprend comme une réaction de survie de l'espèce, cette peur lourde, continue, envahissante et qui par accès vous envahit échappe totalement à votre compréhension. L'irrationalité de cette peur, vous pouvez à peine en parler. Les autres ne la comprennent pas ; quel danger y a-t-il à marcher sur un trottoir rectiligne, large, propre ? Aucun bien sûr et vous, vous tremblez de peur. Vous explorez centimètre par centimètre comme s'il s'agissait d'un nouveau territoire, que vous étiez devenu explorateur d'un milieu hostile, que quelque chose d'effrayant allait se passer. Vous vous sentez seul et isolé dans cette expérience.

Pour lutter, ne pas avoir honte

Ce travail personnel de rencontre avec la peur, cette exposition émotionnelle me montraient que je n'allais pas plus mal, et même que j'allais plutôt mieux.

Je découvrais des moyens personnels, des astuces pour comptabiliser chaque succès : je mesurais le temps resté à l'extérieur, je prenais des repères de distance, Je me créais ainsi des moyens pour mesurer mon changement.

J'ai appris que, pour lutter contre ses peurs excessives, il faut d'abord ne pas en avoir honte. Il faut se dire qu'on n'est pas plus responsable de ses peurs que d'une hypertension artérielle, ou du diabète… Il ne faut donc pas culpabiliser, mais considérer ses phobies comme le dérèglement d'un phénomène de peur, au départ bien naturel.

Se confronter progressivement à sa peur

Ensuite, pour remettre la peur à sa juste place, il s'agit d'apprendre à la maîtriser, avec des travaux pratiques. Ces « exercices » consistent à se confronter à sa peur, de manière progressive et surtout très régulière. En faisant ce travail de manière consciencieuse, on parvient à modifier sa biologie de la peur : le cerveau, ou plus exactement l'amygdale cérébrale qui est le centre de la peur, commence à réagir différemment. Il faut accepter que l'angoisse puisse arriver ; absolument personne ne peut vivre avec le risque zéro. La solution n'est pas de verrouiller sa vie pour essayer que cela n'arrive pas, mais d'intégrer que l'angoisse fait partie des risques de la vie.

> Pour lutter contre ses peurs excessives, il faut d'abord ne pas en avoir honte.

Les origines biologiques de la peur

Pour Clark, l'attaque de panique est déclenchée par des stimuli internes ou externes. Ces stimuli sont interprétés comme le signe d'un danger imminent. Cette interprétation produit une appréhension, associée à de nombreuses sensations physiques, sur un mode catastrophique (mort, perte de contrôle). Le sujet devient alors hypervigilant (de peur de ressentir certaines sensations), prenant en considération des sensations que d'autres ignoreraient et qui le confortent dans l'idée d'un problème sérieux. Il adopte des comportements de sécurité qui ont tendance à maintenir les interprétations négatives et peuvent conduire à un évitement agoraphobique. Cette spirale qui aboutit à une attaque de panique et confirme ainsi la menace perçue initialement. Le cercle vicieux engendré favorise un état de tension, d'anxiété intense et prédispose l'individu à d'autres attaques de panique.

À partir de cette interprétation catastrophique, le sujet va développer des conduites qui vont contribuer au maintien du trouble panique.

Mes conseils

La réaction que nous avons lorsque nous faisons une crise de panique est exactement la même que lorsque nous percevons un danger et que notre organisme se prépare à y faire face. Il y a donc nécessité d'une thérapie à impact amygdalien (l'amygdale est le centre de nos émotions. C'est une des parties du cerveau les plus anciennes en termes d'évolution. Le système limbique comprend deux parties importantes : l'amygdale et l'hippocampe). Une normalisation des anomalies fonctionnelles cérébrales dans les phobies après TCC a été démontrée et témoigne d'une neuroplasticité chez l'être humain.

Comment reconnaître l'anxiété aiguë ?

● Avez-vous souvent lutté contre des pensées anxieuses qui semblent ne jamais s'arrêter ?

● Est-ce que vous vous sentez mal à l'aise dans des espaces fermés tels que des salles de cinéma, les transports en commun, ou dans la file d'attente à la caisse du supermarché ?

● N'avez-vous jamais eu l'impression d'étouffer parce que votre poitrine vous semblait trop étroite, que votre gorge serrait et que votre respiration était irrégulière ?

● Quand vous conduisez, êtes-vous parfois envahi(e) par la peur de rester bloqué(e) dans la circulation, sur un pont, ou au feu rouge ?

• Êtes-vous allé(e) aux urgences d'un hôpital parce que vous pensiez être victime d'une attaque cardiaque ? Est-ce que le médecin vous a dit qu'il ne s'agissait que d'un peu d'anxiété et rien de grave ?

• Êtes-vous souvent angoissé(e) à l'idée de perdre tout à coup le contrôle et de devenir fou(folle) ?

• Êtes-vous nerveux(se) dans des situations « normales » qui ne vous posaient aucun problème auparavant ?

• Ressentez-vous parfois une les sensations corporelles suivantes sans raison apparente : emballement du rythme cardiaque, douleur dans la poitrine, sensation de rétrécissement dans la gorge, difficulté à respirer et d'être à court de respiration.

• Avez-vous l'impression d'être déconnecté(e) de ce qui se passe autour de vous, de la réalité : sensation de déséquilibre, impression que vous allez vous évanouir ; picotements dans les mains, les doigts, les extrémités, les pieds ; sueurs froides ou frissons ou transpiration excessive ; poussée de chaleur suivie d'angoisse ; tremblements ; sensation de perte de contrôle ; peur de devenir fou/folle ; sensation de terreur ; impression de mort imminente ; besoin de fuir.

Ce sont là les symptômes de la crise de panique.

Les facteurs déclenchants

Si vous ne comprenez pas pourquoi l'attaque de panique survient, cherchez tout d'abord les facteurs déclenchants provenant de l'environnement : quel lieu ? Quelle situation ? En présence de quelle personne ? En présence de quel objet ? Avez-vous dû faire face à une situation nouvelle source de stress (séparation) ?

Poursuivez votre enquête du côté des facteurs internes propres à vous-même : quel est votre niveau de fatigue ? De prise de substances psychostimulantes (alcool, boissons contenant de la caféine, drogues) ? Quelle a été la régularité de votre sommeil ? Avez-vous eu un emballement du rythme cardiaque dû à une autre origine (effort physique) ? Des pensées anticipatoires (peur d'avoir une autre attaque de panique, peur de mourir, de devenir fou) ? Des réactions colériques ?

Tous ces facteurs externes et internes vont provoquer l'émergence de pensées anxieuses : c'est-à-dire que ces facteurs vont être interprétés par vous et vous plonger dans une peur consciente de perdre le contrôle, voire de mourir, ou de vous retrouver dans une situation fort embarrassante. Ce travail d'analyse mentale anxieux fait monter la peur en vous. Votre corps intensifie les réactions physiques ou les débuts de réactions physiques qui sont apparues en tout premier lieu et qui ont lancé la spirale de l'attaque de panique. Vous prêtez encore plus attention à la moindre sensation, un état d'hypervigilance active s'installe. Vous êtes alors entré dans un cycle d'escalade de la peur, les symptômes provoquant la peur, et la peur renforçant les symptômes.

Comment réagir ?

Vous avez deux choix : soit vous faites une attaque de panique et cédez à la peur que vous croyez inéluctable, soit vous faites quelque chose pour apaiser la situation.

La meilleure attitude est de s'arrêter, de se calmer, de respirer calmement, de faire le vide dans votre esprit en pensant à quelque chose d'agréable qui s'est passé dans votre journée, par exemple. Malheureusement, le comportement choisi pour lutter contre cette attaque de panique est le plus souvent la fuite (partir du lieu ou de la situation précipitamment) ou encore l'évitement (renoncer au rendez-vous pris).

La différence entre quelqu'un qui souffre d'attaques de panique et quelqu'un qui n'en souffre plus est très simple. Celui ou celle qui n'en souffre plus n'en a plus peur. Il ou elle voit ses sensations physiques comme des sensations et rien de plus, et plus comme une menace. Cette personne ne réagit pas à des pensées anxieuses par une émotion. C'est là toute la différence, car dans l'angoisse phobique, il y a bien un objet apparent, mais illégitimement ressenti comme menaçant.

Les points clés

1. Faire face à ses peurs mobilise une double contrainte :
● se confronter à ses peurs, qui est le cheminement extérieur ;
● accepter ses peurs, qui est le cheminement intérieur.
Ne pas renoncer, ce n'est pas une fatalité.
Ne pas avoir honte ni se culpabiliser.

Faire face aux attaques de panique	Fuir ou éviter
Vous augmentez votre tolérance aux sensations physiques et à l'anxiété.	Vous diminuez votre tolérance aux sensations physiques et à l'anxiété.
Cela permet d'obtenir une tolérance accrue aux émotions négatives, une modification de la vision du monde et l'émergence de comportements adaptés et l'érosion progressive de l'hyperréactivité émotionnelle.	Cela a pour conséquence que la plus petite sensation banale qui se produit normalement dans la vie de tous les jours chez tout le monde, peut être dramatisée et devenir obsédante pour vous. Vous rentrez dans un état d'hyper-vigilance. Votre estime de vous-même et votre impression de pouvoir gérer la situation diminuent de jour en jour. Votre style de vie finit par changer complètement. Vous vous mettez à éviter les gens, les endroits publics et entrez dans le cycle de l'agoraphobie.

2. L'expérience instruit plus que le conseil : l'éducation, la compréhension du phénomène permettent d'identifier les processus, comprendre permet ensuite d'agir.

3. La confrontation aux situations de peur :

● doit être librement consentie avec la motivation du sujet ;

● doit être progressive ;

● doit être prolongée ;

● doit être répétée, rapprochée, régulière.

4. Il est bien préférable que votre anxiété soit évaluée par un spécialiste qui vous conseillera sur la thérapie à suivre médicamenteuse et/ou psychologique.

La confrontation aux situations de peur doit préférentiellement être prévue et encadrée par un professionnel des troubles anxieux, qui pourra construire avec vous votre programme d'exposition et qui pourra déceler éventuellement des facteurs qui pourraient être des freins de votre progression.

Pour en savoir plus, reportez-vous page 99.

6

Benjamin
Schoendorff

Un long chemin pour apprendre et s'accepter

Je pratique la « thérapie d'acceptation et d'engagement », plus connue sous l'acronyme ACT (« acte »), pour les initiales de son nom en anglais : *Acceptance and Commitment Therapy*. L'ACT est une thérapie comportementale et cognitive de nouvelle génération. Son but est d'aider les personnes prisonnières de la lutte contre la souffrance intérieure à s'en libérer et à retrouver, par l'action, le chemin d'une vie qui a du sens. À mes yeux, l'ACT est une thérapie comportementale humaniste et existentielle.

La lutte intérieure, qu'est-ce que c'est ?

La lutte intérieure, c'est tout ce que nous faisons dans le but d'éviter ou de modifier notre vécu inconfortable ou douloureux : sensations, émotions, pensées ou souvenirs. Elle peut prendre des formes différentes : éviter, fuir, se faire rassurer, ruminer, travailler, se distraire, s'isoler, faire des rituels, se faire du souci, manger, boire ou encore… se droguer.

La psychologie scientifique démontre qu'à long terme, cette lutte contre son expérience intérieure se révèle le plus souvent futile. Chercher à supprimer, modifier ou éviter ses propres ressentis n'est pas seulement une quête illusoire, le risque est réel de les voir prendre toujours plus de places et s'intensifier – comme s'ils se nourrissaient de l'énergie mise à les combattre. La lutte peut devenir un piège, une véritable addiction où il faut sans cesse augmenter la dose.

À travers ce texte, je vous propose de partager un peu de mon expérience personnelle de l'addiction à la lutte. Pendant de longues années, j'ai consommé divers produits dans le but de modifier ce que je ressentais. Cela ne m'a pas rendu spécialiste de l'addiction aux drogues – loin de là. Ma spécialité serait plutôt l'addiction à la lutte intérieure.

Si je choisis aujourd'hui de partager mon expérience, c'est avec la peur d'être étiqueté, jugé et rejeté par mes pairs. Aujourd'hui encore, l'addiction à la drogue reste honteuse, secrète et stigmatisée, enfermant à triple tour les prisonniers de cette forme de lutte inrérieure. Mon souhait est que ce petit texte puisse à sa mesure contribuer à faire avancer la reconnaissance du fait que les consommateurs de drogue sont des prisonniers comme les autres et qu'ils méritent aide, considération et amour autant que tout autre humain prisonnier de la lutte contre sa souffrance.

UN COMBAT QUI ENFERME

Dans mon travail de psychothérapeute, j'ai pu observer que la plupart de mes clients souffrent eux aussi d'addiction à la lutte intérieure. Avec les meilleures intentions du monde, ils se retrouvent prisonniers d'un trop long combat contre leur souffrance. Leurs victoires ne sont que de courts instants de répit entre deux batailles, et leur prix en est trop souvent de renoncer à faire des pas en direction de ce qui est vraiment important dans la vie.

« J'avais toujours voulu changer ce que je ressentais »

Aussi loin que je puisse remonter, je me souviens m'être souvent senti seul, triste, incompris, mal-aimé. Pourquoi ? Je n'en sais trop rien. Je sais seulement que je ne pouvais accepter ce que je ressentais et cherchais désespérément à comprendre pourquoi je vivais cela. Avide de percer le mystère, j'ai passé mon enfance les livres à la main. Le mystère resta entier. J'apprenais bien des choses dans les livres mais, à l'école, je m'ennuyais ferme. Les profs me trouvaient insolent et je le devins de plus en plus. Les expulsions se succédèrent. Mon mal-être et ma conviction de ne pas être à ma place à l'école et dans la vie ne firent qu'augmenter. Tout fut essayé par mes parents désemparés : l'enseignement public, le privé, la pension, le redoublement et même un an de séjour d'échange aux États-Unis. Rien ne fonctionna, rien ne semblait me convenir. Je visitais plus d'établissements que je n'eus d'années scolaires.

Enfant, j'avais très peur des drogues illégales. J'imaginais confusément leurs usagers en démons. Puis un jour, j'avais onze ans, je vis mes moniteurs de colonie de vacances se partager un joint. Il ne leur poussa pas de cornes sur la tête. Tout juste se mirent-ils à rire de bon cœur. Et surtout ils continuèrent à se conduire en moniteurs responsables, et non en démons. Je me mis à douter des informations officielles sur la drogue. On affirmait alors qu'il n'y avait aucune différence entre drogues « dures » et drogues « douces ». La drogue douce ne m'était pas apparue franchement dangereuse, et puisqu'il n'y avait pas de différence entre dure et douce, la drogue dure ne devait pas être si dangereuse que ça non plus… Ce syllogisme immature pour tout bagage, j'allais m'embarquer dans une longue carrière de consommateur de produits psychotropes.

Au plus profond de moi, j'avais toujours voulu changer ce que je ressentais. Je partis en quête du produit qui saurait rendre mon vécu intérieur moins inconfortable. Je n'ai que douze ou treize ans. Je me souviens en revanche d'une tentative d'alcoolisation massive à l'âge de treize ans. Après m'être réveillé la tête dans une flaque de mon propre vomi, j'évitai l'alcool pendant plusieurs années – je venais de découvrir le conditionnement aversif.

Un jour où les choses allaient particulièrement mal avec mes parents, je décidai de fuguer. J'avais quinze ans et je partis squatter chez un couple d'amis qui en avaient tout juste vingt. J'y restai plusieurs semaines, et m'y initiai à l'héroïne.

Quand la lutte intérieure devient addictive

L'héroïne me fit ressentir une profonde chaleur intérieure, l'impression que tout était à sa place, que tout était possible, que les conflits apparemment insolubles dans lesquels je me débattais se dissolvaient enfin. Quant à l'éventuel danger du produit, je me le figurais mensonge bien-pensant.

C'était l'époque du rock subversif et je croyais vivre pour la musique. Prendre de la drogue m'apparaissait comme une forme de rébellion et un moyen de faire partie d'un groupe, d'une tribu.

Je devins rapidement un consommateur habituel d'héroïne. Après une classe de seconde chaotique, je mis un terme à ma scolarité officielle à l'orée de mes seize ans. Sur suggestion de mes parents, je présentai néanmoins mon bac en candidat libre. Je fus reçu de justesse, à la session de rattrapage. N'ayant quasiment pas bachoté, je dois sans doute mon bac à ma passion des livres et, surtout, au fait que mon père soit venu me tirer du lit un matin d'épreuve écrite où, ayant un peu trop consommé la veille, je ne m'étais pas réveillé… Mes parents ont fait tout ce qu'ils ont pu pour essayer de m'aider, sans toujours bien savoir comment s'y prendre.

Une fois mon bac en poche, je partis m'inscrire en faculté de lettres et d'histoire. Mais la fac m'apparut d'emblée comme un endroit impersonnel et je m'y sentis tout aussi étranger qu'au lycée. Malgré mon intérêt prononcé pour l'histoire, la littérature, les affaires courantes, la politique et surtout l'amour, je passais l'essentiel de mes journées à exercer le métier prenant de consommateur d'héroïne.

L'héroïne, c'était tout simplement la manière la plus efficace que j'avais trouvée de mener ma lutte intérieure. Le problème était que ma lutte était efficace – à court terme. C'est son efficacité à court terme qui rend la lutte intérieure si violemment addictive sous toutes ses formes.

MISE EN PLACE D'UN CERCLE VICIEUX

Dans un premier temps, le moteur de ma consommation fut le plaisir que me procurait l'héroïne. En termes comportementalistes, on appelle cela le renforcement positif, l'ajout d'une conséquence agréable. L'héroïne semblait magiquement faire disparaître toutes mes difficultés existentielles et atténuer mes ressentis relationnels difficiles — tout en m'empêchant de voir que mes difficultés relationnelles persistaient et souvent même s'aggravaient. En termes comportementalistes, on nomme cela le renforcement négatif, c'est-à-dire la soustraction d'une conséquence désagréable. Rapidement cependant, je fis l'expérience que ne pas consommer me rendait malade. Et ma consommation se trouva alors renforcée par l'atténuation de ces symptômes…

La spirale de l'enfermement intérieur

Si ma lutte était efficace à court terme, à plus long terme, mes perspectives de vie se rétrécissaient insensiblement. Sans me sentir l'esclave absolu de ma consommation, j'étais bel et bien coincé dans une vie où je ne voyais pas de possibilité de m'engager dans une voie qui m'inspirât vraiment. J'étais souvent triste et déprimé. Je ne parvenais pas plus à m'engager dans mes relations amoureuses.

Je voulais apprendre, je rêvais d'écrire. Je rêvais de devenir utile, de pouvoir contribuer. Je m'essayais au militantisme. Mais les impératifs de mon « métier » de consommateur étaient difficiles à concilier avec un engagement conséquent et consistant. Un cercle vicieux s'installait : mon addiction m'empêchait de m'engager pleinement dans des activités qui auraient pu me mettre en contact avec des sources de renforcement autres que celles que me procurait mon addiction. C'est le même cercle qui enferme bien des addicts à la lutte intérieure.

Un regard bienveillant aide à changer

Puis un jour, par un ami commun, je fis la rencontre de Maria, une dame de l'âge de mes parents. Maria sut voir en moi le potentiel plutôt que les problèmes. Elle posa la lumière de son amitié sur les qualités que je ne voyais pas, ou plus. Elle choisit de reconnaître et soutenir ma curiosité intellectuelle et l'étendue de mes intérêts. Quelqu'un d'étranger au petit monde des consommateurs de drogue m'offrait son plein soutien et son entière considération. Cela eut sur moi un impact plus grand que je ne saurais l'exprimer. En quelques mois, Maria sut m'inspirer le projet de préparer le concours d'entrée à l'Université d'Oxford. Au service de ce projet et à l'aide d'un bref traitement médicamenteux, je cessai ma consommation d'héroïne. À l'évocation du rôle que l'amitié de Maria eut pour moi, mon cœur se remplit de joie et de larmes.

Aller à Oxford me changea radicalement d'environnement. J'y étudiai la philosophie, les sciences politiques et l'économie. Je pus y assouvir ma passion pour le savoir et la découverte intellectuelle. Je m'engageai en politique et pus écrire quelques articles pour des revues. Et j'eus la joie de me marier. Mon diplôme en poche, je commençai à travailler en Angleterre.

Mais la situation se détériora rapidement. Mon emploi ne me convenait pas, et la relation avec mon épouse ne fonctionnait pas. Ma consommation précoce d'opiacés avait probablement entravé mon développement émotionnel. Me manquaient les compétences nécessaires pour établir et cultiver une relation intime profonde et ouverte. À son tour, l'absence de ces compétences me rendait les situations d'intimité et de vulnérabilité extrêmement inconfortables. Et je luttais contre cet inconfort par la fuite ou l'évitement. Efficaces sur le court terme pour vaincre l'inconfort, mes évitements m'interdisaient de construire la relation intime que je désirais. J'avais peut-être cessé de consommer de la drogue, mais je restais prisonnier de mon addiction à la lutte intérieure.

> Mes évitements m'interdisaient de construire la relation intime que je désirais.

Il ne suffit pas de partir pour se trouver

Revinrent alors la déprime et la fatigue. Pensant qu'un changement d'environnement pourrait me rendre mon énergie, j'acceptai l'offre d'un nouvel emploi en France. Au vrai, je fuyais. Et bientôt je repris une consommation habituelle. J'étais retombé encore plus profondément dans la lutte. Dans un premier temps, cela sembla marcher. Je retrouvai dans ma consommation l'énergie de m'engager dans mon nouvel emploi. J'y étais bien payé et pouvais aisément financer ma consommation. Mais, au bout de quelques mois, les effets positifs du produit s'estompèrent. Je consultai plusieurs psychothérapeutes. Certains refusèrent leur aide, m'enjoignant d'abord de régler mon problème d'addiction… Je commençai alors un traitement de substitution au terme duquel je fis le choix d'arrêter l'héroïne et de me consacrer à la musique électronique.

Mais je n'en avais pas fini avec les drogues. Pendant près de dix ans encore, j'allais alterner, d'une année sur l'autre, entre abstinence et consommation de divers opiacés. Avec l'abstinence revenaient les grandes fatigues et la déprime. Et avec elles, la pensée que consommer en viendrait immédiatement à bout. Et, sur le court terme, cela marchait. Puis les effets recherchés s'atténuaient et la dépendance physique revenait au premier plan. Je descendais alors du manège… jusqu'au prochain tour.

D'un point de vue artistique, la musique que je composais ne me satisfaisait pas et les musiciens dont j'appréciais le travail ne semblaient pas apprécier le mien. Je n'étais pas renforcé dans mon art. Et, du coup, je me sentais coincé dans ma vie.

Reconnaître la différence entre soi et ses pensées et ses émotions

C'est au cours de ces années que je découvris la méditation zen. Je pratiquais irrégulièrement – suffisamment toutefois pour que méditer ait sur moi un impact profond. M'asseoir pour observer mes pensées me permit de faire l'expérience presque incroyable que je n'étais pas mes pensées. Ce fut une révélation, car j'avais jusque-là aveuglément cru ce que me disaient mes pensées : que ce que je pensais était d'une très grande importance et que j'étais ce que je pensais. À travers la méditation, je pus apprendre à observer pensées et émotions passer à travers moi comme les nuages passent à travers un ciel d'automne, sans nul besoin d'intervenir. Cela me permit de m'attacher un peu moins au contenu de mes pensées.

Me décoller un peu de mes pensées me permit de faire plus de place à l'évidence de mon expérience : l'alternance consommation/abstinence ne fonctionnait pas pour moi. Elle me gardait prisonnier d'un trou au fond duquel plus je creusais, plus je m'enfonçais. Et avec moi s'enfonçait ma vie – une vie largement passée à tenter de fuir mes ressentis inconfortables.

Puis, un jour de décembre 2002, je fis le choix de faire face à ce que la vie me présenterait sans plus avoir recours aux opiacés. Je ne saurais honnêtement dire ce qui me motiva, si ce n'est la perspective de vivre une autre vie que cette vie de lutte, une vie où faire face plutôt que fuir. Choisir de faire face fut tout à la fois une affirmation et un renoncement. Je renonçais à la lutte intérieure, je renonçais aux solutions à court terme et surtout je renonçais à chercher à comprendre. J'affirmais choisir une vie en plein contact avec la vie. Une certitude tranquille s'installa en moi. Et j'eus la conviction étrange et profonde que la voie de la vie impliquait de faire la paix avec ma souffrance intérieure, que renoncer à la lutte intérieure serait le prix de ma liberté.

Recourir aux drogues avait été une béquille face à toutes les situations de la vie que je ne savais ni n'osais affronter. Mais en me gardant cette porte de sortie, je m'interdisais d'apprendre à avancer sur le chemin de ce qui comptait le plus pour moi dans la vie. Et ce qui comptait le plus pour moi dans la vie, c'était aussi ce qui me posait – et me pose encore – le plus de difficultés et me causait le plus de souffrance : les relations interpersonnelles et me rendre utile, c'est-à-dire aimer.

Un long chemin d'apprentissage

J'ai longtemps cru que le courage consistait à combattre ma fatigue, ma tristesse et ma déprime. Et si le vrai courage était de cesser la lutte et de me tourner vers ce que j'étais prêt à faire pour incarner mes valeurs d'amour et de me rendre utile ?

Je me suis engagé à apprendre comment développer, entretenir et approfondir mes relations avec les autres — tout autant que ma relation avec moi-même. Comme la plupart des apprentissages importants de la vie, celui-ci ne peut se faire que par la pratique. Comme toute forme de lutte intérieure, la fuite intérieure que permettent les drogues fait souvent obstacle à cet apprentissage. Les drogues m'isolaient du monde, des autres et de mes ressentis profonds. En y renonçant, j'ai choisi de faire face à ma peur des autres et d'avancer avec elle plutôt que d'essayer de l'éliminer. En faisant ce choix, je consentais aux difficultés de l'apprentissage à venir et au temps qu'il me faudrait avant de pouvoir observer des progrès tangibles. Sans doute, avoir eu recours aux drogues si jeune avait entravé mon développement émotionnel et social, m'handicapant gravement dans mes relations. Mais je sais aujourd'hui que les compétences sociales et relationnelles peuvent s'apprendre à tout âge. Et pour moi cet apprentissage continue.

Renoncer à la lutte intérieure serait le prix de ma liberté.

S'engager en direction de ses valeurs de vie

Au départ, je me sentis plus mal encore qu'à mon habitude. Mon malaise intérieur était plus grand encore, ainsi que mon impression d'être jugé par le regard des autres. Cela dura de nombreux mois. Tout d'abord, rien d'autre ne changea dans ma vie que le sens, parfois ténu, d'être enfin en contact avec quelque chose de fondamentalement important pour moi, avec une de mes valeurs profondes : œuvrer à ouvrir mon cœur, développer des relations dans lesquelles je pourrais être proche, disponible, et me rendre un jour utile. Je peux dire aujourd'hui que c'est ce contact avec mes valeurs de vie, aussi confus fût-il alors, qui m'a permis de persévérer, le temps nécessaire, pour que cet apprentissage commence à porter ses fruits.

Un thérapeute que je consultai deux ans après avoir mis fin à mes consommations me suggéra de préparer, sous forme de graphique, un bref résumé de ma trajectoire de vie en notant les périodes où j'avais été le plus heureux et celles où je l'avais le moins été. Ce travail m'aida à voir que ce qui m'avait apporté la plus profonde satisfaction avait été d'étudier et de m'engager pour les autres. Je décidai alors de reprendre des études – de psychologie cette fois. Je voulais mieux comprendre comment fonctionnaient les humains et surtout identifier les méthodes efficaces pour faire face à la souffrance. À la recherche des méthodes thérapeutiques dont les preuves scientifiques étaient les plus probantes, j'en vins à m'intéresser aux thérapies comportementales et cognitives.

Aujourd'hui je commence à voir les fruits de ce choix déterminant. J'ai la chance précieuse de pouvoir enfin être utile, à ma mesure. Je suis particulièrement sensible à mon pouvoir de renforcement positif sur mes clients. Je suis attentif à la force d'une relation thérapeutique profonde et authentique. Il m'est précieux de pouvoir offrir à un enfant, un adolescent ou un adulte en détresse l'assurance d'une attention bienveillante et d'être inconditionnellement à ses côtés. C'est un privilège de pouvoir explorer ensemble ses rêves et ses ressources intérieures et de l'aider à faire un peu de place à sa souffrance intérieure afin de

Les compétences sociales et relationnelles peuvent s'apprendre à tout âge.

pouvoir avancer dans la vie. Je sais d'expérience le pouvoir qu'une telle attention et de telles méthodes peut avoir pour changer une vie. Je suis rempli de gratitude envers toutes les personnes qui m'ont aidé et aimé sur mon chemin. Le métier de thérapeute est une des manières que j'ai choisies pour rembourser la dette de gratitude que j'ai envers toutes les personnes – elles sont nombreuses – qui m'ont offert le cadeau de leur considération, de leur attention bienveillante, de leur amour.

Changer sa vie plutôt que son expérience intérieure

Aujourd'hui je suis engagé dans le développement et la promotion des thérapies efficaces, et je participe à la recherche et au développement de thérapies encore plus efficaces. Pour moi, cette démarche implique de combiner rigueur scientifique et sensibilité clinique, mesures objectives et prise en compte de la subjectivité propre de chaque personne. Cela implique aussi une volonté de me remettre en cause, dans ma vie professionnelle comme dans ma vie personnelle, et d'améliorer mon comportement relationnel et thérapeutique. Je suis animé de l'espoir de contribuer, à ma mesure, par mon activité de chercheur, de formateur, à faire avancer les connaissances et tester et valider les nouvelles techniques.

À travers la méditation, j'ai pu faire l'expérience des bénéfices de la distanciation d'avec ses pensées et émotions. J'ai pu aussi éprouver la puissance de connecter démarche de changement personnel et action pour incarner mes valeurs. Et j'ai rencontré la thérapie d'acceptation et d'engagement qui combine ces deux aspects avec un solide engagement pour le progrès de la science psychologique. En me formant aux thérapies comportementales et cognitives de nouvelle génération, j'ai eu la chance de pouvoir rencontrer, à travers le monde des personnes extraordinaires, cliniciens et chercheurs, et qui m'ont accueilli. Récemment, j'ai eu la joie de publier mon premier livre, un ouvrage présentant l'ACT au public francophone.

Je ne suis pas spécialiste en addictions, mais, à travers ma pratique clinique et mon expérience personnelle, je suis devenu spécialiste de l'addiction à la lutte pour changer son expérience intérieure. J'ai longtemps considéré que cette lutte était la seule voie, et que le seul problème était de trouver une façon de la mener qui se révèle efficace sur le long terme. L'expérience m'a montré qu'acheter cette pensée était un piège. J'ai pu alors découvrir le pouvoir de renoncer à la lutte au service de rediriger mon énergie dans l'action en direction de mes valeurs. En déposant les armes et en apprivoisant graduellement mon ressenti intérieur tel qu'il est, il est devenu un ami – certes parfois grincheux – qui me rappelle ce qui est important pour moi. En m'engageant, par mes actions, et un pas après l'autre, en direction des choses qui sont vraiment importantes pour moi, j'ai pu commencer à façonner une vie à l'image de la personne que je choisis d'être. Je suis loin d'être arrivé. Mais aujourd'hui, pour reprendre une phrase de Gaston Bachelard, je vois l'avenir non plus comme ce qui va m'arriver, mais comme ce que je vais en faire.

Pour en savoir plus, reportez-vous page 99.

De la résilience à la psychologie positive

7

Jacques
Lecomte

Les centres d'intérêt qui ont jalonné ma vie professionnelle sont intimement liés à mon parcours personnel. C'est ainsi que j'ai tout d'abord essayé de comprendre le processus de la résilience. Puis mon horizon s'est progressivement élargi, jusqu'à m'intéresser à tous les aspects positifs du fonctionnement humain, qu'il s'agisse du sens de la vie, de l'empathie, de la résolution des conflits, etc.

Je ne me suis pas intéressé à la résilience par hasard

De nombreuses questions concernant la psychologie et le comportement humains me fascinent. Celle qui m'a le plus préoccupé pendant de longues années est celle-ci : comment certains individus ou groupes parviennent-ils à passer de la violence à la non-violence ?

Cette question est très fortement liée à mon histoire personnelle, à double titre : fils d'un père maltraitant, je suis devenu un père affectueux ; très attiré par le terrorisme politique lorsque j'étais adolescent, je suis devenu partisan de la non-violence à partir de dix-huit ans, à la suite de ma conversion au christianisme.

De la violence à la non-violence...

L'occasion me fut donnée d'approfondir cette question à partir de 1998. Auparavant, j'avais été pendant six ans journaliste au magazine *Sciences humaines*, responsable de la rubrique « Psychologie ». Ce fut pour moi une passionnante période d'enrichissement intellectuel, m'amenant à une compréhension véritablement interdisciplinaire de l'être humain. En particulier, le comité de rédaction hebdomadaire était l'occasion de confronter les regards de multiples disciplines (psychologie, sociologie, anthropologie, histoire, sciences politiques, etc.) sur des thèmes tels que la mémoire, la violence, le bonheur… Cependant, j'ai ressenti au fil des ans une certaine frustration : il m'arrivait de temps en temps de souhaiter approfondir un domaine de réflexion, et j'avais alors l'impression de papillonner, de passer d'une fleur à l'autre sans prendre le temps de récolter suffisamment de nectar pour en faire du miel, comme l'aurait fait une abeille. C'est ainsi que j'ai souhaité approfondir un domaine. Et la question : « Comment certains individus ou groupes parviennent-ils à passer de la violence à la non-violence ? » est celle qui s'est le plus clairement imposée à mon esprit.

Deux domaines de recherche me semblaient pouvoir fournir un début de réponse à cette question : d'une part la négociation et la médiation lors de conflits durs, d'autre part la résilience après violence exercée par des êtres humains (en particulier la maltraitance des enfants).

J'ai beaucoup hésité entre ces deux thèmes, puis j'ai finalement opté pour la résolution des conflits. J'ai alors effectué un DEA (diplôme d'études approfondies, équivalent de l'actuel Master recherche) sur la période « dorée » des relations israélo-palestiniennes (1992-1993) qui a conduit aux accords d'Oslo et à l'attribution du prix Nobel de la paix aux trois principaux acteurs : Yasser Arafat, Shimon Peres et Yitzhak Rabin. Ce travail m'a passionné, et m'a notamment mieux fait comprendre comment les caractéristiques de personnalités de leaders pouvaient influer sur la géopolitique.

Les voies de la résilience sont multiples

Mais, alors qu'une thèse constitue généralement un approfondissement des recherches effectuées pour le DEA, j'ai finalement décidé de consacrer ma thèse à la résilience après maltraitance. Je crois que la principale raison de mon hésitation initiale à choisir ce thème comme sujet de DEA fut ma crainte d'être confronté à ce que j'ai appelé des « effets miroirs » négatifs, c'est-à-dire aux émotions douloureuses que je risquais de ressentir en écoutant la description, par les personnes interrogées, de situations proches de ma propre expérience. De fait, j'ai vécu de tels effets à plusieurs reprises au cours de ma thèse, mais ils ont été surtout instructifs, jamais néfastes. Ils m'ont aussi aidé à comprendre que les voies de la résilience sont multiples, puisque des personnes ayant parfois vécu des situations assez identiques à la mienne ont réagi de manière totalement différente.

Cette thèse m'a permis de faire de nombreuses découvertes. L'une d'elles m'a montré qu'une expérience que j'avais vécue était en fait le lot commun des enfants maltraités devenus des parents affectueux[1]. Tous ceux que j'ai rencontrés sont passés par ce que j'appelle le contre-modelage, c'est-à-dire la décision (prise généralement à la préadolescence ou à l'adolescence, mais parfois beaucoup plus tôt) d'adopter avec ses futurs enfants un comportement inverse à celui manifesté par le(s) parent(s).

FAIRE DE SON PARENT UN CONTRE-MODÈLE : UN ART DIFFICILE

Décider d'adopter à l'avenir un comportement inverse de celui de ses parents est extrêmement fréquent chez les personnes résilientes à la suite de maltraitance enfantine, et il est probable que cela soit aussi le cas pour d'autres situations : parents consommant beaucoup d'alcool, parents très rigides ou inversement très laxistes, parents obsédés par l'argent ou inversement très « bohèmes », etc.

Mais prendre le contre-pied d'un comportement insatisfaisant comporte évidemment le risque d'aller trop loin. Deux dangers guettent la personne : la surprotection et la permissivité.

La personne résiliente de blessures d'enfance veut parfois trop bien faire. Certains, désirant être des parents parfaits (ou presque...), risquent d'élever leurs enfants en limitant le plus possible tout stress qui pourrait leur survenir. Or chaque enfant a besoin, certes, de se sentir en sécurité affective, mais aussi de se confronter à la réalité de l'existence : cela lui apprend à se dépasser. J'ai connu des cas où l'enfant rejetait fortement ses parents à l'adolescence et à l'âge adulte, en leur reprochant de l'étouffer psychologiquement.

La permissivité est le second écueil. Ici, le parent doit comprendre que l'art éducatif est fondé sur l'équilibre entre l'amour et les règles. Savoir dire non est tout aussi nécessaire que savoir dire oui. De nombreuses études scientifiques ont montré que les enfants les plus épanouis sont précisément ceux dont les parents valorisent à la fois les désirs et le respect de la discipline.

Être conscient de ces risques facilite grandement la parentalité. Ainsi, plusieurs parents m'ont signalé à quel point cette prise de conscience et la mise en pratique de ces règles simples les avaient aidés dans la relation avec leurs enfants.

Le pardon autothérapeutique

Un autre élément, identique à mon expérience personnelle, m'a beaucoup impressionné. La plupart des personnes que j'ai rencontrées avaient pardonné à leur(s) parent(s). Certaines avec des références religieuses, mais pas la majorité. Ce que j'ai surtout entendu, c'est un besoin de soulagement : « Je n'en pouvais plus de le (la) haïr ; ça me rongeait de l'intérieur. Il fallait que je passe à autre chose. » J'ai donc qualifié cette attitude de « pardon à fonction autothérapeutique ». Un autre fait m'a impressionné : la distinction très nette opérée par certains entre la personne et l'acte, avec des propos du type : « Je lui ai totalement pardonné ; mais vous savez, ce qu'il (elle) m'a fait reste inacceptable à mes yeux. »

ÉVITER QUELQUES ERREURS FRÉQUENTES RELATIVES AU PARDON

Beaucoup d'expériences de résilience se sont construites sur le pardon envers le(s) parent(s) maltraitant(s). Mais il convient d'éviter certaines erreurs.

Tout d'abord, il est inexact de penser que le pardon ne concerne que les croyants. Il y a une utilisation strictement « laïque » du terme. Il n'existe pas, à ma connaissance, de mot « a-religieux » qui reflète pleinement cette expérience.

Une autre erreur consiste à assimiler le pardon et l'oubli. On ne peut évidemment pardonner que ce dont on se souvient. Le pardon n'est pas l'occultation du passé, mais un pari sur l'avenir.

De même, pardonner à quelqu'un n'est pas synonyme d'excuser ou de justifier les actes qu'il a commis. La personne peut pardonner parce qu'elle est pleinement consciente de la gravité de ce qu'elle a subi. De fait, la principale caractéristique du pardon est précisément d'opérer une disjonction entre l'acte et la personne. Celle-ci n'est pas réduite à ses actes.

Par ailleurs, le pardon est un choix librement décidé, non un devoir imposé par autrui. De plus le pardon, ne doit pas être confondu avec la réconciliation. Certes, le pardon est une condition de la réconciliation, mais il n'y conduit pas toujours, soit parce que le coupable ne reconnaît pas ses torts, soit parce que la victime ne souhaite pas le rencontrer car cela serait trop douloureux pour elle.

Enfin, il faut garder présent à l'esprit deux facettes du pardon, l'une « cognitive », l'autre émotionnelle. La première, qui est la volonté de briser le cycle de la violence, constitue le véritable acte de pardon. La seconde, qui est la disparition des sentiments d'amertume, peut prendre beaucoup plus de temps et dépend moins de la volonté de la personne. Une personne peut donc avoir pardonné alors même que ses sentiments ne sont pas encore apaisés.

La quête du sens de l'existence

La résilience et la résolution des conflits demeurent des thèmes majeurs d'étude personnelle. J'ai notamment écrit plusieurs ouvrages sur la résilience et il m'arrive d'assurer des médiations à la suite d'une formation que j'ai suivie au CNAM. Mais j'ai progressivement élargi mon champ de vision. Ainsi, mes recherches sur la résilience m'ont logiquement conduit à m'intéresser au sens de l'existence. Cette quête est en effet l'une des réactions psychologiques les plus fréquentes à la suite d'un traumatisme ; elle peut entraîner des conséquences très variables, allant de l'épanouissement, si la personne finit par trouver une réponse positive, au désespoir, si la quête reste vaine.

Cependant, la question du sens de l'existence peut se poser à tout un chacun. L'ouvrage que j'ai écrit sur ce sujet[2] est né de diverses motivations : insatisfaction face à la prolifération de livres sur le bien-être et le bonheur, qui me semblaient évacuer cette dimension essentielle ; désir de fournir des pistes positives à de nombreuses personnes s'interrogeant sur leur vie. Mais, là encore, mon histoire personnelle a certainement joué un rôle. Je me souviens qu'à l'adolescence, j'ai parfois éprouvé cette image assez déstabilisante : je me trouve dans une forêt impénétrable ; quelqu'un me dit : « Tu dois y aller », mais sans me dire où aller, sans me donner de carte ni de boussole. J'éprouvais alors un sentiment de désespoir absolu, tiraillé entre l'obligation impérieuse d'avancer dans l'existence, de lui donner un sens, et l'impossibilité de savoir dans quelle direction m'orienter.

Il me semble aujourd'hui que je ne peux approfondir intellectuellement un thème que lorsque je l'ai d'abord « digéré » émotionnellement. Ainsi, ce livre sur le sens de la vie a été écrit alors que j'entamais la période la plus heureuse de mon existence – qui se poursuit toujours ! –, grâce tout particulièrement aux liens affectifs tissés avec mon épouse, Carmen, et avec mes deux filles, Audrey et Aurélie.

La découverte de la psychologie positive

Une autre thématique qui me passionne est la relation entre l'individu et la société. Et surtout cette question : lequel est premier entre l'individu et la société ? J'ai beaucoup lu sur le sujet et je constate que la réponse proposée peut être très différente selon que l'on est biologiste, psychologue, sociologue, anthropologue, historien, etc. À nouveau, cette question est clairement influencée par mon parcours personnel. Mon adolescence s'est déroulée dans la continuité de mai 1968 et j'étais donc imprégné par des slogans tels que : « Tout est politique. » L'individu n'avait à mes yeux que peu d'importance, l'urgence était de changer le monde. Une expérience aussi inattendue que radicale de conversion au christianisme à dix-huit ans m'a conduit à un raisonnement opposé : le véritable changement est intérieur et personnel. Les années ont passé et j'ai progressivement intégré la notion de complexité de l'existence. Il est rare qu'une personne, une situation ou une chose soit entièrement ceci ou entièrement cela, elle présente généralement une certaine proportion de l'un et de l'autre. Ainsi, je suis parvenu à une vision dialectique selon laquelle le changement personnel et le changement social devraient être intimement liés, n'ayant de sens véritable que s'ils constituent une sorte de spirale vertueuse, chacun facilitant l'autre.

J'ai d'ailleurs rencontré beaucoup de personnes qui sont arrivées à cette conclusion : militants politiques ou syndicaux déçus de constater que les petites querelles personnelles pouvaient saper les meilleurs idéaux, ou inversement individus en quête psychologique et/ou spirituelle prenant conscience que le bonheur personnel n'a de sens que s'il conduit à la sensibilité à l'autre, voire à la volonté de changement social.

Par ailleurs, mon intérêt pour certains aspects positifs du fonctionnement humain que j'avais pu approfondir (la résolution des conflits, la résilience, le sens de la vie) s'est de plus en plus élargi, me conduisant à m'intéresser à l'al-

Le véritable changement est intérieur et personnel.

truisme, à l'empathie, au sens de la justice, au sentiment d'efficacité personnelle, au courage, etc. C'est dans cet esprit que j'ai découvert la psychologie positive au tournant du millénaire. Un numéro entier de la revue *American Psychologist* était consacré à ce thème en janvier 2000. Depuis lors, cette approche a fait l'objet de nombreuses recherches et se diffuse progressivement dans le grand public. La psychologie positive est l'« étude des conditions et processus qui contribuent à l'épanouissement ou au fonctionnement optimal des personnes, des groupes et des institutions[3] ».

Comme cette définition l'indique, ce courant ne relève pas d'une conception égocentrique, caractérisée par la quête quasi exclusive de l'épanouissement personnel. Elle concerne également les relations interpersonnelles et les questions sociales, voire politiques. Elle peut donc tout aussi bien étudier l'épanouissement des élèves d'un collège ou les bonnes relations au sein d'une équipe de travail que le mode de communication entre diplomates élaborant un traité de paix. Je suis aujourd'hui très impliqué dans la diffusion de la psychologie positive, notamment au travers des éléments suivants : la direction d'un ouvrage collectif précisément construit sur cette approche en trois niveaux[4], la création d'un site web[5] et la création d'une association[6] dont j'ai été nommé président.

Le lecteur l'aura compris, l'émergence de la psychologie positive s'est produite en même temps que se consolidait en moi une double démarche : mon intérêt pour les aspects positifs du fonctionnement humain et ma prise de conscience de la nécessaire imbrication du changement social et du changement personnel.

Ma vision de l'être humain : l'« optiréalisme »

Aujourd'hui, je m'efforce de mieux comprendre les possibles implications sociales et politiques de la psychologie positive. Ayant lu les résultats de nombreuses recherches empiriques portant sur l'éducation, le monde du travail, la justice, la protection de l'environnement, l'économie, la santé publique, etc., je constate – sans être surpris d'ailleurs – que c'est lorsque l'on attend le meilleur de l'être humain que l'on a le plus de probabilités de le voir émerger. Bien sûr, les exceptions existent, mais elles ne font que confirmer une règle générale. La conclusion que j'en tire est très claire : la meilleure manière d'être réaliste, c'est d'être profondément idéaliste. Ainsi, je me qualifie aujourd'hui d'optiréaliste[7]. Il ne s'agit en rien d'une sentimentalité naïve, mais au contraire d'un constat lucide.

Cela conduit à s'interroger sur ce qu'est fondamentalement l'être humain. En effet, notre façon d'aborder l'existence et de considérer l'avenir est inévitablement marquée par notre conception de l'être humain, que ce soit consciemment ou non. La confiance ou la méfiance fondamentales que nous ressentons à l'égard de l'espèce humaine conditionnent aussi bien nos relations quotidiennes que les politiques publiques. D'ailleurs, au cours de l'histoire, les grands réformateurs sociaux ont toujours été des « optiréalistes ». Réalistes sur la situation dans laquelle ils se trouvaient, mais également optimistes sur la possibilité que les individus et les structures puissent changer.

À ce sujet, je me sens en plein accord avec deux militants qui m'ont profondément marqué par leur humanisme et leur courage : Martin Luther King et Nelson Mandela. Tous deux ont été victimes de la haine et du racisme, tous deux ont connu la prison. Cependant, leur expérience du mal radical et leur lucidité sur les zones sombres de l'être humain ne les ont pas empêchés de prendre également en compte la face lumineuse existant en chacun de nous.

Nelson Mandela s'est ainsi exprimé : « J'ai toujours su qu'au plus profond du cœur de l'homme résidaient la miséricorde et la générosité. Personne ne naît en haïssant une autre personne à cause de la couleur de sa peau, ou de son passé, ou de sa religion. Les gens doivent apprendre à haïr, et s'ils peuvent apprendre à haïr, on peut leur enseigner aussi à aimer, car l'amour naît plus naturellement dans le cœur de l'homme que son contraire. Même aux pires moments de la prison, quand mes camarades et moi étions à bout, j'ai toujours aperçu une lueur d'humanité chez un des gardiens, pendant une seconde peut-être, mais cela suffisait à me rassurer et à me permettre de continuer. La bonté de l'homme est une flamme qu'on peut cacher mais qu'on ne peut jamais éteindre[8]. »

Et Martin Luther King : « Il y a quelque chose dans la nature humaine qui peut répondre à la bonté. Ainsi, l'homme n'est ni bon de façon innée ni mauvais de façon innée ; il a des potentialités pour les deux. C'est pour cela qu'un Jésus de Nazareth ou un Mohandas Gandhi peuvent faire appel aux êtres humains et à cet élément de bonté en eux, et qu'un Hitler peut faire appel à l'élément de mal en eux. Mais nous ne devons jamais oublier qu'il y a quelque chose dans la nature humaine qui peut répondre à la bonté[9]. »

Telle est la conception de l'être humain qui guide mon existence depuis de nombreuses années. Et vous ?

Notes de ce chapitre page 344

Pour en savoir plus, reportez-vous page 99.

1 En savoir **plus**

1. Je suis timide mais je me soigne

Associations de thérapeutes

● Association française de thérapie comportementale et cognitive : www.aftcc.org

● Association francophone de formation et de recherche en thérapie comportementale et cognitive : www.afforthecc.org

● Institut francophone de formation et de recherche en thérapie comportementale et cognitive : www.ifforthecc.org

Sites Internet

● www.timidite.info
● www.ereutophobie.fr
● http://mediagora.free.fr
● www.anxiete-depression.org

Livres

André C., *Les États d'âme. Un apprentissage de la sérénité*, Paris, Odile Jacob, 2009.

André C. et Légeron P., *La Peur des autres*, Paris, Odile Jacob, 2000.

Cyrulnik B., *Mourir de dire. La honte*, Paris, Odile Jacob, 2010.

Fanget F., *Affirmez-vous !*, Paris, Odile Jacob, 2002.

Macqueron G. et Roy S., *La Timidité. Comment la surmonter*, Paris, Odile Jacob, 2004.

Pélissolo A. et Roy S., *Ne plus rougir et accepter le regard des autres*, Paris, Odile Jacob, 2009.

Vilain P., *Confessions d'un timide*, Paris, Grasset, 2010.

2 Surmonter la peur de la maladie

Abramowitz Jonathan S., Braddock Autumn E., *Psychological Treatment of Health Anxiety and Hypochondriasis : A Biopsychosocial Approach*, Hogrefe & Huber, 2008.

Lejoyeux M., *Vaincre sa peur de la maladie*, Paris, La Martinière, 2002.

3. Mémoires d'un claustrophobe

André C., *Psychologie de la peur*, Paris, Odile Jacob, 2004.

Ellis A., *Reason And Emotion in Psychotherapy*, New York, Citadel Press, 1962.

Ellis A. et Harper A., *L'Approche émotivo-rationnelle*, Montréal, Éd. de L'Homme, éd. Cim, 1992.

Emery J.-L., *Surmontez vos peurs*, Paris, Odile Jacob, 2002.

Adresses

● Institut français de thérapie cognitive, 2, passage Chanoine-Cousin, 14000 Caen

● www.institut-RET.com

4. Dépression, quand tu nous tiens !

André C., *Imparfaits, libres et heureux. Pratiques de l'estime de soi*, Paris, Odile Jacob, 2006.

Ben-Shahar T., *L'Apprentissage du bonheur*, Paris, Belfond, 2008.

Kabat-Zinn J., *Méditer, 108 leçons de pleine conscience*, Paris, Les Arènes, 2010.

– *Où tu vas, tu es : apprendre à méditer pour se libérer du stress et des tensions profondes*, Paris, J'ai lu, 2005.

– *L'Éveil des sens. Vivre l'instant présent grâce à la pleine conscience*, Paris, Les Arènes, 2009.

Maex E., *Mindfulness : apprivoiser le stress par la pleine conscience*, Paris, De Boeck, 2007.

Pélissolo A., *Bien se soigner avec les médicaments psy*, Paris, Odile Jacob, 2005.

Shapiro F., *Manuel d'EMDR*, Paris, Inter-Éditions, 2007.

Shapiro F., Silk Forrest M., *Des yeux pour guérir*, Paris, Seuil, 2005.

Williams M., Teasdale J., Zindel V. Segal et Kabat-Zinn J., *Méditer pour ne plus déprimer*, Paris, Odile Jacob, 2009.

5. Quand la peur vous immobilise

André C., *Psychologie de la peur. Craintes, angoisses et phobies*, Paris, Odile Jacob, 2004.

Chneiweiss L. et Albert E., *L'Anxiété*, Paris, Odile Jacob, 2003.

Ladouceur R., Marchand A. et Boisvert J.-M., *Les Troubles anxieux : approche cognitive et comportementale*, Paris, Masson, 1999.

Mirabel-Sarron C. et Plagnol A., « Agoraphobie et espace de représentation : une approche comportementale et cognitive », *Annales médico-psychologiques*, Paris, Elsevier, 2010, vol. 168, p. 38-43.

Pélissolo A. et Cohen-Salmon C., « Le cerveau anxieux », *Neuropsychiatrie*, Grenoble, Pil, 2003, 6.

Vera L. et Mirabel-Sarron C., *Psychopathologie des phobies*, Paris, Dunod, 2002.

6. Un long chemin pour apprendre et s'accepter

Fanget F., *Où vas-tu ? Les réponses de la psychologie pour donner du sens à sa vie*, Paris, Les Arènes, 2007.

Luoma J. B., Kohlenberg, B. S., Hayes S. C., Bunting K. et Rye A. K., « Reducing self-stigma in substance abuse through acceptance and commitment thérapie », « Model, manual development, and pilot outcomes », *Addiction Research & Theory*, 2008, 16, p. 149-165.

Schoendorff B., *Faire face à la souffrance : choisir la vie plutôt que la lutte avec la thérapie d'acceptation et d'engagement*, Paris, Retz, 2009.

Schoendorff B., Grand J. et Bolduc M.-F., *Guide clinique de thérapie d'acceptation et d'engagement*, Bruxelles, De Boek, à paraître.

Wilson K. G. et Byrd M. R., « Acceptance and commitment therapy for substance abuse and dependence », *in* Hayes S. C. et Strosahl K. (dir.), *A Practical Guide to Acceptance and Commitment Therapy*, New York, Springer Press, 2004, p. 153-184.

7. De la résilience à la psychologie positive

Frankl V., *Découvrir un sens à sa vie avec la logothérapie*, Montréal, Éd. de L'Homme/Actualisation, 1988.

Lecomte J., *Guérir de son enfance*, Paris, Odile Jacob, 2004.

Lecomte J., *Donner un sens à sa vie*, Paris, Odile Jacob, 2007.

Lecomte J., *Introduction à la psychologie positive*, Paris, Dunod, 2009.

Lighezzolo J. et Tychey C. de, *La Résilience : dépasser les traumatismes*, Paris, In Press, 2004.

Mehran F., *Psychologie positive et personnalité : activation des ressources*, Paris, Masson, 2010.

Site Internet

http://www.psychologie-positive.net

Association

Association française et francophone de psychologie positive :

149, avenue du Maine, 75014 Paris

2

S'APAISER
et s'équilibrer

Il n'y a pas que les sales moments à surmonter dans nos vies, il y a aussi les petites boiteries de nos âmes, les recoins à angoisse, les poussières de honte, les peurs et les doutes. Alors, il faudra inlassablement travailler à bâtir et à entretenir son équilibre? Oui. Et c'est un sacré boulot. Heureusement qu'il est passionnant…

8

Jean-Louis
Monestès

Accepter ce qui se passe en moi

Is this what it means to be a man?
Boxing up all your emotion?
[« Est-ce que c'est cela être un homme?
Étouffer toutes tes émotions?]
MARILLION, *Gazpacho*

À en croire l'étymologie, le philosophe aime alors que le psychologue étudie. Pourquoi ne dit-on pas « psychophile »? Pourquoi le psychologue ne pourrait-il pas aimer son objet d'étude? Peut-être simplement parce qu'il préfère regarder ce qu'il observe de l'extérieur. Ou peut-être surtout parce que, comme tout le monde, le psychologue n'aime pas toujours ce qui se passe en lui. Et comme l'être humain ne peut s'empêcher de chercher à contrôler ce qu'il n'aime pas, le psychologue n'échappe pas à la tentation de contrôler sa vie psychique.

Pourtant, nos pensées, nos émotions et nos sensations sont incontrôlables. C'est même précisément lorsqu'on tente d'asservir ces phénomènes psychologiques qu'ils prennent le plus d'ampleur et nous posent le plus de difficultés. Notre vie psychologique semble bien plus souvent être notre ennemie que notre amie. Elle est pourtant notre plus précieux partenaire. Comment arrêter de se battre contre son meilleur allié?

Il est impossible de contrôler ce qui se passe dans notre tête

Chacun d'entre nous préférerait se débarrasser d'une partie de ce que la vie déclenche en lui. Quelques mauvais souvenirs, une anxiété qui se met en route au quart de tour, une tristesse qui nous saute dessus sans crier gare, ou encore des jugements négatifs incessants sur soi. Voici un exemple de ce qui peut se passer dans ma tête :

« J'aimerais bien m'offrir ce scooter. Oui, mais je n'ai pas la place pour le garer. Je ne vais tout de même pas le laisser dans la rue, on risque de me le voler très rapidement. Il faudrait qu'on déménage dans une maison avec une petite cour. J'ai vu une annonce d'une maison avec une petite cour devant. Il suffirait juste qu'on vende notre maison, peut-être prolonger un peu le crédit, et ça devrait faire l'affaire. Mais je ne suis pas certain qu'une simple grille empêche des voleurs motivés. Ce n'est rien, je ferai poser une grille plus haute. Mais ce genre de grille ne doit pas être donné. Tiens, je vais aller voir le prix des grilles sur Internet. Ah tiens, j'ai un mail de Ian. Voyons ce qu'il dit. Non ?! Les Espagnols ont publié une recherche sur la mémoire dans le TOC ? Il faut que je regarde cet article tout de suite sur le site de l'éditeur. C'est incroyable le nombre d'articles que publie cet auteur d'ailleurs. Je vois passer son nom en permanence. Je vais aller voir sa liste de publications. Ça alors, ça ne marche plus. Zut, ça doit être le boîtier Internet qui fait des siennes. Allons voir (traversée du salon) ; faudra tout de même que nous pensions à changer de fournisseur d'accès. Mais que font encore ces chaussures ici ? Je vais les ranger tout de suite. Marre de voir autant de bazar dans cette maison (traversée de la cuisine). Ah oui, tiens, ce n'est pas une mauvaise idée, je vais manger un yaourt. »

La tête en ébullition

Ce que vous venez de lire correspond environ à 180 secondes de ce qui se passe dans ma tête. En à peine 3 minutes, je me suis escrimé à résoudre un problème qui n'existait pas (faire poser une grille dans une maison que je n'achèterai certainement jamais, pour protéger un scooter que je n'ai pas encore !), puis je me suis laissé distraire par un mail que je n'avais pas prévu de lire, puis, charmé par une recherche prometteuse, envahi par une envie de changement, je me retrouve finalement devant un yaourt.

En 3 minutes, j'ai pensé mille actions et n'en ai accompli aucune ! À part le yaourt… Et ce tumulte qui règne dans ma tête peut être quasiment permanent à certaines périodes de ma vie.

Ceux qui, comme moi, connaissent cette distractibilité chronique savent à quel point elle est douloureuse : on se sent finalement surmené alors qu'on n'a absolument rien fait de constructif. Du plus loin que je me souvienne, ce sentiment d'ébullition permanente m'accompagne. Il a toujours fait insupportablement partie de moi. Lorsque j'étais à la fac, il fallait que j'attende d'être fatigué pour pouvoir envisager de réviser, afin que ce bouillonnement se calme un peu. En général, cela commençait vers 23 heures… Et il y a encore peu de temps, je ne le tolérais plus du tout. Je me sentais vraiment nul de ne pas être capable de contrôler l'agitation de mes pensées, de ne pas savoir me poser calmement, de simplement m'apaiser. Il fallait que je parvienne à l'arrêter. C'est de cette façon que j'ai appris… que c'est impossible !

L'agitation des pensées

Vous avez certainement déjà essayé de ne pas être triste, de ne pas vous laisser envahir par l'anxiété, d'arrêter de ruminer la même idée ou de vraiment prendre confiance en vous. Et, comme tout le monde, vous n'y êtes pas parvenu. Peut-être même vous en êtes-vous voulu de ne pas avoir réussi à chasser cette idée de votre tête. C'est très fréquent. Simplement parce que, pour pouvoir oublier un souvenir qui vous dérange, il faut que vous le gardiez à l'esprit (et donc vous vous en souvenez encore plus !) ; pour réussir à garder votre calme, vous surveillez attentivement le moindre signe de nervosité (et la plus petite trace d'anxiété est quelque chose qui vous rend nerveux !) ; pour ne plus être triste, vous essayez de vous changer les idées, mais vous savez que si vous regardez la télévision c'est précisément pour oublier votre tristesse (qui revient de plus belle !).

Arrêter de chercher à contrôler ce qui se passe en nous est en fait assez contre-intuitif. En effet, à chaque fois que nous rencontrons un problème, c'est bien en effectuant des modifications sur ce qui nous entoure que ce problème trouve une solution. Nous sommes habitués à ce que nos actions aient des conséquences appréciables. Mais cela est vrai uniquement pour ce qui se passe à l'extérieur de nous. Pour le reste, ce qui se passe à l'intérieur, cela ne fonctionne pas. Mais nous avons tellement l'habitude que ce soit efficace que nous cherchons une solution identique.

Et puis, tout de même, il arrive que nous réussissions à modifier un peu nos pensées ou nos émotions. Il est possible parfois de se distraire un peu de ce qui nous inquiète ou nous attriste. Mais, généralement, cela ne fonctionne pas très longtemps. L'ennui en matière de psychologie est que tout ce que vous poussez vers la porte finit tôt ou tard par revenir par la fenêtre…

Difficile d'anesthésier les émotions

Enfin, et ce n'est pas la moindre des raisons qui nous amènent à essayer encore et encore de prendre le contrôle de notre monde intérieur, nous sommes persuadés que les autres y parviennent aisément, que nous sommes les seuls à être trop nuls pour ne pas réussir à nous apaiser, à faire face à l'adversité sans sourciller. Voici un scoop : ceux qui essaient de faire croire qu'il est possible d'anesthésier ses émotions – et même qu'il *faut* le faire – sont généralement ceux qui en souffrent le plus ! Je répète souvent cette phrase aux patients que je rencontre : « Pour tout ce qui concerne votre vie intérieure, ce que vous ne voulez vraiment pas, vous l'aurez ! » Plus nous mettons d'énergie à ne pas ressentir une émotion ou un sentiment, plus il nous envahit.

VOULOIR CONTRÔLER SES ÉMOTIONS, C'EST RISQUER DE LES RENFORCER

Référez-vous à votre expérience : vous avez certainement essayé plusieurs méthodes pour parvenir à extirper ce fatras psychologique que vous n'aimez pas et qui vous encombre. Y êtes-vous parvenu ? Si la réponse est non, ce n'est pas parce que vous êtes plus mauvais qu'un autre. C'est simplement que nous ne pouvons pas modifier sur commande ce qui se passe en nous. Le plus sage est alors d'accepter tous ces mouvements psychologiques, de ne pas chercher à se débarrasser des messages de notre pensée, même s'ils sont désagréables ou douloureux.

Ce qui se passe à l'intérieur est différent de ce qui se passe à l'extérieur

Les maîtres mots des nouvelles approches en psychologie sont « acceptation » et « lâcher prise ». On les retrouve malheureusement parfois utilisés à toutes les sauces. Car si l'acceptation est importante, elle n'est en aucun cas synonyme de résignation ou de passivité. Que nous essayions d'améliorer notre vie ou de nous protéger des dangers est bien légitime. Être capable de prendre des précautions et de l'avance sur les événements constitue même ce qui a permis à notre espèce de s'en sortir aussi bien. Mais si nous ne devons pas rester passifs face aux aléas de notre vie, il ne s'agit pas de les confondre avec ce qu'ils déclenchent en nous. Si nous éprouvons des émotions et des sentiments, c'est que cela nous est très utile. Et cela est très utile même pour les émotions et les sentiments qui nous sont si pénibles. La peur nous protège des dangers, la tristesse nous incite à demander de l'aide, la colère nous permet de nous sortir d'un mauvais pas. Et puis encore, les souvenirs sont essentiels pour éviter de devoir affronter les mêmes situations périlleuses : les ruminations préparent nos comportements à venir. En bref, tout ce que nous ressentons, et particulièrement ce que nous n'aimons pas ressentir, revêt un intérêt certain.

Faire la part des choses entre émotions et réalité

Le problème principal est que ces émotions si intenses nous paraissent parfaitement refléter la réalité. Nous confondons alors ce qui se passe réellement avec les répercussions que cela peut avoir en nous. Ce qui cause une peur – disons un accident de voiture, par exemple – n'est pas la même chose que l'émotion que nous ressentons. La peur ressentie en remontant dans une voiture après un accident n'est pas dangereuse en elle-même. Il n'existe aucun risque à ressentir la peur, pas plus qu'il n'en existe à être triste, anxieux ou préoccupé. Ce sont les circonstances qui sont à l'origine de ces émotions qui représentent un danger, pas les émotions elles-mêmes. Ces émotions constituent même parfois de précieux indicateurs sur lesquels s'appuyer pour détecter que quelque chose ne va pas et décider d'agir.

Agir sur la vie réelle

En revanche, il existe un risque notable à rejeter son anxiété, à combattre sa tristesse ou à lutter contre son inquiétude. Ce risque est de transformer sa douleur en souffrance. Nos actions doivent donc être dirigées vers la vie réelle, non vers ce qu'elle déclenche en nous. Si des efforts doivent être réalisés, c'est pour changer ce qu'il est vraiment possible de changer et avec d'autres objectifs que ceux de contrôler ses émotions, de les faire taire.

Les tentatives de contrôle permanentes

Regardez quelle est notre première réaction quand nous ressentons une émotion que nous n'aimons pas : par tous les moyens, nous cherchons à la chasser, à prendre le contrôle sur ce qui se passe en nous. Les chemins que nous empruntons pour tenter de faire taire cette partie de nous sont indénombrables. Ils vont des évitements les plus subtils à l'anesthésie la plus complète au moyen de l'alcool et des médicaments. Vous connaissez certainement ces injonctions adressées à vous-même : « N'y pense plus », « Calme-toi », « Ça ne sert à rien de te lamenter », « Il ne faut pas que je sois triste », « Oublie tout cela maintenant ». Nous nous battons contre nous-même. Imaginez une équipe de football dans laquelle les joueurs passeraient tout le match à se disputer sur la façon de jouer ! Il ne s'agit pas d'obéir à nos émotions. Il n'est pas question de suivre les conseils des joueurs les plus pessimistes, les plus inquiets ou les plus craintifs, mais simplement de se rappeler qu'ils font partie de l'équipe, et que ce n'est qu'ensemble que la victoire est possible.

Accepter ses émotions apaise

Le plus souvent, les patients que je rencontre perçoivent très rapidement l'intérêt d'ouvrir la porte à leurs émotions, de leur laisser une place en eux. Il faut dire que, malheureusement, lorsqu'ils viennent consulter, c'est qu'ils sont parvenus à percevoir que la lutte contre leurs émotions et leurs sentiments ne leur a pas permis d'aller mieux ; pire, elle les a emmenés dans une spirale dont ils ne parviennent plus à sortir. Les intérêts de l'acceptation ne sont pas en eux-mêmes difficiles à saisir. C'est même tout l'inverse :

les premiers mouvements d'acceptation correspondent généralement à un grand soulagement. C'est précisément de cette façon que je les ai découverts au début. Un sentiment de relâchement et de paix intérieure, d'harmonie. Les mots peuvent paraître forts, mais passer d'un état où la vie semble être un combat contre ce qui se passe en soi à un sentiment d'unicité relève vraiment du soulagement et de l'apaisement. La plupart de ceux qui y parviennent parlent même d'une fatigue physique moins importante. Ce n'est pas un hasard si les recherches ont montré que les plus stressés et les plus déprimés d'entre nous sont ceux qui essaient le plus de contrôler leurs émotions.

Accepter ses émotions s'apprend

Mais chassez le naturel, il revient au galop. En l'occurrence, notre naturel est de chercher à se débarrasser de ce qui fait mal. Et les mouvements psychologiques sont parfois aussi pénibles que les blessures physiques. Alors, dès qu'un problème se présente à nous, nous retombons dans le panneau et cherchons de nouveau à contrôler nos pensées et nos émotions. Malgré ce que je sais de l'acceptation et de l'impossibilité de contrôler ce qui se passe dans ma tête, il n'est pas rare que je me retrouve à ressasser un problème alors qu'il n'existe manifestement aucune solution. Il n'est pas rare non plus que je peste contre l'incessante agitation qui règne dans ma tête, que j'essaie de me calmer, ce qui m'agite davantage. L'acceptation est un travail de chaque instant, une compétence qui s'affine avec le temps. Même avec l'habitude, il faut un moment pour s'apercevoir qu'on est en train de chercher à faire disparaître une émotion, un souvenir ou une pensée pénible. Et encore un peu plus d'entraînement pour réellement l'accepter.

Comment accepter ce qui se passe en nous ?

Je vous propose un petit exercice, que je pratique moi-même de temps à autre, lorsque je perçois que quelque chose me préoccupe vraiment au point de m'empêcher de me concentrer sur ce que j'ai à faire.

● Prenez un moment pour considérer un problème qui vous préoccupe actuellement. Peut-être vous êtes-vous disputé avec un vieil ami, ou vous souciez-vous de l'avenir professionnel de votre enfant ?

● Laissez-vous envahir par les pensées catastrophiques qui apparaissent en vous à propos de ce problème, l'issue que vous redoutez, ce que vous n'aimez pas dans cette situation.

● Essayez maintenant d'envisager que ce problème ne trouve jamais de solution. Vous ne vous réconcilierez jamais avec cet ami ; quant à votre enfant, il ne décrochera pas le poste dont il rêve.

● Projetez-vous dans l'avenir et considérez que la difficulté que vous traversez sera toujours là.

● Abandonnez-vous à cet état de fait pendant quelques instants. Laissez les émotions vous traverser, prendre place en vous, et éventuellement disparaître quand elles l'auront souhaité.

Regardez comment vos pensées bataillent contre ce que cet exercice déclenche en vous. Peut-être avez-vous pensé qu'il s'agit d'un exercice stupide ? Peut-être vous êtes-vous dit qu'il ne s'agit précisément que d'un exercice et qu'il n'a rien de réel ? Ou encore, peut-être qu'une pensée d'annulation a fusé dans votre esprit ? Quelque chose comme : « Mais, non, cela n'arrivera pas. » Toutes ces réactions, logiques et habituelles, sont justement celles qu'il faut apprendre à repérer. Elles représentent la lutte qui s'agite en vous face à ce problème. Elles sont celles qui vous épuisent quotidiennement. Si vous pouvez résoudre le problème que vous rencontrez, il vous est impossible de supprimer les émotions qu'il déclenche actuellement. Et si vous vous épuisez à lutter contre ces émotions, vous gaspillez une part de l'énergie qui vous permettra peut-être de trouver une solution, de passer à l'action.

Devenir spectateur

Considérez maintenant un instant cette activité psychologique dont nous parlons. Si vous pouvez l'observer, c'est qu'elle ne vous définit pas en tant que sujet. Vous n'*êtes* pas triste, vous *ressentez* de la tristesse. Vous n'*êtes* pas anxieux, vous *ressentez* de l'anxiété. Je ne *suis* pas agité, je *ressens* de l'agitation. Toutes ces perceptions apparaissent en nous et nous pouvons les observer d'une manière plus distante, comme le spectateur d'une pièce de théâtre. Face à ce spectacle, il faut faire preuve de curiosité et d'intransigeance : se demander ce que la vie va encore bien pouvoir déclencher en nous, et prendre tout ce qu'elle nous offre.

Quand vous détectez une tension en vous, plutôt que de chercher à vous en débarrasser, arrêtez-vous un moment et regardez où la bataille fait rage. Détectez ce que vous essayez de contrôler sans même vous en rendre compte. Remerciez-vous d'être toujours bien alerte, et remerciez aussi votre intelligence de faire son travail. Ensuite, baissez la garde et accueillez cette émotion comme elle se présente. Puis partez avec ce *vous* qui forme un tout indissociable vers ce qui compte réellement pour vous. Agissez sur ce qui est à votre portée. Le reste – ce qui se passe à l'intérieur de vous – évoluera peut-être en conséquence – ou peut-être pas. Mais, au moins, vous ne vous serez pas battus contre les moulins. Il existe plusieurs façons de regarder une toile de maître. Vous pouvez chercher à comprendre ce qu'a voulu communiquer l'artiste, analyser à quel mouvement pictural il appartient, étudier le choix des couleurs, etc. Vous pouvez aussi y porter un regard critique et regretter que l'œuvre ne soit pas plus colorée ou figurative, ou que sais-je encore.

Vous pouvez enfin simplement la regarder, sans chercher à l'analyser, vous en imprégner et vous laisser envahir par les émotions qui apparaissent.

Ce qui se passe en nous constitue un véritable chef-d'œuvre en perpétuelle évolution. Apprenons à en devenir des spectateurs avertis, des amateurs au sens premier du terme. Développons notre curiosité de ces phénomènes si complexes qui apparaissent en nous.

Et s'il était maintenant temps de devenir « psychophiles » ?

Pour en savoir plus, reportez-vous page 174.

Être cohérent dans sa vie professionnelle et dans sa vie privée

9

Dr Nicolas
Duchesne

« Vous avez l'air fatigué ce matin, docteur. Vous qui m'épaulez tant, qui s'occupe de vous ? Comment tenez-vous le coup ? », me questionne Christine, pourtant fraîchement sortie d'une nouvelle passe dépressive de sa maladie bipolaire. Dois-je me dérober à sa sollicitude curieuse ? Les moyens qui m'ont aidés seront-ils assez éclairants pour vous, lecteur attentionné ? Ma conception humaniste de la psychothérapie implique la réciprocité de mon engagement à l'égard des personnes qui ont sollicité mon aide et m'accordent leur confiance. À l'occasion, il m'arrive de partager humblement et sincèrement sur les étapes de mon cheminement personnel. La question de la cohérence entre mes attitudes soignantes et ma vie est centrale pour moi.

Face à la charge émotionnelle des psychothérapies, un réflexe protecteur conduit parfois à se camper solidement derrière son bureau et à s'enrouler dans son frêle statut de psy diplômé, à séparer le plus hermétiquement possible « eux », qui souffrent et dérapent, de « moi », qui serais solide et protégé.

Pourtant, chère Christine, mon équilibre intérieur requiert aussi une attention appliquée, et je demande régulièrement l'aide de mes confrères pour un avis ponctuel amical, en enseignement ou en supervision. Cela contribue à restaurer la clarté et la paix dans mon jardin intérieur de thérapeute, dont j'ai besoin pour entretenir mes capacités à « écouter vraiment », à accueillir les débordements émotionnels et à maintenir une attitude professionnelle constructive. Je voudrais témoigner de ce que mon épanouissement actuel doit aux techniques mêmes que je propose à mes patients. Sans nier la sagesse de la blague de Pierre Dac : « C'est en voulant connaître toujours davantage qu'on se rend compte qu'on ne sait pas grand-chose. » Veuillez m'autoriser une brève présentation personnelle de ces beaux « pas grand-chose » qui éclairent ma vie…

De la culpabilité à la gratitude

Doté d'affection, de sécurité matérielle et d'ouvertures intellectuelles multiples, j'ai porté longtemps une culpabilité familiale liée au fait d'être « nanti, gâté, privilégié ». Ce sentiment a altéré bien des joies simples à l'adolescence et a engagé ma vocation thérapeutique sur des bases ambivalentes. Je dois à mon parcours de thérapie cognitive un regard plus objectif sur ce que la vie m'a offert. Je ressens maintenant la douceur de la gratitude envers la vie, pour la merveilleuse famille qu'elle m'a offerte et les beautés qu'elle contient. J'assume aussi plus fièrement ma part d'efforts personnels dans mon parcours de vie.

Une personnalité toujours en devenir

Pour mon installation, mon amie Bénédicte m'a offert une de ces poupées russes à emboîtements graduels, une Matriochka. Ce présent, traditionnel entre thérapeutes scandinaves, symbolise l'impact des étapes initiales de l'existence sur la personne adulte et l'unicité de chaque individu, par la diversité presque infinie des modèles. Elle n'a pas quitté mon bureau depuis.

Si l'enfance laisse une empreinte psychique indélébile, le fonctionnement psychique et la personnalité peuvent encore considérablement se modifier par un travail de recherche sur soi. Plusieurs figures et événements ponctuent les étapes successives de ma vie : du « Petit Nicolas », avec les études de médecine, les belles rencontres…, au « Grand Duduche », puis la maturité, un mariage d'amour, quatre enfants, l'orientation professionnelle. Ayant été confronté tôt à des tensions relationnelles et émotionnelles, j'ai rapidement trouvé essentiel et passionnant le travail de recherche de soi et de l'équilibre psychique. Ma vocation, quoi !

Un socle de sécurité et d'affection

Si j'accorde à mon travail une partie considérable de mon temps et de mon énergie, mes proches sont le socle sur lequel repose mon existence. Si, certains jours, les interpellations de ma femme, sensible, intelligente et franche, passent mal, elle reste ma boussole affectueuse et sûre. Construire ensemble une relation intime sur le long terme, incluant l'éducation de nos enfants, est une des plus belles expériences de ma vie. Comment dire l'importance des messages reçus de mes enfants, depuis toujours, si ce n'est en partageant quelques exemples et l'ouverture d'esprit qu'ils impliquent ? J'apprends notamment qu'aimer peut parfois s'exprimer par un refus (« Non, tu ne sortiras pas ce soir ! »), que l'affection n'est pas la relation et implique parfois l'acceptation d'une position conflictuelle. Les désaccords et les crises accompagnent les passages de vie de chacun d'entre nous. Merci famille, amis, collègues et patients, qui m'honorez de votre confiance et donnez sens à mon implication soignante.

Comment je me sers de ma formation pour mon développement personnel

J'aimerais tant faire mentir l'adage : « Les cordonniers sont les plus mal chaussés. » Voyez-y l'expression de mon côté rebelle, perfectionniste ou idéaliste, comme cela vous chante. J'aspire à une relative cohérence entre ce que je conseille et ce que je pratique.

L'occasion m'est donnée de convoquer mes vieux compagnons d'existence – angoisses, doutes, cafards, parfois si douloureux. Venez, autocritiques usantes, élucubrations anxiogènes ! Bienvenue, scénarios catastrophes, autrefois si envahissants. Ensemble, relisons ce que certaines bêtises m'ont appris, comment certaines peurs furent apprivoisées par des affrontements réguliers et comment les critiques sont devenues constructives après avoir été destructrices.

Offrons une place d'honneur à mes « échecs », puisque la douleur et la prise de conscience de ces erreurs m'ont préparé au travail de changement : ainsi, l'absence de poste de chef de clinique en fin d'internat fut à l'époque une blessure pénible. Si des excuses complaisantes ont protégé un temps mon amour-propre, j'ai davantage profité d'un regard lucide, d'un retour sur moi interrogatif qui a mis en évidence mes défaillances d'alors, immaturité émotionnelle et incompétences relationnelles, notamment.

Appliquer à soi-même ce que l'on conseille à autrui

J'ai engagé une prise de recul par rapport aux programmations émotionnelles de l'enfance (repenser à mon parcours, noter les moments forts de mes journées et de mes rêves, repérer les cercles vicieux de mes fonctionnements) et j'ai engagé les apprentissages correctifs nécessaires, l'état d'esprit et la pratique de l'affirmation de soi notamment. Pendant ma formation de thérapeute cognitiviste, il a toujours été évident pour moi qu'appliquer à moi-même les moyens que j'apprenais était une chance et une condition *sine qua non* pour devenir un thérapeute authentique et compétent. Ma place familiale, mes participations dans plusieurs équipes et associations sont toujours éclairées du souci respectueux d'équilibre entre moi et autrui. Aussi puis-je maintenant me garder estime en me sachant imparfait.

UN EXEMPLE DE PROGRESSION SUR SOI

Le concours de scénarios pour un court-métrage sur la dépression en 1992 passionne plusieurs psychiatres de notre établissement. Je décide d'y participer. J'écris dans la précipitation et... échoue, tandis que mon talentueux collègue et ami Jean-Max gagne brillamment.

L'occasion m'est donnée de constater nos différences de méthodologie et d'apprendre de son exemple pour le concours de 1993. Très motivé, organisé cette fois, et ayant consacré le temps nécessaire au mûrissement de mon projet, j'ai vu le succès me sourire.

Ouvrir son regard vers les solutions

La première des clés que je souhaite partager sincèrement est l'effort de lucidité qu'il convient de faire sur ses difficultés. Mes obstacles de vie, les deuils, les lombalgies partiellement psychosomatiques, les noyades dans une vie trop stressante, certaines disputes ou refus vexatoires ont été le terrain de mes entraînements personnels. Il m'est arrivé d'invoquer des excuses extérieures, de penser que rien ne pouvait changer et de baisser les bras. Il n'est pas facile d'étudier ce qui ne fonctionne pas et de se tourner vers les solutions.

S'entraîner, s'entraîner, s'entraîner encore !

Pendant vingt-cinq années de mon existence, j'ai poursuivi et cultivé mon modeste classement de tennis (en troisième série, pour les initiés). Les nervosités de début de match, les ruminations après un coup « immanquable » balancé dans les bâches ou dans le filet, la désespérance due à un coup droit déficient, j'ai connu ! Mais pendant mon service militaire, en fin d'études médicales, j'ai eu l'occasion de m'entraîner mieux et plus, jusqu'à décrocher ce classement en deuxième série dont j'avais rêvé toute mon enfance !

En thérapie comportementale et cognitive aussi, des exercices répétitifs sont nécessaires pour progresser. Vous accueillir avec une relative sérénité est déjà un signe, puisqu'il m'a fallu cinq années de travail personnel complémentaire après mon diplôme pour *oser* endosser les responsabilités de thérapeute. J'ai moi-même utilisé patiemment pendant cette période les techniques que je peux aujourd'hui préconiser, pour m'exercer aux rouages de chacune jusqu'à une maîtrise bénéfique et en connaître les bienfaits comme les limites.

Ne croyez pas que l'entraînement nuise à la spontanéité ! Comme les gammes pour le musicien, la dextérité cognitive et relationnelle offre cette liberté de participation émotionnelle nécessaire pour être vraiment moi dans l'exercice de mon métier. Et d'y prendre alors un plaisir certain par l'accordage avec autrui.

> J'ai moi-même utilisé [...] les techniques que je peux aujourd'hui préconiser.

Observer, relativiser, s'accepter...

J'ai développé une meilleure gestion de moi en pratiquant les thérapies cognitives : j'ai recueilli sur des carnets personnels un grand nombre de ces « photos intérieures », des instantanés de « mal à l'aise », de « mal à être ».

Prenons un exemple : l'embarras, la gêne, la honte ressentis quand le chef de service fit un jeu de mots que je ne compris pas tandis que je présentais un cas : « J'ai dû dire une bêtise ; le chef ne m'apprécie pas ; je suis la risée de toute l'équipe… » Ces pensées interprétatives de discrédit, de dévalorisation implicite de ma personne, de rejet produisirent en moi un puissant malaise et commandèrent une réaction de retrait relationnel pendant tout le reste de la réunion. Peu après, faisant un retour sur moi-même, je notai puis étudiai ces pensées, repérant les interprétations abusives et réduisant l'incident à une blague banale comme notre chef aimait à en produire quand il était de bonne humeur. Suite à cet épisode, je m'entraînai à pouvoir dire simplement mon embarras et mon incompréhension en vue d'une répétition possible.

J'ai longtemps vécu inféodé à des règles d'exigence tyranniquement élevées et d'interdit du partage de certaines émotions. Je devais contenir mes colères ou mes craintes et me blâmais régulièrement en silence de ne pas y arriver. Il m'a fallu un travail méticuleux et répété pour repérer rapidement les manifestations de ce discours intérieur bloquant, le remettre lentement en question puis revenir aux racines de ces règles (ces souvenirs d'enfance très émouvants où je me figurais qu'on ne m'aimerait que parfait et que les manifestations émotionnelles étaient fautives). « Pour voir loin, il faut y regarder de près », dit encore Maître Dac avec sagesse. Me voici plus en paix avec mon émotivité, finalement éclairante et salutaire.

> Me voici plus en paix avec mon émotivité, finalement éclairante et salutaire.

... et mieux réagir pour vivre mieux avec les autres

Durant les années de mon internat, j'étais emprunté et maladroit dans le relationnel, ce qui, entre autres causes, me condamna les portes d'une éventuelle carrière universitaire. Faire une remarque critique à tel ou tel collègue me mettait dans un embarras énorme, entre la crainte de le blesser et la frustration de ne pas dire ; exprimer une requête personnelle m'était impossible, faute de savoir-faire et ligoté par des règles personnelles d'assujettissement.

Je me souviendrai toute ma vie de mon premier exercice de communication en jeu de rôle, dans un groupe de formation à l'affirmation de soi. Mes pensées autocritiques perfectionnistes klaxonnaient à fond dans ma tête en attendant mon tour, décuplées par la perspective du regard des autres étudiants. Je flottais littéralement dans un brouillard anxieux paralysant, teintant d'étrange tout ce qui survenait. Je ne me souviens plus du tout de l'exercice lui-même mais de mon état, heureusement soulagé peu à peu par les commentaires soutenants et constructifs de mes collègues et d'Yvan Note, mon enseignant. L'entraînement aux techniques d'affirmation de soi fut une clé salvatrice pour diminuer mes problèmes relationnels, et devenir de plus en plus serein. J'y ai trouvé un guide concret répondant à mes valeurs pour défendre mes droits tout en respectant ceux des autres. Cela ne se fait pas sans dépassement de soi.

Faire face aux peurs

Jeune papa inexpérimenté, j'installe notre fils aîné devant la cassette apparemment inoffensive du court-métrage de Walt Disney *Le Vilain Petit Canard*. Au fur et à mesure des scènes de rejet puis de souffrance du petit cygne intrus dans la famille canard, vous vous en souvenez, je le vois progressivement se décomposer, blêmir et fondre en larmes. Horrifié autant que culpabilisé, je me précipite pour le prendre dans mes bras et faire cesser ses sanglots déchirants. Quel ne fut pas mon étonnement en l'entendant ânonner entre deux sanglots : « Encore… encore ! » Et voici comment, après concertation avec ma femme, nous consentons à lui repasser cinq ou six fois d'affilée le court-métrage incriminé jusqu'à son rétablissement manifeste, en langage psy : « Une réduction du choc émotionnel par habituation et assimilation des scènes violentes et du dénouement réparateur. »

Désensibilisation personnelle

Mon exemple le plus probant pour le dépassement de ma peur de parler en public fut obtenu quelques années plus tard grâce à des expositions identiques répétées. J'avais en perspective de devoir introduire les journées scientifiques régionales de notre association de psychothérapeutes à Montpellier en 2000 et tremblais deux ans à l'avance en y pensant. Durant ces vingt-quatre mois, j'ai sollicité huit présentations orales en congrès, en étudiant attentivement mes pensées et images mentales avant, pendant et après chaque prestation, ainsi que l'évolution de mes conduites lors de ces prises de parole. Je suis passé progressivement de la lecture timide de mon texte à une communication tournée vers le public et interactive, intégrant avec humilité mon émotivité. Et bingo ! Se sont révélés à moi le plaisir de l'échange et mes aptitudes dans ce domaine. J'interviens maintenant chaque semaine en public – animation de groupe, enseignement ou conférences – pour mon plus grand épanouissement. Et je suis très investi dans le soin de l'anxiété sociale, l'ayant touchée modestement du doigt.

Des techniques structurées, mais pas que...

L'essentiel est invisible pour les yeux

Ma femme et moi adorons *Le Petit Prince* pour la légèreté poétique d'appréhension des messages fondamentaux de la vie exprimés au travers du regard d'un enfant royal et fragile. « Une drôle de petite voix m'a réveillé. Elle disait : "S'il te plaît... dessine-moi un mouton." », raconte Antoine de Saint-Exupéry. Vous vous souvenez qu'après plusieurs tentatives picturales maladroites, il dessine finalement une caisse en ajoutant : « Le mouton que tu veux est dedans. » Dans la même veine, je voudrais témoigner que la richesse offerte par les exercices est, dans la pratique, au-delà de la technique.

Pas de thérapie sans le cœur

Puisqu'« on ne voit bien qu'avec le cœur. L'essentiel est invisible pour les yeux » (et si fugitif pour les pensées), le chemin psychothérapique est celui du ressenti et de l'éprouvé. C'est lors d'une fin de thérapie, une dernière séance sur l'objectif défini conjointement (oui, ce mouton qu'elle cherchait semble en vue), que Marie accepte de partager ce qui a été important pour elle dans notre parcours thérapeutique : « Surtout votre attitude bienveillante, positive, cette confidence partagée à propos de votre fils adolescent et l'histoire de l'éléphant enchaîné résigné depuis son dressage dans l'enfance, raconté au début. » Dans un parcours thérapeutique, il y a beaucoup de travail technique efficace, résumé à ces temps forts... en émotion.

La vérité du cœur sort bien évidemment de la bouche des enfants. C'est une fin de semaine au mois de décembre, nous sommes fatigués, énervés. Ma fille de six ans me reprend après un accrochage futile entre sa sœur aînée et moi, et me dit : « Là, Papa, elle est en colère. Dis-lui pardon et fais un bisou ! »

● Ma conception du rôle de psycho-thérapeute implique d'avoir pratiqué pour soi-même ce qu'on propose aux autres.

● Nos erreurs sont le chemin de nos succès si nous avons le courage de regarder nos problèmes.

● Ayons le courage d'affronter nos peurs.

● Savoir accepter de l'aide requiert de s'engager beaucoup soi-même aussi. Une démarche d'entraînement régu-lier par des exercices clairement définis trouve aussi sa place en psy-chologie.

● La thérapie cognitive est une saine gymnastique de l'esprit, qui conduit vers le bien-être émotionnel.

● Entretenir ses acquis au jour le jour.

● Soins et respect du corps sont com-plémentaires.

● Ne fonctionner qu'avec la présence du cœur et de la sincérité.

Les liens indissociables du corps et de l'esprit

Cet été-là, tandis que je partageais les exigences du ramadan avec mon ami Abdel lors de l'invitation chaleureuse dans sa famille en Tunisie, j'ai pu sentir précisément les liens entre le corps et l'esprit. Nous avions subi ensemble les variations de moral liées à la déshydratation en fin d'après-midi puis à la satiété en début de soirée, soit de l'irritabilité, des dis-putes bénignes vers 18 heures, aux retrouvailles amicales ensuite.

Je suis psychiatre, médecin, et ne saurais concevoir les progrès de l'esprit en ignorant le corps. De ce point de vue-là, la maladie bipolaire qui m'occupe beaucoup est un exemple parfait. Les dangereux virages de l'humeur, tantôt mélancolique, tantôt euphorique, découlent d'une vulnéra-bilité avérée du cerveau que le psychisme colore, suractive ou tempère. Mais comme seule la participation volontaire de la personne permet la poursuite délicate des soins médi-camenteux et psychiatriques, un accompagnement psycho-thérapique me semble très important.

Sans doute l'avez-vous ressenti vous-même peu ou prou à travers le manque de sommeil ou les maladies physiques : « L'esprit est la dupe du corps ! », disait Voltaire. Aussi, je m'efforce de prendre soin de mon équilibre physique dans l'optique d'un bien-être psychique secondaire : exercice physique, temps de relaxation et de détente. J'ai maintenant abandonné le tennis trop lié pour moi à l'esprit de compétition et de dépassement de soi, parfois négatif pour la santé, au profit de différents loisirs tournés vers le bien-être et la forme. Ce qui n'exclut pas certains défis personnels, en montagne notamment, à mon rythme.

Tant de belles rencontres

Certaines rencontres, quelques expériences ont marqué ma vie de façon mémorable, constituant celui que je suis devenu, soulagé de certains nœuds névrotiques.

Et si nous consacrions autant d'efforts à notre vie personnelle qu'au domaine professionnel ?

Combien d'années et quelle application accordons-nous à notre formation professionnelle ? Quel temps de vie, quelle énergie consacrons-nous à notre travail pour rentrer chez soi, souvent fatigué ou énervé, en espérant que, là, tout se passe bien et coule de source. Le cursus scolaire ne propose aucune formation sur la culture de l'amour heureux, rien sur le rôle de parent ou sur le développement de la sérénité. Je ressens mon métier de psychiatre comme un engagement militant en faveur de la préséance de l'être, du vécu, du ressenti sur l'agir, le faire et le posséder.

En travaillant dans le domaine de la psychologie, j'ai bénéficié d'apprentissages dans ce domaine. Ma cohérence personnelle a été d'entraîner ces habiletés au profit de ma propre vie également. J'ai tenté de vous en exprimer le bénéfice relatif obtenu.

Alors, merci Christine, votre sollicitude m'a profondément touché. Vivre dans la confiance de nombreux patients et constater leur mieux-être progressif grâce aux efforts psychothérapiques est un des privilèges merveilleux de mon métier.

Dépasser mon discours intérieur critique a été un nouveau challenge personnel. Puisse surtout ce partage vous procurer quelques encouragements sur le chemin de votre vie, oscillant entre éruptions volcaniques et sidérations glacières, jusqu'à l'apaisement durable de votre jardin intérieur.

Pour en savoir plus, reportez-vous page 174.

Avoir confiance en sa féminité au travail... et ailleurs

10

Dr Fatma
Bouvet de la
Maisonneuve

C'est par le travail que la femme a en grande partie franchi la distance qui la séparait du mâle; c'est le travail qui peut seul lui garantir une liberté concrète... Simone DE BEAUVOIR

Oui, mais comme le chantait Cooki Dingler dans les années 1980, « être une femme libérée, ce n'est pas si facile »... Depuis longtemps déjà, nous avions le vague sentiment que cette émancipation par le travail, qu'il ne saurait être question de remettre en cause, cachait le revers de la médaille, et voilà qu'un tout récent sondage montre que le nœud du problème réside dans la conciliation de la vie privée avec la vie professionnelle[1].

À quand le bon usage de la parité ?

Les femmes veulent réussir sur les deux tableaux à la fois et elles ont sans doute raison puisque, dans certains pays, cela est possible. En France, les rares études sur la santé psychique des femmes au travail dont nous disposons soulignent que le prix de cette tentative est lourd à payer : plus de mal-être au travail, deux fois plus de tentatives de suicide, plus de *burn-out* et de victimes de harcèlement au travail, consommation de produits psychotropes en hausse[2]. Mettons face à face quelques données sociologiques bien connues comme la disparité des salaires, le cumul des responsabilités et les chiffres médicaux : le lien devient tout à fait clair. C'est pourquoi ce que j'appelle le « bon usage de la parité » ne se réalisera qu'en tenant compte de la dimension psychosociale de la question[3].

Être femme dans le monde du travail

Les femmes que je vois à ma consultation vivent des situations considérées désormais comme ordinaires. Oui, nous avons été imprégnées, à tort, de cette idée selon laquelle le mal-être des femmes était inévitable : « C'est normal que tu sois fatiguée, tu travailles, tu as des enfants, tu dois t'occuper de la maison », nous dit-on. Alors, par habitude, par manque de confiance, par culpabilité ou par souci d'être toujours à la hauteur, les femmes endurent des situations inextricables, parfois à la limite du supportable. Deux obstacles à leur épanouissement sont régulièrement pointés : la difficulté à faire garder les enfants (qui est plus ou moins facilement surmontée selon le cadre familial, économique et social) et l'évolution dans le métier. Le mot « évolution » est à entendre au sens de l'intégration d'une part dans l'environnement du travail, et d'autre part dans celui des promotions et accès aux responsabilités.

Dans le cadre d'une consultation psychiatrique, les femmes expriment leur sentiment d'être débordées ; elles parlent de leur fatigue, de leur dépression, de leurs angoisses et des moyens qu'elles utilisent pour décompresser. Viennent alors régulièrement de nombreuses questions qui tournent autour de leur féminité menacée car prise en tenailles entre des messages paradoxaux : « Soyez femmes, leur dit-on, mais pas trop quand même. » Comment exprimer sa féminité lorsqu'on fonctionne en flux tendu permanent, sans voir le temps passer ? Et lorsqu'elles sentent que le moment venu, il est parfois trop tard pour réaliser leur souhait de vie de famille. Elles ont le sentiment que tout en ayant gagné plus que leurs mères sur le plan social, elles ont perdu sur d'autres plans. Le paradigme du monde de l'entreprise est organisé sur la base de méthodes conçues selon des critères masculins et dépassés, le monde du travail n'a jamais considéré avec sérieux l'arrivée des femmes. D'ailleurs, bon nombre d'entre elles avouent avoir dû se « travestir » en hommes pour réussir. De fait, celles qui ont refusé demeurent souvent à l'écart des lieux de décision, bien qu'elles soient de mieux en mieux formées et que leurs performances soient indiscutables. Leurs efforts n'ont d'égal que le manque de reconnaissance qu'elles recueillent. Leur état de silence et de culpabilité reste ambigu, mais il semble contenter de nombreux responsables que l'épuisement de leurs salariées n'alerte pas.

> Le monde du travail n'a jamais considéré avec sérieux l'arrivée des femmes.

Être femme n'est pas une maladie

Certaines femmes vivent cette situation d'infériorité comme une fatalité. C'est de cette conviction silencieuse et chronique que je souhaite les sortir. Non, je ne suis pas de ceux qui croient, comme Ibn Khaldoun, que « dans la nature innée des hommes se trouve le penchant vers la tyrannie et l'opression mutuelle[4] », mais je dis que l'avenir peut être meilleur car des solutions existent. Pour tenter de vous en convaincre, je vous propose donc quelques fragments de vies emblématiques du statut des femmes actives d'aujourd'hui, et je partagerai ensuite avec vous quelques astuces pour se sentir mieux dans sa peau de femme.

Qui va garder les enfants ?

Clara, musicienne, a passé sa vie à travailler sans relâche, sans avoir vu le temps passer et sans relation affective stable. Toujours célibataire et rattrapée par les années, elle décide, comme le dit une autre chanson, de « faire un enfant toute seule ». Sa grossesse fut certainement le plus beau moment de sa vie, tout semblait devenir possible pour son bonheur. Clara, comme toutes les futures mères de France, a alors commencé un long parcours du combattant, une vraie quête du Graal : la place en crèche ! Ses efforts se sont révélés vains, et même les modes alternatifs de garde étaient inaccessibles. Qu'à cela ne tienne, Clara n'était pas du genre à se laisser abattre : ce serait donc elle qui garderait l'enfant en travaillant à domicile.

Isolement, précarité, dépression

L'euphorie des premières semaines de vie avec son fils a laissé place peu à peu aux difficultés. Les missions se révèlent impossibles à réaliser par télétravail car les clients réclament toujours, à un moment ou un autre, un contact direct. Clara a été de moins en moins sollicitée puis mise à l'écart de son circuit professionnel. Le résultat ? Un plongeon dans la précarité.

Ce parcours est malheureusement assez représentatif. Une enquête effectuée en 2002 a montré que 64 % des enfants de moins de trois ans sont gardés par leurs parents, la mère assumant à elle seule plus de 50 % des gardes[5]. Que dire alors des femmes qui doivent élever seules leurs enfants ? Aujourd'hui, c'est environ 2,4 millions d'enfants qui vivent avec un seul des parents, le plus souvent la mère[6]. Une mère isolée échappe difficilement à une précarité qui, fréquemment, est elle-même à l'origine de troubles psychiques se répercutant souvent sur les enfants. Clara a vécu, après la naissance de son fils, une vraie dégringolade : professionnelle, psychologique et sociale. Elle se sentait coupable d'être parfois travaillée par l'idée que son fils aurait pu être responsable de cette situation. « Cet enfant, je l'ai voulu, et j'en suis responsable ! », affirmait-elle avec rage. « Doit-on abandonner son enfant pour pouvoir vivre décemment ? » Le conflit entre les enfants et le travail, et le sacrifice impitoyable qui en résulte semblent être, hélas, le lot quotidien de nombreuses mères qui n'ont pas d'alternative pour la garde ou qui sont à tel point épuisées qu'elles n'envisagent plus de demander de l'aide. Clara s'est progressivement désocialisée et a coupé tout contact avec sa famille et ses amis. Elle n'avait plus pour seule interlocutrice que l'assistante sociale de la mairie. Rongée par la culpabilité, noyée dans un abîme de pessimisme, elle a sombré petit à petit dans une dépression qui ne lui permettait pas de sortir la tête de l'eau. Malgré l'abus d'anxiolytiques qui entamaient sa vigilance, il lui restait tout de même assez de lucidité pour réaliser qu'une aide médicale lui serait bénéfique. Lors de sa première consultation, sans aucune proposition professionnelle, au RMI, elle croulait sous les dettes et souffrait de dépression. Derrière l'écran de sa douleur morale, j'ai perçu une femme courageuse, forte et déterminée, mais brisée par les affres de la vie et déroutée par l'obscurcissement persistant de sa situation. Certes, comme pour tant d'autres femmes, le déficit d'accompagnement social et familial est en grande partie le point de départ de sa situation de détresse actuelle. Cependant, dans son volontarisme, Clara a négligé un mal-être qui s'est révélé être une vraie dépression. Cette femme avait subi la chute vertigineuse qui est la punition injuste de celles qui en veulent « trop ». Au fond, la seule erreur de Clara aura été de vouloir être mère et de prétendre continuer son métier. Le couperet social est tombé et la réponse négative a été vécue comme une sanction.

Pour s'en sortir, retrouver confiance en soi

Sur le plan médical, l'urgence était de la sortir de ce sentiment d'incapacité profonde qui la figeait et de lui redon-
ner confiance en elle. Il fallait vite traiter sa dépression
et la remettre sur les rails de la socialisation. En France,
les services de santé sont organisés, quand ils fonction-
nent bien, de façon à ce que le patient soit pris en charge
dans sa globalité : médicalement, psychologiquement,
mais aussi socialement. J'ai proposé à Clara un traitement
médicamenteux accompagné d'un suivi psychothérapique rapproché, fondé essentiellement, au début, sur le
renforcement positif : « Non, Clara, ce n'est pas de votre
faute ! Vous avez une force de caractère formidable pour
avoir voulu réaliser votre souhait. Seulement, comme
d'autres femmes et d'autres familles, vous avez été victime
d'une injustice. Heureusement, vous avez pris conscience
de l'aspect anormal de votre état et êtes venue consulter.
Nous allons reprendre les choses en main ensemble. Votre
enfant a grandi, le champ s'est en partie libéré, des choses
sont encore possibles. »
Très vite, Clara a commencé à voir sa vie avec plus de sérénité et a retrouvé sa vraie nature de battante. Son fils est
maintenant à l'école primaire, ce qui lui laisse quelques
heures pour des démarches administratives avec l'aide
d'une association. Aujourd'hui, Clara a trouvé un travail « alimentaire » qui lui permet de retrouver dignité et
confiance pour envisager l'avenir avec plus d'optimisme.
À terme, elle voudrait – pourquoi pas ? – créer sa propre
entreprise de formation, donner des cours de musique
et travailler à la maison. On le sait aujourd'hui, de nombreuses « mamans entrepreneurs » sont motivées par les
mêmes contraintes, mais quel est le taux de survie de ces
projets ?

Vous n'êtes pas seule

Les femmes sont nombreuses à pâtir d'une mauvaise
gestion de la petite enfance. Nous vivons de ce fait des
moments difficiles dont les complications peuvent être
pénibles. Mais il ne faut en aucun cas accepter de souffrir en silence, et au contraire vite demander de l'aide. Des

Vous vous reconnaissez dans l'histoire de Clara ? Voici quelques phrases clés à retenir qui vous simplifieront la vie en cas de coup dur.

● Je ne suis donc pas seule dans ce cas.

● Je n'ai commis aucune erreur et certainement pas celle d'avoir désiré un enfant, je ne suis donc coupable de rien.

● Le choix de se sacrifier est devenu une norme, cela ne me satisfait pas, je dois trouver une solution.

● Je ne dois pas accepter de souffrir et de me taire. Je dois plutôt exprimer mes souhaits car qui ne demande rien n'a rien.

● Je dois apprendre à « dépister » ce qui ne va pas bien en moi : une déprime, une fatigue qui dure, des insomnies, un changement brutal de comportement, un certain plaisir à broyer du noir ou une tendance au repli sont des signes pathologiques. Ils ne sont pas inhérents à notre féminité et relèvent de facteurs sur lesquels on peut agir efficacement.

● Il ne faut jamais rester seule avec ses ruminations, cela ne fait qu'entretenir un sentiment d'incapacité, de manque de confiance et de culpabilité.

● Je suis trop exigeante vis-à-vis de moi et je suis trop fière. Ce sont les raisons pour lesquelles je n'ai jamais osé partager mon échec et ma souffrance. J'ai eu tort, parce que finalement la dignité humaine s'exprime aussi dans l'humilité qui permet de se faire aider. On m'aidera à me relever de ma chute sans que j'y perde mon honneur.

● L'avis d'un tiers est souvent indispensable. Un médecin pourra pointer la vision erronée avec laquelle j'envisageais la vie, comme souvent lorsque l'on est déprimée et il m'aidera à sortir du noir pour découvrir l'autre facette des choses.

● La France dispose de trop peu de dispositifs pour accueillir un enfant dans des conditions qui soient satisfaisantes pour les familles. Concilier vie privée et ambition professionnelle reste encore une gageure pour de nombreux parents. C'est un dysfonctionnement politique qui peut avoir de lourdes conséquences médico-sociales. Si, à titre individuel, je ne peux pas y faire grand-chose, sur le plan collectif, je peux faire avancer les choses. Par exemple, très simplement, en ne manquant jamais une occasion de souligner cette aberration.

professionnels sont là pour vous écouter et vous aider. Les femmes aussi peuvent accéder au bonheur et à l'épanouissement. La confiance reconquise, vous pourrez alors mieux réaliser vos désirs. Des études[7] vont dans ce sens et montrent que les jeunes mères qui bénéficient d'une organisation socioprofessionnelle adaptée sont non seulement plus épanouies, mais aussi plus performantes au travail.

Un jour, bientôt, j'en suis sûre, la politique familiale de ce pays se conformera aux besoins des femmes : la prise de conscience est en marche, l'éruption va venir !

Il est interdit de souffrir !

Muriel, cinquante-huit ans, mariée, est mère de trois enfants ; elle occupe, par ailleurs, de hautes responsabilités dans une administration publique. Pour arriver à ce poste, elle a traversé des moments difficiles faits de sacrifices, de doutes et de remise en question. Depuis l'accès de quelques femmes à des postes de responsabilité, une idée reçue fait florès : pour arriver là, elles ont couché ! Cette ineptie est encore bien ancrée dans un monde du travail organisé pour et par les hommes. Ceux qui véhiculent ces sottises ne parviennent pas à se faire à l'idée qu'ils pourraient n'être pour rien dans l'ascension professionnelle d'une femme. Si elles n'ont pas fait appel à eux, c'est qu'elles sont passées par un autre. C'est sur fond de propos machistes et de confiscation de la parole, dont elle n'a réalisé l'importance que bien plus tard, que Muriel a dû évoluer. Elle déployait deux fois plus d'énergie et d'investissement professionnel afin qu'on ne doute pas de sa légitimité. Je l'ai vue la première fois dans le contexte d'un épuisement chronique qu'elle avait automédiqué à sa façon : médicaments et alcool. Elle s'était éreintée dans un travail dont elle ne tirait plus aucune gratification.

La spirale du harcèlement

Son nouveau supérieur, un homme décrit comme un tyran cuistre et antipathique, avait décidé de s'attaquer à cette femme fière au caractère d'acier car il n'appréciait pas son autonomie. Elle n'était pas sa première victime, mais les autres, plus jeunes, restaient fascinées par son pouvoir. Muriel n'avait jamais versé dans l'admiration béate de sa hiérarchie. Nullement impressionnée par les propos comminatoires de cet homme, elle avait continué à tracer sa route sans voir venir l'attaque. Cet homme l'avait pourtant tout de suite mise mal à l'aise et lui « avait donné froid dans le dos », m'avait-elle dit. Peut-on considérer ce ressenti comme le signe de dépistage d'un harceleur ? Peut-être, puisque, de fait, ce chef s'est révélé être un vrai prédateur.

Toujours est-il qu'elle n'avait pas réagi et qu'elle s'était contentée de penser que, comme toujours, elle reprendrait le dessus. C'était sans compter avec l'acharnement caractéristique de ces profils qui ne vivent que de la souffrance qu'ils infligent à leurs cibles. Il est passé des remarques insidieuses en privé, à des décridibilisations publiques avec des mails impératifs, autoritaires et contradictoires. Muriel fut rapidement mise à terre et ce fut le début d'un cauchemar dont elle mit du temps à réaliser l'ampleur. Elle était victime d'un authentique harcèlement moral dont les signes ne trompaient pas : peur d'aller au travail, ruminations anxieuses incessantes, sommeil agité, cauchemars où elle le voyait, lui. Muriel perdit l'appétit et se mit à maigrir : elle se laissait progressivement glisser dans la dépression. Par fierté, mais surtout parce qu'elle pensait toujours pouvoir reprendre le dessus, elle garda le silence. Ensuite, elle fit appel aux autres victimes qui ne souhaitèrent pas la soutenir officiellement, par crainte de représailles. Le silence est bien le terreau sur lequel prospèrent les pervers et avec eux les situations insoutenables qu'ils mettent en place et dont nous voyons les conséquences dans nos consultations. Leur stratégie d'attaque se complétant généralement par une posture « irréprochable » face aux responsables, les pervers de bureau se placent ainsi dans une vraie position de force qui les protège de toute dénonciation.

> Le silence est bien le terreau sur lequel prospèrent les pervers.

Remonter la pente de la culpabilité

Muriel avait fini par parler de ses difficultés à la DRH, mais elle s'est entendu répondre : « Tu sais bien que tu es une forte tête difficile à manager. » Elle crut ces propos car elle y voyait quelque chose de valorisant. Mais les appréciations de ce type sont souvent un piège, elles ne sont que de la poudre aux yeux qui visent à calmer ou amadouer quand on ne veut pas agir. Trop souvent, les femmes subissent ainsi des jugements qui les humilient, les pénalisent et qui finissent par entraver leur carrière. Ce sont, par exemple : « Vous ne pouvez pas prendre ce type de responsabilité, vous êtes trop émotive et ne savez pas canaliser votre stress pour ce genre de poste. » Ou encore : « Vous prenez les choses trop à cœur, apprenez d'abord à prendre de la distance. » Un homme avec ces mêmes caractéristiques serait félicité pour son autorité et le *leadership* dont il fait preuve. Et le pire est que les femmes se résignent à croire ce qu'on leur renvoie. Bourdieu[8] écrivait : « La domination masculine est tellement ancrée dans nos inconscients que nous ne l'apercevons plus, tellement accordée à nos attentes que nous avons du mal à la remettre en question. » Le système actuel qui tolère la perversion devient lui-même pervers car il exerce une emprise sur les victimes et les amène à se croire responsables de ce qui leur arrive : « Peut-être est-ce de ma faute ? »

La majorité des injustices que vous subissez au travail ne vient hélas que du simple fait de votre féminité. B. Gresy parle de la « duperie des trois non : non disponibles, non flexibles, non mobiles[9] » pour dénoncer le reproche le plus fréquent fait aux femmes dans l'entreprise. Si l'on ajoute à cela la supposée « incontinence émotionnelle » des femmes et leur prétendue « difficulté à gérer leur stress », on peut se demander comment les entreprises tiennent avec les énergumènes que nous sommes ! Pourtant, par manque de confiance en elles, elles se bâillonnent plutôt que de revendiquer leurs valeurs ajoutées. Des faits le démontrent comme le révèlent les études réalisées sur ce sujet. « Plus il y a de femmes responsables, plus l'entreprise réussit », affirme Michel Ferrary[10]. Et pourtant, qui en tire les conséquences ?

PETITES PHRASES POUR NE PLUS RUMINER ET OSER PARLER

Si, comme Muriel, vous vous consumez à petit feu dans des ruminations anxieuses et obsessionnelles épuisantes sans jamais avoir osé en parler, voici quelques phrases clés pour vous aider à sauver votre peau, vite !

● C'est parce que je ne dois pas me résigner à souffrir que je dois m'en ouvrir aux autres pour extérioriser ma douleur et trouver des solutions.

● D'abord, et si j'en ai encore le courage, je signifie à mon persécuteur ou ma persécutrice que je n'accepte pas ce qu'il ou elle me fait endurer. Si rien ne change, j'en ferai part à la hiérarchie, puis aux ressources humaines, puis aux représentants du personnel, sans oublier le médecin du travail.

● Je peux aussi trouver de l'aide auprès d'un médecin ou d'un psy et même de proches. En brisant le huis clos dans lequel je me suis emmurée, je serai soutenue par mon entourage et mon médecin. Leurs réactions me ramèneront vers la réalité. Jusque-là, je vivais une sorte de délire.

● Je pensais avoir commis une faute et la totalité, ou presque, de ma vie psychique était hantée par la figure de mon bourreau. Il m'a fallu du temps pour réaliser l'anomalie de mon état. C'est ce que mon médecin appelle l'anosognosie. En exprimant ma souffrance, j'ai trouvé du soutien auprès de professionnels et maintenant je sais où j'en suis. Je me sens plus forte pour décider de l'évolution que je souhaite donner à cette histoire.

● Le problème ne vient pas de moi. Je sais maintenant qu'il ou elle a insidieusement instillé le doute sur mes capacités et c'est ce doute lui-même qui me maintenait dans une position de fragilité passive. Si j'analyse froidement les choses, je constate que je ne vaux pas moins qu'un autre et que je suis au moins aussi compétente.

● Je reprends confiance en mes capacités, c'est essentiel pour la suite. C'est vrai, j'ai trop laissé traîner cette histoire, je sais à présent que plus tôt les souffrances psychologiques sont traitées, meilleur sera le pronostic.

● Attention, il ne faut jamais reprendre le combat de façon frontale, c'est toujours vous qui y perdrez des plumes ou votre peau, chères lectrices! Les pervers sont toujours les plus forts dans l'attaque ou le stratagème tortueux car ils ne vivent que de ça. Pourtant l'indifférence les blesse, la neutralité émotionnelle les affole, mais elle vous protège.

Est-ce que les femmes psychiatres s'en sortent mieux?

Comme vous, chères lectrices, j'ai jonglé. J'ai traversé l'attente anxieuse du premier trimestre pour annoncer cette catastrophe qu'étaient mes grossesses. Après la naissance, j'ai décalé mes horaires et mangé des sandwichs devant l'ordinateur pendant la pause de midi. J'ai essuyé, comme vous, les remarques des collègues qui me voyaient quitter le bureau à 17 h 30 : « Tiens, tu as pris ton après-midi? » Comme vous, j'ai dû encaisser les remontrances du chef lorsque je n'étais pas disponible pour des réunions programmées le soir.

Oui, la maternité bouleverse la vie des femmes, et je vais vous raconter comment je l'ai vécue. Lorsque j'étais au travail, une moitié de moi-même était ailleurs, tandis que l'autre restait présente et efficace. Mais il existait une « troisième moitié », celle qui cherchait en permanence à tout faire parfaitement bien, et cela sur tous les fronts. C'est cette moitié-là, celle de l'extrême exigence et de la performance à toute épreuve, qui m'a poussée à vouloir réaliser mes ambitions professionnelles lorsque mes enfants sont devenus plus autonomes. Mal m'en a pris ! Comme vous, j'ai essuyé les séquences de disqualification qui m'ont mise KO. Malgré de bonnes performances, j'ai eu droit à l'avalanche des : « Tu es difficile à manager » au : « Tu prends les choses trop à cœur. » On m'a même reproché un supposé « manque de disponibilité », et patati et patata… Lorsque j'en parlais à mes collègues, ils s'étonnaient de mes réactions : « Tu es psy, toi, tu peux analyser les choses et y arriver mieux que les autres, non ? » Eh bien non ! La souffrance n'est pas l'apanage des « profanes », et être psy ne nous dispense pas de souffrir des turpitudes de la vie. Il est vrai que notre métier nous permet peut-être plus qu'à d'autres de déceler un dysfonctionnement relationnel ou une personnalité pathologique. Certes, notre capacité d'introspection nous amène peut-être plus facilement à réévaluer les situations, à nous remettre en question, voire à demander de l'aide. Être psy peut servir à donner des conseils aux autres et à identifier certaines astuces. Alors quels sont ces trucs de psy ? Ils relèvent généralement du simple bon sens.

Conseils pour vous et vous seule

● N'acceptez pas de souffrir.
● Surmontez vos propres censures et exprimez régulièrement ce qui vous contrarie, ne ressassez pas votre chagrin, seule dans votre coin.
● Débarrassez-vous du sentiment de culpabilité qui exprime une anxiété concernant une faute que vous n'avez pas commise.
● Répétez-vous régulièrement : « Je suis au moins aussi compétente que les autres et ma place est légitime. »
● Refusez que l'on vous considère avec paternalisme, comme si vous étiez une petite chose ou une enfant, vous êtes une femme responsable.
● Mettez-vous en valeur, vous n'êtes pas arrivée là par hasard ou par imposture, mais grâce à vos qualités.
● Vous êtes une femme, assumez-le, ne vous transformez pas en homme.

● Fixez-vous l'objectif de prendre d'abord la parole une fois par réunion et par semaine, puis augmentez la fréquence.
● Ne soyez pas trop exigeante, vous n'êtes pas une « sur-femme », acceptez votre rythme.
● Fatiguée ? Prenez du repos.

Conseils pour vos relations aux autres

● Repérez les personnalités complexes[11] et apprenez à les gérer.
● Identifiez les situations susceptibles de se dégrader et pré-parez-vous des scénarios pour les amener à évoluer en votre faveur.
● Repérez les personnes qui vous mettent mal à l'aise, pro-tégez-vous-en, car c'est un indice souvent très fiable.
● Protégez-vous, ne rentrez pas dans le jeu de ceux qui vous veulent du mal.
● Reformulez les propos qui ne vous semblent pas clairs ou partiaux.
● Tournez, si vous le pouvez, les situations menaçantes à la dérision pour esquiver le conflit.
● Remettez les choses à leur réelle dimension, relativisez « s'il n'y a pas mort d'homme » (ou de femme !).
● Reconnaissez vos erreurs, restez sincère.
● Cherchez une personne sur qui vous appuyer : une mar-raine ou un parrain.
● « Réseautez » : élargissez vos connaissances et votre zone d'influence.
● Incitez à la solidarité entre femmes.
● Soyez en paix avec vous-même parce que vous travaillez honnêtement, modestement, sans vanité et sans intention de gâcher la vie des autres.

Conclusion

La parité, aujourd'hui encore, n'est qu'une chimère. Elle ne deviendra réalité que si nous analysons les réflexes sociaux jusque dans leur fond et si les femmes accèdent plus sou-vent aux débats publics pour avancer des solutions. Elles prouveraient ainsi que les codes sont d'abord masculins et qu'elles n'y ont pas accès, voire qu'elles en sont sciemment écartées. Elles démontreraient le paradoxe désormais inacceptable selon lequel si ce sont les femmes qui font tourner la « boutique » les chefs, eux, restent des hommes. Elles sortiraient du silence face aux mots incongrus qui les disqualifient, car la « perversion de la cité commence par la fraude des mots », nous enseigne Platon.

D'après de nombreux observateurs, les conditions de travail en France sont parmi les plus critiquables d'Europe et les plus pathogènes. J'y vois deux responsables principaux : le manque d'humanité et le manque de transparence dans la gestion des carrières des individus. Les méthodes de gestion humaine sont aujourd'hui figées sur un modèle masculin inadapté et désuet. Les femmes n'ont jamais été aussi qualifiées et aussi ambitieuses sans pour autant accéder à des responsabilités confisquées par des hommes. Certains hommes souffrent tout autant de l'anachronisme de ces méthodes de travail alors que le monde a tellement évolué. Nous les femmes, nous avons de nouvelles valeurs à proposer afin que femmes et hommes soient initiés de façon égale. Il faudrait, pour commencer, élever les petites filles en leur faisant confiance et en les poussant à aller le plus loin possible vers leurs désirs sans avoir honte d'être une femme. Car la féminité ne prive ni d'intelligence ni de compétence. Abasourdie par la triste nouvelle de *La Fin du courage*, annoncée par l'excellente Cynthia Fleury[12], j'ai tenté de le chercher, le courage. Je l'ai trouvé, mais il est bien caché : il est chez les femmes, elles en ont à revendre !

Notes de ce chapitre page 345

Pour en savoir plus, reportez-vous page 174.

Ne plus avoir peur de vieillir, ni de mourir

La mort, sujet tabou ; on refuse d'en parler et le plus souvent d'y penser, surtout lorsque l'on est jeune. Sujet essentiellement personnel. Chacun a sa propre attitude en fonction de son éducation, de sa mémoire autobiographique, de ses conceptions philosophiques, religieuses, voire politiques. Sujet sur lequel tout a été dit et toutes les grandes philosophies et les grandes religions se sont penchées.

Mon expérience face à la mort

Nous faisons ou ferons tous l'expérience de la mort des autres et sommes particulièrement bouleversés par celle de nos proches et de nos amis. J'avais vingt ans lorsque mon père est décédé brutalement, en une nuit, d'une affection de nos jours facilement curable, une hypertension artérielle. Ce fut un choc. Il me reste le souvenir d'un homme jeune, qui m'a transmis le goût de la poésie, du théâtre et de la littérature, mais aussi l'habitude de pratiquer le sport, ce que nous faisions ensemble pendant les vacances, le vélo et le tennis. Je n'ai compris que plus tard ce qu'a représenté cette brusque disparition et je garde toujours dans ma mémoire tout ce que cet homme, plein de vie, m'a appris par son exemple.

Pour ma mère, les souvenirs sont différents : elle est morte à quatre-vingt-six ans, après quelques années de perte progressive de ses fonctions cognitives, sans doute un Alzheimer. Les derniers temps, chaque fois que j'allais la voir, elle me répétait : « Merci, cher ami, de votre visite. » Ce fut une délivrance pour tous, et il me reste les souvenirs de jeunesse, mon admiration pour son courage à surmonter seule les difficultés de la vie quotidienne ; mais la vision que je garde est celle des dernières rencontres.

Le décès d'un oncle, médecin, dont j'étais très proche et qui m'avait guidé dans mes études de médecine, m'a aussi beaucoup marqué. Il était athée. À quatre-vingts ans, il a été atteint d'un cancer avec métastases et m'a fait promettre de ne pas le laisser souffrir, avant que la déchéance ne soit venue… J'ai tenu cette promesse et je fais, pour moi, le même souhait. Cet homme est très présent dans mon esprit ; nos nombreux échanges sur la vie, la mort, la médecine ont profondément influencé mes pensées ultérieures et j'entends encore certaines de ses paroles. Tous les morts que j'ai aimés n'ont pas disparu, car ils restent présents dans mes pensées, dans mes actions, sur une photo, mais pas dans un cimetière au milieu d'autres tombes.

Les médecins, les infirmières et la mort

Les médecins, les infirmières ont une relation étroite avec la mort ; cela a été mon cas, à toutes les périodes de ma vie médicale.

Tout d'abord durant mon internat (1950-1955) ; dans chaque service, la mort était quotidienne. C'était l'époque des salles communes. Lorsque l'interne arrivait le matin à l'entrée de la salle, les décès de la nuit étaient d'emblée visibles : un lit entouré de deux draps blancs formant tenture. C'étaient aussi les nuits de garde où l'on était souvent appelé pour constater un décès ou pour des soins hélas peu efficaces. La mort était quotidienne, et ses causes innombrables et méconnues… jusqu'à l'autopsie du lendemain. Une cruelle anecdote de l'année 1952, alors que j'étais jeune externe, m'a fait beaucoup réfléchir : Le « patron », qui n'était alors présent que le matin, disait à la surveillante : « N'y a-t-il pas quelques mourants qu'il serait bon que j'aille saluer ? »… ensuite, après cette brève visite, je l'ai entendu déclarer plusieurs fois : « Nous allons demander l'avis du professeur Morgagni », le professeur Morgagni étant un célèbre anatomiste spécialiste des autopsies ! En fait, cet apparent cynisme cachait le profond désarroi que nous avions tous devant ces cas désespérés dont nous ignorions les causes et les traitements.

Le contact avec la mort me fut particulièrement pénible durant les années passées en pédiatrie. Je garde un souvenir douloureux des leucémies aiguës, mortelles en quelques semaines : fallait-il annoncer aux parents le pronostic inéluctable ou leur laisser encore quelques semaines d'espoir ? Très heureusement, elles sont maintenant guéries dans la majorité des cas, comme de nombreux cancers. Il en était de même des rhumatismes articulaires aigus avec leurs complications cardiaques dramatiques, et aussi surtout des tuberculoses aiguës pulmonaires ou méningées, mortelles en quelques semaines, jusqu'au « miracle » des premiers traitements par la streptomycine. Tout cela a pratiquement disparu aujourd'hui… en moins d'un demi-siècle. J'avais toujours été frappé par la dignité de ces jeunes malades, l'absence d'angoisse de la mort, sans doute liée au fait qu'ils ne comprenaient pas. J'ai revécu tout cela avec le bouleversant récit d'Éric Emmanuel Schmitt, *Oscar et la dame rose* : empathie et douceur pour apaiser ces dernières semaines. Ne supportant plus la vue de ces souffrances, j'ai renoncé à la pédiatrie.

Retarder la mort : un immense progrès

Puis ce fut, à partir des années 1955-1960, les balbutiements de la néphrologie. Alors, nous n'avions rien ou presque. C'était l'« urémie », c'est-à-dire le stade où les reins étaient détruits par telle ou telle maladie, où la mort était inéluctable en quelques jours ou semaines, dans une agonie très pénible que nous ne savions qu'atténuer. En un demi-siècle, ce furent des progrès rapides : la connaissance de la physiologie a permis d'amener transitoirement un certain soulagement ; surtout, l'hémodialyse a réussi à suppléer les fonctions rénales permettant d'éviter une mort certaine ; elle a été bientôt complétée par la transplantation. Mais les premières années ont été difficiles, car tous les malades ne pouvaient pas bénéficier de ces progrès ; il fallait choisir qui allait survivre… ou mourir. Très heureusement et rapidement, et avec des méthodes de plus en plus perfectionnées, tous les sujets atteints ont pu être traités et avoir une durée de vie prolongée : en France plus de 60 000 patients par an sont ainsi sauvés.

En un peu plus d'un demi-siècle, c'est un bouleversement total de la médecine : tout a été transformé dans la plupart des spécialités médicales et la mort est retardée !

Mais tous ces exemples me font penser qu'il vient un jour où vivre devient plus difficile que de mourir, par douleur physique ou par lassitude. Un de mes maîtres venait d'être centenaire ; je lui avais écrit un petit mot affectueux pour le féliciter ; dans sa réponse, il terminait sur ces mots : « Cent ans c'est beaucoup ! »

La mort à travers les âges

La crainte de la mort est innée chez l'homme. Elle est apparue dès que l'être humain a eu conscience du soi et conscience des autres autour de lui, ceux du groupe, car l'homme est un animal social. L'apparition de la conscience remonte certainement très loin dans l'évolution des espèces. Ce sont les « émotions primordiales » décrites par Denton[1]. Elles ont conduit à l'éveil des sensations : la faim, la soif, la recherche du partenaire sexuel sont déjà des états conscients à partir du moment où ils conduisent à des comportements élaborés.

Dès l'apparition des hominidés se produit au fil de l'évolution une augmentation progressive du volume cérébral qui passe de 400-500 cm³ chez l'Australopithèque à 1 400 cm³ pour *Homo sapiens*. L'homme comprend alors qu'autrui est un autre lui-même et que tous peuvent disparaître. Cela éveille immédiatement sa peur de la mort, son angoisse devant ce phénomène brutal et incompréhensible contre lequel il est totalement désarçonné… Il en est résulté l'espoir de la poursuite d'une vie sous une autre forme, dans un autre monde, c'est-à-dire le refus instinctif de cette situation.

La religion et la philosophie pour apprivoiser la mort

Pour se protéger, l'esprit humain a créé des mythes et a imaginé que la vie pouvait se prolonger dans un au-delà après la mort. Pour accompagner le défunt dans cette autre vie, des rites funéraires sont alors apparus, très tôt, dès les premiers hommes, retrouvés en particulier au Moyen-Orient dans des sites préhistoriques remontant à plus de cent mille ans. Le mort est placé dans une sépulture, enterré, accompagné d'objets indispensables dans son autre existence, dans l'au-delà. Innombrables sont les découvertes de sépultures

Il vient un jour où vivre devient plus difficile que de mourir.

dans toute l'Europe (-50 000 à -30 000 avant J.-C.). Tout cela s'est développé dès l'apparition des premières civilisations, avec le langage, puis l'écriture, plus de trois millénaires avant notre ère. L'*Homo sapiens* est le seul animal doué du langage articulé à la place de cris et de grognements, ce qui lui a permis la transmission des apprentissages, des idées, des émotions.

LA LÉGENDE DE GILGAMESH

L'un des témoignages les plus anciens de l'histoire humaine concernant la mort est le texte racontant la légende de Gilgamesh, roi de Mésopotamie. Il se croit immortel et prend conscience de son état de mortel lors de la disparition de son frère. Craignant sa propre mort, il part à la recherche de ce qui pourrait lui apporter une vie éternelle. Après un long périple, il se résigne à accepter l'idée qu'il va mourir. Cette légende souligne bien le fait que l'homme ne peut pas avoir l'expérience de la mort ; il la comprend en voyant celle des autres ; il prend alors conscience, avec angoisse, qu'il est destiné à disparaître. Il imagine qu'une partie de lui-même, l'âme ou l'esprit, pourra continuer à exister après la disparition du corps.

La civilisation égyptienne a développé le culte des morts, jusqu'à l'extrême pour les pharaons, les reines et les hauts dignitaires du régime. Mais tous les Égyptiens avaient également leur tombeau. Il fallait assurer la survie dans l'autre monde, d'où la momification pour garder le corps intact. Les longs couloirs conduisant à la crypte et aux tombeaux sont ornés de fresques résumant la vie du défunt et les bienfaits qu'il a réalisés. La sépulture contient de nombreuses offrandes et objets destinés à l'accompagner dans sa nouvelle vie. Chez les Grecs et les Romains sont apparus les premiers débats philosophiques sur la mort avec schématiquement deux positions opposées :
● Pour Platon (428-348 avant J.-C.), il y a en l'homme deux parties : le corps destiné à disparaître et l'âme immortelle et indestructible, descendant aux enfers ou montant au ciel et rejoignant le royaume des Dieux.
● Les grands penseurs grecs – Épictète, Épicure, Démocrite – ont été les premiers à anticiper les données actuelles de la science dans une intuition géniale ; ils ont décrit à l'avance

un certain nombre de faits que la neurobiologie moderne a découverts. Pour Épicure : « La vie s'inscrit dans le cycle général de l'évolution du cosmos et de la transformation de la matière. Quand on est vivant la mort n'est pas là ; quand on est mort la vie n'est plus là ! » On ne peut donc craindre ce qui n'est rien, puisqu'en mourant notre corps et notre esprit composés d'atomes et de vide disparaissent en rejoignant l'univers. Le désir d'immortalité est une illusion, puisque celle-ci est impossible. Il faut donc vivre au mieux cette chance extrême de la vie, ne pas la vivre de façon égoïste. Ce qui restera de nous, ce n'est pas notre enveloppe destinée à disparaître mais ce que nous aurons fait ou laissé comme souvenir. Il faut donc acquérir la sérénité de l'âme et des émotions avec l'objectif d'une vie heureuse et bien remplie. Les Romains Lucrèce et Sénèque reprendront le même thème sous le nom de stoïcisme ; le bonheur humain réside dans une ascèse vertueuse et dans le libre exercice de la raison.

Pour la plupart des Grecs et des Romains, il existait un polythéisme ; sous la terre se situait l'enfer, séparé du monde des vivants par une rivière redoutable, le Styx, et le ciel était le royaume des Dieux. Les trois religions monothéistes – le judaïsme, le christianisme et l'islam – ont repris ces faits, avec la résurrection des corps, la notion de l'immortalité de l'âme et la possibilité d'un paradis pour ceux dont la conduite a été exemplaire durant la vie, d'une punition, l'enfer, pour ceux qui se sont mal conduits.

Toutes différentes sont les conceptions orientales dont je me sens beaucoup plus proche que de celles des monothéistes. Il n'y a pas de Dieu au sens occidental du terme, mais une éthique de vie harmonieuse et des conseils de sagesse donnés par ces deux grands sages que furent Confucius et Bouddha, vivant à peu près à la même époque, c'est-à-dire entre le VIe et le Ve siècle avant J.-C. Dans ces religions, le corps est mortel et l'âme revivra éternellement, successivement dans d'autres corps : c'est la réincarnation.

Une étape de la vie : le vieillissement

Notre vie se déroule inexorablement et nous avons l'impression que le temps s'accélère, les jours, les mois, les années passent de plus en plus vite. Cette sensation est en fait une réalité biologique. Le vieillissement, appelé parfois pudiquement l'avancée en âge, peut être mal vécu. Chaque fois qu'une personne passe une borne emblématique, la cinquantaine, la soixantaine, la retraite, le moral baisse ; on cultive les regrets : « C'était le bon temps ! » Avoir une telle attitude est une erreur ; pour moi, au contraire, prendre de l'âge est une chance. Première certitude évidente, je suis encore vivant et la mort n'est pas là.

Par rapport à nos grands-parents et lointains aïeux, il y a une très bonne nouvelle et des raisons supplémentaires de ne pas craindre la mort ; vous pouvez la faire reculer. Dans nos pays occidentaux, les quadragénaires d'aujourd'hui, l'âge où l'on commence à se poser des questions, ont gagné en moyenne près de trente ans de vie par rapport à leurs grands-parents. L'espérance de vie à la naissance est passée en un demi-siècle de cinquante-cinquante-cinq ans à soixante-dix-sept ans chez les hommes et quatre-vingt-trois ans chez les femmes. Cela est lié à tous les progrès de la médecine, et innombrables sont les maladies autrefois mortelles qui guérissent maintenant dans la plupart des cas. La qualité de vie s'est aussi considérablement améliorée et beaucoup des infirmités dues à l'âge peuvent être corrigées ; pensez qu'il y a chaque année en France plus de 200 000 hommes et femmes âgés qui bénéficient d'une prothèse de hanche ou de genou, voire les deux, et j'en fais partie ! Sans cette intervention, ils souffriraient en permanence et seraient condamnés à l'immobilité progressive ! Et encore : l'opération de la cataracte devenue banale et routinière qui rend la vue, les prothèses auditives qui permettent d'entendre et d'éviter l'isolement et tant d'autres progrès… J'ai bénéficié de tout cela. La chance de vivre plus longtemps et mieux, en ce début du XXIe siècle, est donc très grande, mais il ne faut pas la gâcher : cela dépend de vous. En effet, malgré ces progrès, nous voyons apparaître des maladies qui devraient être évitables, car elles sont en grande partie liées à nos comportements, concernant le tabac, la nutrition, la boisson et la sédentarité ; vous risquez de perdre une grande partie des bénéfices liés aux progrès médicaux. Elles sont maintenant la cause principale des mortalités et de morbidités prématurées entre soixante et soixante-dix ans.

La sensation d'accélération du temps est en fait une réalité biologique.

● **Le tabac** devrait être une des causes les plus facilement évitables, responsables de cancers, d'accidents cardio-vasculaires et respiratoires, entre autres, de quatre-vingt mille morts par an et d'une perte de dix à quinze années de vie. Si vous êtes fumeur, quel que soit votre âge, essayez d'arrêter le plus tôt possible, pour vous-même et également pour vos enfants ; si vous ne fumez pas, ils ont moins de risques de devenir fumeurs à leur tour. J'ai eu la chance de ne pas fumer et depuis plus de vingt ans, je consacre ma vie à aider les fumeurs à se libérer de cette drogue.

● **Les boissons alcoolisées**, au-delà de deux ou trois verres de vin par jour ou l'équivalent, sont responsables de plus de quarante mille morts précoces par an et donc évitables...

● **Une alimentation trop riche** en sucres et graisses comporte également un risque de maladies précoces, avec une grave épidémie d'obésité et de son corollaire, le diabète.

● **L'activité physique est indispensable** pour gagner des années de vie. En un siècle, notre façon de vivre a complètement changé et nous sommes devenus sédentaires. L'exercice prévient le vieillissement vasculaire – on a l'âge de ses artères – et exerce un effet favorable sur l'équilibre psychologique. Bref, que des avantages ! Suivant l'exemple de mon père, j'avais acquis très tôt le goût du sport – courir, pédaler, jouer au tennis –, et j'ai continué toute ma vie. Mais il faut aimer cela et prendre le temps. Facile à dire, beaucoup plus difficile à faire ! Car changer des habitudes souvent anciennes est difficile. Pensez aux bénéfices, des années de vie gagnées et des années de qualité. « Demain est un autre jour et il dépend de nous » (Gaston Berger).

Nos acquis contre le vieillissement

Vous pouvez retarder le vieillissement de votre cerveau. Contrairement à ce que l'on avait longtemps cru, les altérations du fonctionnement cérébral ne sont pas inéluctables. Certes, on perd des neurones avec l'avancée en âge, mais une compensation est possible grâce à deux processus de découverte récente :

● la neurogenèse : de nouvelles cellules peuvent se développer à partir de cellules souches ;

● la plasticité neuronale : de nombreuses connexions peuvent s'établir à la suite de stimulations extérieures.

En réalité, le cerveau est l'un de nos organes qui résistent le mieux au vieillissement. Mais cela n'est réalisable qu'à deux conditions :

● éviter dans la mesure du possible tous les toxiques capables de léser les neurones, principalement l'alcool ; également prévenir le vieillissement vasculaire qui va endommager les vaisseaux cérébraux, car ceux-ci apportent l'oxygène indispensable pour une fonction normale ;

● surtout, « faire travailler sa cervelle » : *Use it or lose it*, ce que l'on peut traduire de façon imagée par : « Le cerveau ne s'use que si l'on ne s'en sert pas ! » Pour cela tout est valable, la lecture, l'informatique, les mots croisés, les jeux de société, les échecs ou autres… les universités du troisième âge, bref tout ce qui peut faire réfléchir, sans oublier les relations sociales. Il faut aussi se trouver un but, un objectif dans la vie, par exemple, après la mise à la retraite, participer à la vie associative. J'ai ainsi pu après ma « retraite » continuer à travailler pour le plaisir et pour rester utile : « On a l'âge de ses artères, mais on a surtout l'âge de son cerveau. »

Enfin, nous devons chaque jour nous dire que c'est une immense chance de vivre en ce début du XXIe siècle et dans une région du monde où existe la paix, nous permettant de bénéficier de tous les progrès. Pour qui a vécu en un demi-siècle toutes les avancées de la science, des progrès techniques, de la biologie et de la médecine, l'émerveillement est total.

Les croyances sur la mort

Notre conception de la mort est en train de changer à la suite des acquis récents de la biologie et de la neurobiologie. Après les phases religieuses et philosophiques des approches de la mort, nous entrons maintenant dans l'ère rationnelle : de nombreux ouvrages publiés ces dix dernières années aboutissent à proposer une idée de la mort fondée sur les connaissances scientifiques : P. Boyer[2], S. Atran[3], R. Edelman[4], J.-P. Changeux[5]…

L'homme est donc le seul animal qui ait une réelle connaissance de sa mort. En effet, il a conscience de son destin individuel, il a également conscience d'autrui et il a pu malheureusement en observer les disparitions. Cela remonte à la nuit des temps, à l'époque paléolithique, puisque, dès ces temps très anciens (-100 000 ans et plus), les mythes associés à la mort ont été présents. L'*Homo sapiens* a toujours cherché à donner des explications à tous les phénomènes étranges qui l'entouraient, le surnaturel et l'environnement hostile, tels la maladie, la mort, la disparition d'un proche, les catastrophes naturelles, l'orage, les inondations, les incendies, mais aussi les prédateurs. Pour se protéger de tout cela, il a donc recherché des explications, des facteurs intentionnels, le « pourquoi ». Il a ainsi tenté de trouver un soutien dans des croyances magiques, dans des forces surnaturelles.

L'être humain sachant qu'il doit mourir a créé un au-delà qui resterait peuplé des défunts, de tous nos ancêtres, et aussi parfois, dans l'esprit de certains, du diable, des démons et des puissances magiques.

Croyances d'hier et croyances individuelles

P. Boyer[6] a très bien décrit la naissance des mythes et des légendes. Toutes ces croyances ont d'autant plus de chances d'être retenues qu'elles sont contre-intuitives, c'est-à-dire en contradiction avec l'expérience quotidienne. Les exemples en sont innombrables : un arbre ou un animal qui parle, l'animisme, ce qui n'est pas plus incroyable qu'un homme qui marche sur l'eau, qu'un cavalier qui monte au ciel avec sa monture. Ces légendes transmises de génération en génération ont constitué la base des religions. S. Atran[7] a souligné le paradoxe de ces croyances. Comment les différencier des contes pour enfants ? C'est le *Mickey Mouse problem* : quels sont les facteurs émotionnels qui permettent de distinguer « Mickey Mouse » de tous ces mythes et des Dieux pour lesquels certains sont prêts à mourir ?

La recherche des causes réelles de la vie, les causes secondes de Claude Bernard, est toute récente ; elle a un peu plus d'un siècle, c'est-à-dire un très court instant dans l'histoire de l'humanité. Dans cette période, tout ce qui a été compris et réalisé est, quand on y réfléchit, réellement incroyable, fantastique, et nombre de ces progrès auraient été considérés comme de la science-fiction il y a seulement une ou deux décennies.

Des interprétations rationnelles sont possibles. La mort doit être maintenant considérée comme un phénomène biologique capital, inévitable dans l'histoire de l'évolution

des espèces. À partir du moment où sont apparus la repro-
duction sexuée et les organismes multicellulaires, ceux-ci
ont toujours comporté deux parties :

● d'une part les cellules germinales, qui contiennent des
gènes immortels, le « gène égoïste » de Richard Dawkins[8] ; ce sont elles qui transmettent la vie et les caractères
de l'espèce ;

● d'autre part les cellules somatiques, qui constituent l'enveloppe transitoire, c'est-à-dire une matière destinée à assurer la transmission du génome et, ensuite, à disparaître.

La signification objective de la mort est donc maintenant
bien établie, mais les croyances en une survie de tout ou
partie de nous-même après la mort sont d'ordre personnel,
comme celles, fondamentales, pour lesquelles il n'y aura
jamais de preuve « pour ou contre » :

● croire en Dieu, soit en ayant une religion, théiste, soit
étant sans religion, déiste ;

● être agnostique, celui qui dit « je ne sais pas » ;

● être athée, celui pour lequel il n'y a pas de Dieu, ce que
je pense.

Tout cela est du domaine de la passion et non de la raison,
disait J. Hamburger[9].

La croyance en une survie après la mort est évidemment liée
à la religiosité, existant chez deux tiers des croyants, mais
retrouvée également chez 20 % des agnostiques, et même
chez de rares athées ! Parmi les sujets se disant sans religion, un sur deux reste attaché aux cérémonies religieuses
– mariage, obsèques, etc. Un sur trois croit en une force de
l'esprit et même un sur dix au paradis et à l'enfer (*Le Monde
des religions*[10]). Cela témoigne du poids de la civilisation
judéo-chrétienne et également du caractère récent (le siècle
des Lumières) de l'esprit critique vis-à-vis des croyances.

Croyances d'aujourd'hui

La pensée magique existe depuis les temps préhistoriques ;
elle perdure encore de nos jours dans certaines peuplades
primitives et certaines ethnies, mais, et c'est paradoxal,
même encore dans notre civilisation. Je suis toujours
effrayé et stupéfait lorsque je vois les petites annonces de
certains journaux où fleurissent les mages, marabouts,

La mort
doit être
maintenant
considérée
comme un
phénomène
biologique
capital.

voyants et autres guérisseurs et magnétiseurs. Les mots servent alors d'explications et calment les fantasmes archaïques qui continuent à être présents comme ils existaient dans les grottes sacrées de la préhistoire. Les superstitions continuent à mobiliser des foules innombrables. Elle n'est pas si lointaine la période où l'on voyait des prières pour la pluie, des processions contre les maladies.

Il existe une opposition absolue entre cette pensée magique et la pensée rationnelle actuelle, dont l'émergence est récente. Mais l'*Homo sapiens* en reste l'héritier, et je ne comprends pas que se perpétuent au XXIe siècle l'art divinatoire, les cartes, les tarots, les signes de la main, les exorcismes, les sorciers de nos campagnes et le dernier, mais non le moindre, le pire, l'astrologie, qui voudrait établir l'influence des astres sur le destin des hommes et qui repose sur des notions aberrantes et en contradiction totale avec les données actuelles, bien précises, de l'astronomie. Dans les journaux, les hebdomadaires, la radio, la télévision, innombrables sont les reportages ou émissions sur les croyances au « paranormal », aux superstitions les plus aberrantes : communication avec l'au-delà et avec les morts, existence d'exorcistes officiels ou non, de charlatans qui abusent et vivent de la crédulité et de la détresse humaines. Mais trop nombreux sont encore ceux qui croient à ces illusions.

Il faudrait abandonner les masques pseudo-scientifiques et les théories fumeuses qui perdurent, en particulier en médecine. Voici une anecdote vécue auprès d'un de mes maîtres, le professeur Robert Debré, dont j'ai été successivement externe, interne et chef de clinique dans les années 1950-1955. À l'un de ses assistants qui s'étonnait devant lui que les parents d'un enfant atteint d'une maladie grave, que nous savions déjà guérir, aient eu recours pendant de longs mois à un « guérisseur magnétiseur », il répondit : « Mais dites-vous bien que 90 % de la population est encore à l'ère prélogique, celle de la pensée magique. » C'est encore hélas vrai aujourd'hui !

Certains cherchent cependant à donner une base scientifique à l'âme et à la survie après la mort : ce sont toutes les descriptions des NDE, les *Near Death Experience*. Des sujets,ayant été victimes d'un accident dramatique, médical ou chirurgical, et ayant survécu grâce à la réanimation racontent des faits apparemment surprenants : ils ont eu l'impression de sortir de leur corps, de flotter au-dessus de celui-ci, de le voir, d'être dans un tunnel noir, avec au loin une lumière éclatante qui les attire… En fait, ces impressions de désincarnation ont maintenant une explication neurobiologique. Elles peuvent être reproduites par certaines molécules et également par stimulations localisées de zones cérébrales spécifiques[11].

La peur de la mort

Beaucoup d'entre nous craignent la mort, certains sans en parler mais avec une angoisse latente ; d'autres cherchent à vaincre ces angoisses en l'évoquant sans cesse, en la préparant, en codifiant leurs obsèques, en choisissant la musique, les ornements. Certains peuvent se tourner vers la foi pour assurer leur éternité. Croyants ou non, beaucoup restent anxieux et craignent la maladie, c'est-à-dire le chemin vers la mort. Ils courent alors les médecins, multiplient les examens radiologiques, biologiques de plus en plus sophistiqués, IRM, scanners ; le nom savant et la méthode nouvelle rassurent. À peine tranquillisés, ils trouvent un autre souci d'anxiété et continuent ainsi d'aller d'examen en examen.

Les Grecs et les Romains disaient : « Le sage ne craint pas la mort. » Facile à dire, mais difficile à réaliser : l'important serait de connaître la recette. On peut évoquer la sagesse de Montaigne : « Celui qui craint de souffrir, il souffre déjà de ce qu'il craint. » Certes, on écarte l'idée, on n'y pense plus et l'on vit chaque jour ; on fait comme si on était éternel, tout en sachant bien qu'on ne l'est pas.

Des craintes multiples

Quelles sont ces craintes ? C'est tout d'abord celle de perdre tout ce que la vie nous donne, tout ce que l'on voit autour de nous, nos proches et la société qui, bien entendu, poursuivra son évolution sans nous. C'est un sentiment de frustration, de ne plus être présent à ce spectacle où nous sommes à la fois acteur et spectateur. Certes, nous pouvons avoir des malheurs, la perte d'êtres chers, des difficultés matérielles, sociales ; notre réaction devant le malheur là encore dépend beaucoup de nos possibilités psychologiques à bien analyser ces difficultés, à les connaître et à pouvoir les accepter. Ne pensons pas comme Montaigne : « La mort est la recette à tous nos malheurs. » Dans certains cas, ces maux peuvent être soit psychologiques, soit physiques, telle la douleur de certaines maladies tout particulièrement en fin de vie ; elle peut être intolérable et tous les médecins sont d'accord maintenant pour la supprimer, totalement si possible, fût-ce au prix de la perte de conscience et d'une disparition plus précoce. La souffrance peut aussi être psychologique : celle de la dépression est intense, et elle est souvent telle que les sujets ne supportent plus de vivre, d'être confrontés à cette douleur morale extrême et choisissent le suicide.

L'estime de soi contre la peur de la mort

La meilleure stratégie que j'ai choisie pour ne pas ressentir l'angoisse de la mort est d'augmenter l'estime de soi. Pour cela, en tant que médecin, j'ai été souvent confronté à cette image, comme une sorte de désensibilisation, permettant d'aboutir à l'acceptation. Dickens, dans son livre *Contes de Noël*, décrit comment le vieil usurier Scrooge, dans un songe, voit sa propre tombe dans le cimetière. Il fait alors un retour sur lui-même, comprend qu'il est en train de rater sa vie et il change son comportement, s'intéresse aux autres, devient altruiste et généreux. Et il est maintenant heureux de vivre !

Si à la suite d'un accident grave on comprend que l'on a failli mourir, ce qui m'est arrivé récemment, on est amené à modifier l'importance accordée à certains événements. Nous sommes bien évidemment tous en sursis ; il faut donc toujours aller à l'essentiel, vivre pleinement les instants présents, ne pas les gâcher en réagissant trop fortement aux « épines de la vie ». Il faut penser que « le plus important dans la vie est de ne pas attacher d'importance aux choses qui sont finalement sans importance », ou en tout cas qui, quelques mois ou quelques années plus tard, n'auront plus aucune gravité. Facile à dire, plus difficile à faire, surtout au début. Prendre du recul est nécessaire afin de réaliser ce que l'on croit juste et utile. C'est cela qui apportera la plus grande satisfaction intime. Cette attitude mentale doit être adoptée dans tous les instants de notre vie.

> Prendre du recul est nécessaire afin de réaliser ce que l'on croit juste et utile.

Tolstoï, dans *La Mort d'Ivan Ilitch*, décrit les derniers jours de la vie d'un cancéreux en proie à des douleurs physiques très importantes. C'était il y a plus d'un siècle, à une époque où nous n'avions que peu de moyens pour atténuer la douleur physique. Ivan Ilitch ressentait surtout une douleur morale très importante, un profond désarroi : certes, sa vie avait été honnête et juste, mais il avait conscience d'une vie psychique pauvre et regrettait de n'avoir pas compris le sens de l'existence.

Chacun finalement agit selon sa personnalité et selon son passé, c'est-à-dire un mélange d'inné et d'acquis, tous les événements de notre vie depuis l'enfance qui nous ont construits progressivement. Devant ce problème, les médecins, malgré leur compétence, leur savoir, n'ont évidemment pas de conseils particuliers ni le droit de trancher. Ils ont une bonne connaissance de la vie physiologique, mais leur opinion sur la mort est subjective.

L'angoisse existentielle est un fait constant de la pensée de l'homme, elle est permanente, et quelques-uns en profitent pour abuser de la crédulité humaine en promettant la communication avec l'au-delà. Il y a aussi les faux « psychologues » qui finalement entretiennent l'angoisse alors que la psychologie actuelle, en utilisant nos aptitudes cognitives, permet d'apprendre à gérer ses difficultés.

L'APPRENTISSAGE DE LA SÉRÉNITÉ

La névrose de la mort ne se soigne pas par des fictions ou des illusions inutiles, mais par un travail philosophique ou psychologique personnel, bien défini, sur soi, sur ses pensées : c'est l'apprentissage de la sérénité. Grâce à ce type d'introspection rationnelle il est possible d'acquérir le recul nécessaire. Il est à la fois plus digne et plus efficace d'avoir une idée réelle de la mort et de trouver en soi le moyen de ne pas en souffrir en pensant à tout ce que la vie nous a apporté. Pour moi, le meilleur moyen de survivre est de rester présent dans la mémoire de ceux qui nous ont aimés, de tous ceux que nous avons rencontrés dans la vie, si nous avons pu leur apporter une aide, une expérience, et leur transmettre des idées ou des savoirs ; également, mais c'est exceptionnel, en laissant une empreinte dans une œuvre littéraire, artistique ou scientifique. Mais très rares sont les Victor Hugo, les Mozart, les Pasteur...

Comment ne pas avoir peur de la mort

Le croyant ne devrait pas avoir peur devant la mort puisqu'il sait qu'il est théoriquement immortel : il y a la résurrection du corps et il va retrouver dans une autre vie ceux qui lui sont chers. Pour les religions monothéistes, la mort n'est plus un terme, mais un passage vers une vie et un bonheur éternel dans le royaume de Dieu après un jugement de la personnalité et de l'existence de chacun. Il est alors possible de dépasser l'angoisse de la mort sans l'ignorer, de mieux vivre pleinement et sainement. Pour les religions orientales, le corps n'est rien, seul l'esprit compte et il est éternel.

Personnellement je pense qu'une attitude philosophico-scientifique devrait permettre non seulement d'accepter la mort, mais de continuer à être heureux de vivre. Un des premiers moyens relève de l'esprit scientifique. Il consiste à se situer personnellement dans l'organisation générale de la matière dans l'univers et de la vie sur terre. Je ne saurais trop recommander pour cela la lecture de *Poussières d'étoiles* d'Hubert Reeves[12], ouvrage à la fois plein de données scientifiques et de réflexions profondes.

L'infiniment grand et l'infiniment petit

Tout, dans l'histoire que nous raconte l'astrophysique, est démesuré. Certains faits apparaissent inconcevables à l'échelle de notre temps, qui s'écoule avec un après (le passé) et un avant (le futur), et à l'échelle de notre espace avec ses trois dimensions. Tout cela n'a plus de sens au niveau de l'infiniment petit – les atomes – ou de l'infiniment grand – le cosmos.

La vie, née il y a 3,5 milliards d'années, n'est qu'une phase de l'organisation de plus en plus élaborée de la matière. Dans cette longue histoire, l'apparition d'*Homo sapiens* est très récente : 150 000 à 200 000 ans pour les squelettes et seulement 35 000 ans au maximum pour les traces de son activité. Les progrès, très lents au début, vont s'accélérer depuis 3 000 ou 4 000 ans, avec les premières civilisations. Depuis deux à trois siècles se produit une explosion exponentielle des connaissances.

Chacun d'entre nous représente un très court instant de cette longue évolution. Une comparaison bien connue objective la relativité de notre temps de vie : si l'on concentrait en une seule année les 3,5 milliards de l'ancienneté de la vie sur la terre, l'*Homo sapiens* apparaîtrait le 31 décembre à 23 h 30 et une vie humaine représenterait quelques centièmes de seconde !

La sagesse de la science

Pour J.-P. Changeux, R. Edelman, S. Atran et autres, l'esprit, l'âme, est le produit du fonctionnement de nos cellules cérébrales. La dualité « corps-âme » a vécu, *L'Erreur de Descartes* pour Damasio[13]. Suivant tous ces auteurs, je suis convaincu que l'immortalité de l'âme est un mythe ancestral en opposition avec toutes les données scientifiques actuelles. Lorsque les fonctions cérébrales disparaissent et que l'électroencéphalogramme devient plat, la perte de la conscience, de l'âme, est irréversible. Les mythes ont été ainsi remplacés par une interprétation scientifique, ce qui m'a permis d'écarter l'angoisse de la mort et la souffrance qui en résulte : la mort est inévitable car elle fait partie de l'évolution biologique. J'accepte les lois de la nature avec sérénité.

J'accepte les lois de la nature avec sérénité.

Il est habituel d'opposer le matérialisme et le spiritualisme. Le sens moral, le désintéressement, le développement du monde intérieur, l'empathie, la transcendance sont les traits attribués au spiritualisme. Le sens du mot matérialisme s'est modifié au fil des siècles. Certains philosophes grecs – Démocrite, Épicure, Aristote – soutenaient l'origine « matérielle » de la vie et de la pensée et, véritables précurseurs, ils anticipaient en quelque sorte toutes nos conceptions actuelles concernant la vie. Platon, au contraire, opposait l'esprit et le corps. Les monothéistes ont repris cette position établissant l'existence de l'âme comme un dogme, avec parallèlement le mythe de la survie après la mort.

Ultérieurement, le matérialisme est devenu, selon la définition du *Larousse*, la « manière de vivre de ceux pour qui comptent seuls les biens matériels et les plaisirs immédiats » : la jouissance au sens commun du terme, la cupidité et l'amour de l'argent. Le spiritualisme est louable et vertueux ; le matérialisme est alors un comportement vulgaire, honteux.

Sciences et spiritualité

En fait, il est possible d'être à la fois matérialiste, agnostique voire athée, et spiritualiste : je suis matérialiste car tous les acquis des neurosciences de ces dernières années montrent clairement que l'esprit, l'âme, est le produit de l'activité des neurones cérébraux. Je ne crois pas à la dualité « corps-âme ». Tout est matière, et je crains et combats par-dessus tout l'irrationnel, les superstitions et la pensée magique. Mais je suis également spiritualiste, car cela n'empêche en rien notre cerveau de ressentir une émotion devant la poésie, la musique, les arts, d'avoir le sens du bien, de la morale, de l'altruisme et d'avoir une vie intérieure. Comme l'a très bien exposé Comte-Sponville[14], l'athée peut manifester une grande spiritualité. Point de vue que je partage entièrement. Ainsi, il ne faut plus opposer spiritualisme et matérialisme. Certes, je refuse et évite le comportement trivial. Je suis donc matérialiste, au sens philosophique et scientifique du terme, tout en ayant la spiritualité que nous permet le cerveau humain.

Tout ce que nous savons nous apprend que vivre est une chance, souvent même malgré la maladie et le handicap. Croyant, agnostique ou athée, l'essentiel est la vie que nous choisissons. Elle peut être pleine et entière, si nous respectons les autres, si nous sommes altruistes, capables d'aider, de comprendre et de remédier à la souffrance d'autrui. Je pense que je survivrai un temps plus ou moins long, si mon souvenir, mon empreinte restent présents dans l'esprit de certains. Nous devons toujours cultiver le bonheur de vivre, apprécier le moment présent, ne pas regretter le passé, savoir conserver sa liberté intérieure. « J'ai décidé d'être heureux, parce que c'est bon pour la santé », écrivait Voltaire. Toutes les données actuelles de la psychologie montrent que l'apprentissage de la sérénité est possible et que c'est un élément de bonne santé physique et mentale. Dans le tourbillon de la vie, garder un temps pour soi, pour la réflexion ou la méditation est indispensable.

Reste le problème de ma propre fin. Je souhaite ne causer aucune charge ni contrainte à mes proches; je ne supporte pas les rites funéraires, c'est pourquoi – et aussi pour être encore une fois utile – j'ai fait don de mon corps à la science. Cela n'empêchera pas mes proches et mes amis de se réunir pour penser à moi : je serai ainsi plus présent que dans une tombe au cimetière. Si ma mort est brutale, tant mieux, sinon je ferai tout pour éviter la déchéance.

L'émergence de la vie a été à la fois un hasard et une nécessité et nous en avons bénéficié.

Les poètes ont tout dit...

[...]

Il y aura toujours un couple frémissant
Pour qui ce matin-là sera l'aube première

Il y aura toujours l'eau, le vent, la lumière
Rien ne passe après tout si ce n'est le passant !
C'est une chose au fond que je ne puis comprendre
Cette peur de mourir que les gens ont en eux
Comme si ce n'était pas assez merveilleux
Que le ciel un moment nous ait paru si tendre

[...]

N'ayant plus sur la lèvre un seul mot que merci
Je dirai malgré tout que cette vie fut belle.

Louis ARAGON

Notes de ce chapitre pages 345-346

Pour en savoir plus, reportez-vous page 174.

Comment j'ai découvert la relaxation et la méditation

12

Dr Dominique Servant

Externe en médecine, lors d'un stage dans un service de cardiologie, je me souviens avoir déclenché un sourire général plutôt moqueur de la part des médecins et des internes en demandant si un patient très anxieux, qui venait de subir un infarctus du myocarde et un pontage, pouvait faire de la relaxation. On me fit comprendre que ce qui comptait dans le traitement, c'étaient les médicaments et le régime, sans oublier l'exercice physique régulier. La relaxation, quant à elle, reléguée à la rubrique des médecines douces un peu gadget et pas très efficaces, n'avait pas droit de cité dans un service de pointe.

Aujourd'hui les choses ont un peu changé dans les mentalités, et on reconnaît que, dans la rééducation du patient cardiaque comme dans l'accompagnement de tous les problèmes de santé physique ou psychique, les techniques de relaxation et de méditation ont vraiment leur place. Mais en pratique, peu de professionnels connaissent réellement les différentes méthodes et leurs indications, et ils les ont encore moins pratiquées eux-mêmes. Pourtant, pour bien conseiller ses patients, ne vaut-il pas mieux savoir soi-même de quoi on parle ? De plus, un peu anxieux de nature et ayant certaines peurs dont je parlerai un peu plus loin, j'ai été assez tôt attiré par les méthodes permettant de les vaincre. C'est à partir de ce moment que j'ai décidé de m'y intéresser et la meilleure façon était, avant toute chose, de pratiquer moi-même.

Trouver son guide

Je me suis donc intéressé à la relaxation au cours de mes études médicales, mais c'est dans les premiers mois de mon internat en psychiatrie que j'ai réellement commencé à pratiquer. Premier réflexe d'étudiant : acheter un livre pour apprendre, comprendre et appliquer vite. Rentré chez moi après l'achat d'un ouvrage que l'on m'avait recommandé, quelle ne fut pas ma déception ! Que du texte, un peu d'historique, de la théorie et encore de la théorie, mais pas grand-chose qui m'aide réellement à pratiquer. Les quelques lignes les plus compréhensibles évoquent un psychiatre allemand, Schultz, inventeur du training autogène, père de la formule : « Mon bras est lourd, lourd, de plus en plus lourd… » Je ne suis pas vraiment séduit par l'autosuggestion qui s'apparente un peu à la méthode Coué, mais j'y glane quelques fondements de base de la pratique : la position assise, l'isolement, être au calme, prendre conscience de son corps et induire un état de relâchement. J'ai mis en place la première ébauche d'exercices de relaxation à partir du training autogène en les adaptant moi-même pour les rendre moins longs, moins pesants et répétitifs.

J'ai refermé ce livre et l'ai rangé dans ma bibliothèque. Il y est encore et n'a jamais servi. Je reste déçu et vraiment perplexe. Je ne pense pas qu'à ce moment je me sois dit ouvertement qu'un jour, moi-même j'écrirais des guides pratiques de relaxation et de méditation pour donner envie et aider concrètement le lecteur, mais inconsciemment j'ai dû y penser très fort.

Ma première fois

Je suis allongé sur le dos sur un matelas, la tête me tourne un peu, car je suis sorti la veille avec d'autres amis internes en psychiatrie et peut-être un peu trop tard. La psychologue qui travaille dans le service m'a invité à une journée d'initiation. Pourquoi est-ce que je ressens cette drôle d'oppression, comme si je ne pouvais pas respirer ? J'entends la voix douce de la thérapeute, mais je suis gêné par ma respiration alors qu'elle m'invite à respirer calmement et lentement. Je sens mon cœur battre dans ma poitrine alors que tout à

La relaxation est une pratique très ouverte. On peut trouver des exercices adaptés pour débuter et progresser ensuite à son rythme. Il est nécessaire d'être guidé, mais la pratique personnelle est le seul moyen de trouver réellement des bénéfices. Peu de pratiques sont aussi ouvertes et accessibles, et il est possible de les aborder de multiples façons : pour se soigner, trouver un nouvel art de vivre ou aborder sa vie de façon plus sereine.

l'heure j'étais bien. Puis, au fil de la journée, cette sensation gênante disparaît peu à peu. J'apprends comment me centrer sur mes propres sensations, ressentir en écho ce qui est à l'intérieur, être à l'écoute de moi. Je me laisse aller, je ne réfléchis pas. Si je ressens une sensation dans mon corps, j'attends, je me dis que ça va bien passer, puis ma respiration devient plus fluide, je ressens tout mon corps et pas seulement cette partie limitée de ma poitrine. Ça y est, j'ai franchi le premier obstacle. Pour se relaxer, il faut apprendre à écouter à l'intérieur de soi. Un exercice n'est pas raté ou réussi : il apporte toujours quelque chose et représente toujours une étape de découverte. Seule la répétition des mêmes exercices sans forcer apporte la sensation de confort qui m'est venue avec le temps.

Les chemins de l'apprentissage

J'ai appris mon métier de psychothérapeute pour beaucoup grâce à mes patients ; ce sont eux qui me font progresser dans la connaissance de l'humain et aussi de moi-même. C'est très vrai pour la relaxation où la pratique des exercices permet, à partir de l'expérience vécue, un échange très enrichissant.

Je pratique aujourd'hui régulièrement tous les jours, voire plusieurs fois par jour, des exercices qui au fil du temps peuvent s'apparenter parfois à des pauses, des bouffées de bien-être ou de calme, des temps de récupération, de centration sur soi ou au contraire des moments d'évasion, de décentration et de *lâcher prise*. Je garde aussi un peu de temps pour réaliser des exercices plus complets donc plus longs, mais que l'on ne peut pas toujours faire dans notre rythme de vie moderne.

Pour se relaxer, il faut apprendre à écouter à l'intérieur de soi.

Grâce aux échanges avec d'autres thérapeutes, grâce à quelques lectures, j'ai bâti au fil du temps mes propres exercices, toujours inspirés et adaptés de pratiques classiques que l'on retrouve dans plusieurs grandes méthodes. Je me suis donc intéressé au training autogène de Schultz, à la relaxation musculaire de Jacobson, à la sophrologie, au yoga, à l'hypnose, à la méditation. Chacune apporte des choses différentes et elles ont à la fois beaucoup de choses en commun. J'y ai puisé des outils un peu différents, simples, que j'ai pu mettre en application pour moi tout d'abord et que j'ai ensuite partagés avec d'autres thérapeutes, avec mes patients et des publics très différents, comme lors des stages de gestion du stress dans le monde du travail. J'ai ainsi dégagé quatre grandes techniques que j'utilise en priorité.

MES QUATRE GRANDES TECHNIQUES DE PRÉDILECTION

Les techniques respiratoires : je les utilise en permanence comme cela au fil de la journée, pour désamorcer quand je le peux une émotion négative et aussi pour débuter et approfondir les autres.

La détente du corps : indispensable, par exemple, lorsque l'on passe une journée sur une chaise à son bureau et qu'inévitablement le corps est tendu. Des méthodes d'ancrage comme serrer les poings une à deux fois en prenant conscience de la détente, la centration sur les différentes parties du corps, l'auto-induction de sensation de légèreté me permettent au fil du temps d'obtenir assez rapidement une détente du corps.

La pleine conscience : je ne compte plus le nombre de fois que j'utilise ce recentrage sur le moment présent qui est devenu comme un art de vivre et une façon d'atténuer les pressions et de porter un autre regard sur ce que nous appelons les stress.

La visualisation : si je dois faire quelque chose que je redoute j'avais auparavant tendance à réfléchir et à analyser ; de plus en plus j'essaie de m'imaginer et me projeter par visualisation dans cette situation afin d'atténuer l'émotion négative qu'elle engendre.

À partir de ces quatre grandes techniques, une multitude d'exercices peut être proposée. J'invite toujours les pratiquants à les adapter s'ils le souhaitent et à créer leurs propres exercices.

Mes exercices préférés

J'ai adapté une cinquantaine d'exercices de relaxation et de méditation et on me demande parfois quels sont mes préférés. Je vous propose de découvrir quelques exercices simples et très différents que je pratique moi-même.

Respirer dans tout le corps

La respiration est la technique des débutants tout en étant celle des pratiquants les plus chevronnés. Respirer, c'est avant tout être aux commandes, prendre la barre de ses propres sensations, et après le voyage est infini. Il m'arrive souvent, à mon bureau, de prendre quelques minutes et de me laisser porter par ma propre respiration en l'écoutant et en y portant une attention particulière. Je m'arrête quelques instants au niveau de la poitrine et du ventre, guettant naturellement toutes les sensations qui accompagnent ma respiration, le mouvement régulier des épaules, et laisse l'air circuler librement dans mes narines, dans ma trachée et diffuser dans mes deux poumons avant de faire le trajet inverse. Je deviens alors respiration, le souffle devient le plus important et je suis à son écoute. Je laisse l'air circuler quelques minutes, j'en prends conscience, je prends une respiration un peu plus forte, je gonfle ma poitrine et je souffle en laissant toutes les tensions de mon corps circuler, comme une lame qui traverse tout mon corps et dont l'impact se diffuse partout. Quand j'expire, mon visage se détend puis les épaules, le cou et la nuque. Puis c'est tout l'intérieur, le cœur, les intestins, les muscles qui deviennent paisibles. Cet air circule librement dans mon corps, m'apporte détente et apaisement. Peut-être ceux qui n'ont jamais pratiqué auront-ils du mal à comprendre comment le simple fait de respirer peut amener de telles sensations de détente du corps ? Tous ceux qui ont pris un peu de temps comprendront.

Voyager dans sa tête

Certaines personnes parviennent très bien à visualiser et d'autres moins bien au début, mais cela s'apprend à la longue. Vous vous imprégnez de l'image d'un lieu, d'une maison, d'une pièce, d'un moment ou d'un endroit où vous êtes en tête à tête avec vous-même; laissez les couleurs, les lignes, les détails ou l'ensemble s'installer dans votre esprit. Gardez cette image en vous, cultivez-la : c'est votre déclencheur de bien-être. À chacun son image ! Voici la mienne.

MON LIEU DE SÉCURITÉ

C'est une petite maison blanche, sur l'île de Ré, où je vais dès que je peux comme une base de repli pour me ressourcer, vivre autrement les choses les plus simples qui se sont ancrées au fil des années dans ma mémoire émotionnelle, le bruit du vent sur le vélo, la caresse du soleil, les odeurs des marées mêlées à celles des champs, des vignes, de la forêt de pins et à tant d'autres, ce mélange de campagne et de mer si particulier à cette île de l'Atlantique. Je démarre toujours la visualisation par une image simple et immobile où je suis totalement seul. Reproduire un vieux mur de pierres sèches sur la terrasse, le gris des volets et de la porte sur les murs blancs me transporte presque instantanément et déclenche en moi une sensation du temps retrouvé de moments de plénitude.

Laisser son imagination prendre le pouvoir

Cette capacité que nous avons de voyager dans notre tête dépasse l'effet de déclencher par la visualisation des sensations ou de retrouver une bulle de sécurité : elle nous permet également de nous libérer de nos blocages, de surmonter les peurs, d'être plus créatif et de communiquer autrement avec les autres. On peut passer par un véritable rêve éveillé et se mettre dans des conditions qui diffèrent de nos défenses habituelles.

La visualisation n'aide pas seulement à déclencher des sensations agréables. On apprend avec cette technique à laisser libre cours à son imagination, elle devient un terrain virtuel d'apprentissage et de pratique.

Pour de nombreuses activités que nous redoutons, la visualisation est un outil très efficace pour se libérer et envisager autrement la façon d'apprendre. Elle permet de dépasser nos peurs et nos phobies les plus incompréhensibles comme d'avoir peur de se retrouver dans la foule, dans une voiture ou un avion, mais aussi prendre la parole en public dans son travail, d'apprendre un sport ou à danser le tango.

J'ai un peu pratiqué le ski quand j'étais enfant et adolescent, et puis plus du tout pendant de nombreuses années. Je m'y suis remis bien plus tard, quand j'ai rencontré ma femme. Elle m'a aidé à me remettre sur les planches. Je lui ai offert quelques fous rires en me voyant littéralement bloqué et terrorisé au sommet de modestes pistes vertes. La peur transforme votre expérience et entrave le corps qui cherche la position la plus naturelle. Le corps se crispe, on ne contrôle plus rien et c'est la chute inévitable. J'ai observé les autres skieurs, un groupe d'amis psychiatres m'a encouragé, ils m'ont montré que ma position face à la pente pouvait changer mon contact sur la neige, le poids de mon corps sur les skis. J'ai refait le film dans ma tête, j'ai imaginé à de nombreuses reprises quelles pouvaient être la position idéale et les sensations de la vitesse. C'est en répétant cet exercice de visualisation que j'ai pu prendre du plaisir et surtout dépasser ma peur et mes blocages. Alors que la nature ne m'a pas donné de très grandes dispositions sportives, j'éprouve aujourd'hui un réel plaisir et je suis fier d'avoir somme toute modestement progressé dans cette activité par ces exercices de visualisation couplés, bien entendu, à un peu de persévérance et d'entraînement.

J'ai pu expérimenter que les exercices de visualisation représentent une aide insoupçonnée pour apprendre à se libérer de ses blocages et de ses inhibitions. Ils sont parfois bien complémentaires aux conseils psychologiques et aux exercices mentaux habituels que l'on nous prodigue.

Méditer pour ne plus penser à ce qui fait souffrir

Il y a quelque temps, au cours d'un séminaire sur la méditation de pleine conscience que j'animais, une jeune psychologue me demanda si je pratiquais moi-même et ce que cela m'apportait. J'ai essayé de répondre sincèrement à sa question. J'évoque un moment d'inquiétude éprouvé, il y a quelques années, au sujet de la santé d'un de mes enfants, inquiétude bien heureusement dissipée aujourd'hui mais qui a suscité, à l'époque, beaucoup d'angoisse. C'est quand on se trouve embarqué dans ses pensées et que l'on vit les choses à l'instant présent qu'il est difficile de se maîtriser, pas après, quand les choses sont passées ou que le temps a fait son effet pour atténuer les inquiétudes. La méditation de pleine conscience m'a appris à vivre avec un problème et à ne pas seulement être un problème, et à y penser sans cesse pour trouver une solution. Ruminer n'est pas agir, les pensées ne sont pas des faits sont les idées forces de la méditation de pleine conscience.

J'ai observé l'efficacité très particulière de cette technique fondée uniquement sur une prise de conscience de l'instant présent. En pratiquant régulièrement, j'ai pu constater moi-même les effets bénéfiques sur les pensées, l'ouverture et la position d'observateur du monde que nous pouvons alors adopter.

MÉDITER QUAND ON EST LOIN DE CHEZ SOI

Fut un temps où je voyageais beaucoup pour assister à des congrès partout dans le monde, souvent partagé entre la solitude liée au fait d'être loin de chez moi et l'intérêt pour toutes les choses que je voyais, que j'apprenais et les gens que je rencontrais. Il y a aussi les moments de solitude quand on rentre le soir dans sa chambre d'hôtel et qu'on ne connaît pratiquement personne. Tous ces moments sont souvent propices à la réflexion et au dialogue avec soi-même. C'est comme cela que j'ai découvert les exercices de pleine conscience. J'ai appris à observer, loin de chez moi, ma nostalgie d'être sans les miens, à être réceptif à toutes les petites choses nouvelles qu'apportent le voyage, les rencontres, et les différences que cela suppose. La pleine conscience enrichit tous ces moments en tête à tête avec soi-même. C'est une alternative à la rêverie ou à la réflexion et c'est certainement une aptitude humaine, mais qui n'est pas encore tout à fait évidente dans notre culture.

Voyager au plus profond de sa conscience

Comme chacun d'entre nous, j'ai besoin parfois de m'évader, mais il n'est pas facile de s'échapper du monde qui nous entoure. J'ai parfois envie d'être ailleurs et de me relaxer profondément. Quand j'ai le temps, je pratique volontiers des exercices de relaxation plus profonds qui m'apportent un relâchement sur les plans tant corporel que mental. Je m'allonge sur mon lit et j'induis par moi-même un relâchement de plus en plus profond par le mental. Je laisse par l'évocation, la centration de l'esprit sur le corps, le voyage, s'opérer et m'amener vers un état de relâchement progressif induit par des sensations de légèreté et des représentations corporelles. Au début, c'est un peu lent, mais ensuite les choses s'accélèrent vers un « lâcher prise » caractéristique de cet état où l'on est ici mais aussi ailleurs. Le corps se relâche pour atteindre un état de plus en plus profond et intime où des sensations et des ressentis se libèrent et s'invitent sur le devant de la scène. L'esprit, quant à lui, vagabonde et se montre capable d'une imagination et d'une créativité débordantes. La diminution du niveau de conscience ouvre certaines portes d'accès au ressenti des souvenirs et au regard que l'on porte sur soi-même et sur l'extérieur.

Je pratique aussi ces exercices un peu plus courts et moins profonds quand je suis en dehors de chez moi. Dans le TGV, il m'arrive parfois de me laisser simplement guider par le bruit pendant cinq ou dix minutes, le balancement hypnotique du train m'aidant à fermer les yeux et à plonger ailleurs. Je me laisse transporter dans un autre lieu que je connais et, par enchaînement d'images, ce lieu évolue et perd parfois sa logique, comme dans un rêve éveillé où une partie de nous se libère de la maîtrise, des règles et des contraintes.

Difficile de juger de l'extérieur ce que ce type d'exercice proche de l'auto-hypnose et de la sophrologie m'apporte. Je pense qu'il me ressource, me permet d'explorer ma personne et d'insuffler, je l'espère, une nouvelle inspiration et des idées nouvelles.

Ce que m'ont apporté la relaxation et la méditation

La relaxation et la méditation n'ont pas changé ma nature anxieuse, mais elles m'ont ouvert les yeux sur certaines choses. Elles me permettent de remettre le cap sur moi-même, de me défaire d'automatismes, de répétitions et d'éviter de passer par les chemins des sempiternelles ruminations.

Dans ma pratique de psychothérapeute, la relaxation a réellement enrichi ma façon d'aborder mes patients. Je ne propose pas la relaxation systématiquement, même si j'évoque presque toujours à un moment ou à un autre cette possibilité comme un outil thérapeutique très efficace et accessible dans les problèmes de stress et d'anxiété.

De plus, la relaxation donne un éclairage immédiat sur soi-même, elle permet d'entrevoir des possibilités de sortie de ses angoisses. L'expérience de relaxation est aussi une preuve assez immédiate que l'on peut sortir de son mal-être et elle reste plus accessible que d'autres formes de psychothérapie ou de travail sur soi.

MES TROIS CONSEILS CLÉS

Pratiquez librement
Relaxation et méditation ne doivent pas être contraignantes. J'ai parlé de ces nouvelles relaxations en disant que je n'avais rien inventé mais plutôt rendu la pratique plus libre plus accessible. Si vous avez du mal à lâcher prise pratiquez des exercices de pleine conscience de la vie quotidienne.

Laissez-vous conduire par l'expérience
Vous constaterez que les bénéfices sont rapides, mais c'est en approfondissant que l'on trouve de véritables clés du bien-être, des réponses au stress, à l'anxiété et à de très nombreuses expressions du mal-être.

Découvrez un nouvel art de vivre
La relaxation et la méditation nous invitent à porter un autre regard sur les choses et sur nous-même, elles libèrent des qualités et des possibilités qui sont en nous, elles offrent une voie différente pour se libérer autre que la seule parole et accessible à beaucoup de monde.

En conclusion

La relaxation et la méditation, encore dénigrées par certains médecins et psychiatres, devraient être au contraire largement recommandées et pratiquées. J'ai entrepris de contribuer à faire de la relaxation une véritable discipline et de la diffuser partout. J'ai recueilli le soutien de beaucoup de praticiens et de pratiquants qui m'aident à la faire découvrir au plus grand nombre comme une méthode écologique, durable et complémentaire à d'autres approches. Si elle ne peut soigner tous les maux elle apporte toujours un bénéfice à la personne. J'ai pu constater par mon expérience que s'arrêter, prendre un temps pour vivre pleinement les choses, revenir à un état plus calme était possible. Je suis persuadé que c'est à la portée de tous.

Pour en savoir plus, reportez-vous page 175.

Faire la paix avec son passé pour vivre son présent

13

Jean-Louis
Monestès

Nous ne sommes pas maîtres de nos souvenirs. Ils vont et viennent malgré nous. Ce que nous vivons nous transforme et agit en nous sans notre volonté, parfois contre elle. Il n'existe guère que deux façons de composer avec notre passé : la lutte ou l'armistice. La première est violente, la seconde se doit d'être patiente. L'une est usante, l'autre apaisante. Les deux nécessitent un travail régulier, presque quotidien, parce que nous baladons avec nous en permanence tout ce que nous avons vécu, que nous le voulions ou non.

Connaître les souvenirs qui resteront en moi

Avec le temps, je pense pouvoir faire la liste presque exhaustive des signaux de l'arrivée du spleen. Il y a d'abord les jours qui raccourcissent et le soleil qui s'abaisse sur l'horizon. Une fine brume commence à apparaître le matin. Et puis le présentateur du journal télévisé annonce la rentrée des classes à grands coups de reportages marronniers à propos de la longue liste de courses, cahiers réglures Seyès et classeurs 21 x 29,7. La ville semble reprendre un rythme momentanément perdu, comme le village où j'habite. L'arrêt de bus se remplit à nouveau de garçons et de filles parés pour l'aventure – chaussures, manteaux et cartables flambants neufs. Moi, je ne fais que passer pour rejoindre le travail. Avec mon vieux cartable, le même depuis quinze ans. Au fond de moi, je les envie. Et une cascade interminable de souvenirs m'envahit à différents moments de la journée. Ils sont tous là : François, Pierre, Christophe et Stéphanie.

On continuera la partie de billes arrêtée en juin dans les racines des tilleuls qui sillonnent le bitume de la cour de récréation. J'attraperai peut-être Stéphanie cette fois pour lui arracher un baiser. Et on fera la connaissance du nouvel instituteur.

Mémoire et émotions

Et puis tout se mélange… Ce sont des souvenirs du lycée qui reviennent lorsque mon regard est attiré par ce stylo-plume. Un sentiment de joie intense m'envahit, les souvenirs de ces moments, certainement enjolivés, pendant lesquels le temps semblait ne pas compter. Presque simultanément, la pensée me vient que tout cela est perdu à jamais, que tout s'est envolé sans que je ne voie rien venir, accompagnée d'un sentiment d'abattement lourd et poisseux. Chaque année. Sans exception.

Une à deux semaines de tristesse, sentiment qui m'est habituellement plutôt étranger. J'ai beau savoir exactement ce qui m'attend et les pièges qui vont s'ouvrir devant moi, c'est devenu le passage obligé de chaque mois de septembre face à un passé que je ne souhaite qu'à moitié voir revenir.

Moments forts, souvenirs persistants

Il est des moments qui laissent en nous une trace indélébile. Généralement, les souvenirs qui resteront gravés le plus durablement correspondent à ceux durant lesquels notre attention a été focalisée sur quelque chose, lorsque notre perception et nos actions se sont restreintes. C'est le cas lorsqu'on est jeune, parce que peu de choses nous préoccupent et qu'on ne pense qu'au moment présent, qui est souvent plutôt bon – d'où la nostalgie.

C'est aussi le cas lorsqu'on tombe amoureux. Tout s'efface alors et plus rien d'autre ne compte que l'être aimé. Mais c'est aussi le cas lorsqu'on est en danger, qu'on a peur ou qu'on souffre. Dans ces moments-là, nous sommes incapables de penser à autre chose qu'au problème qui nous envahit. Toute notre pensée est happée vers lui, et nos souvenirs ne se construisent alors qu'autour de ce cataclysme émotionnel.

Comprendre le mécanisme des souvenirs pour moins les craindre

Quand nous vivons un événement violent émotionnelle-ment, qu'il corresponde à un moment de souffrance ou de félicité, notre cerveau ne se contente pas d'enregistrer cet événement seul. Il imprime également tous les signaux qui l'accompagnent, même les plus insignifiants. C'est que notre cerveau sert avant tout à notre survie. Il est nécessaire que nous nous souvenions parfaitement des indices qui accompagnent le plaisir ou le danger, afin de nous rappro-cher du premier et d'éviter le second.

L'empreinte du passé

Ensuite, chacun de ces petits riens du contexte d'origine suffit à faire revivre en nous la même expérience émo-tionnelle, sans que nous sachions toujours les repérer. Grégoire se sent toujours mal à l'aise lorsqu'il entre dans un duplex. Il ne se souvient pas qu'enfant, il a fait une chute douloureuse dans un appartement du même type. Anaïs, quant à elle, ressent un incommensurable chagrin rien qu'en voyant un chandail qui ressemble vaguement à celui que portait son fils le jour où il est décédé. Quant à moi, faites-moi sentir l'odeur d'une trousse en cuir ou d'un marqueur neuf et je suis capable d'écraser une larme dans la minute.

Toutes les personnes qui ont vécu un traumatisme connais-sent ce phénomène. Parfois, on ne parvient même pas à savoir pourquoi on est tendu ou pourquoi on n'a pas le moral. C'est ce qui fait que les personnes victimes de trau-matisme se sentent si vulnérables. Leurs émotions peuvent les assaillir sans crier gare.

> Parfois, on ne parvient même pas à savoir pourquoi [...] on n'a pas le moral.

Éteindre un souvenir ?

Armé de mes connaissances sur l'apprentissage, je sais que ces minces signaux devraient perdre leur pouvoir évocateur avec le temps. Quand un stimulus n'est plus suivi d'une conséquence, il perd son pouvoir de déclencher des réac-tions. Cela a été démontré des dizaines de fois dans des recherches scientifiques. Agitez la cloche devant le chien de Pavlov sans lui donner de viande, il finira par ne plus se soucier de votre virtuosité. Il semble que mes cloches de la rentrée des classes soient plus difficiles à amener à « extinction », comme on dit entre psy.

Il est assez difficile d'épuiser le pouvoir évocateur de tous ces éléments qui ont accompagné les moments les plus forts de notre vie. Mais déjà, repérer ce qui déclenche en nous ces mauvais souvenirs permet de gagner en sérénité. On sait alors à quoi s'attendre. C'est une gymnastique que je pratique de temps à autre. Chaque fois que je vois réapparaître des souvenirs que je n'ai pas convoqués, je m'arrête un moment et j'essaie de repérer ce qui a bien pu les déclencher. Ce n'est pas toujours simple, mais c'est souvent très efficace. Et, quand je n'y parviens pas, il m'arrive même de me dire que c'est sûrement parce que mes ancêtres ont été des champions en « déclenchement-d'émotions-à-partir-de-petits-indices » qu'ils ont survécu et m'ont transmis ce « cadeau ».

C'est un peu pédant de penser ses défauts comme des trop-pleins de qualités, mais c'est pourtant bien proche de la réalité. Celui dont les aïeux ne sont pas parvenus à se souvenir que lorsque les herbes bougent, c'est certainement parce qu'un tigre va en sortir, n'a assurément jamais vu le jour !

Ne pas se battre contre une partie de soi

En matière de mémoire, il y a les « vraiment oubliés » et les « vainement cachés ». Il est préférable de ne pas trop chercher d'informations sur les « vraiment oubliés ». Passer son temps à fouiller son passé en espérant y trouver des clés de compréhension peut devenir dangereux. On risque alors de recomposer des souvenirs qui n'existent plus et de leur donner de l'importance, alors que, si on les a oubliés, c'est précisément parce qu'ils n'en avaient que très peu. En revanche, les « vainement cachés » méritent qu'on s'y attarde. Car si vous faites des efforts pour ne pas penser à un épisode de votre vie, c'est certainement qu'il est important, c'est-à-dire qu'il a déclenché et déclenche encore en vous une émotion intense que vous tentez de faire taire. Ce souvenir continuera vraisemblablement à vous hanter tant que vous chercherez à le fuir.

Peut-on oublier volontairement ?

Le plus souvent, nous ne restons pas passifs face aux souvenirs qui se manifestent malgré nous. Nous tentons de les chasser de notre esprit. Avec force et pugnacité. Ils sont trop horribles et nous ne souhaitons pas les voir refaire surface. Je dis bien *nous tentons* de les chasser, parce que, autant vous le dire tout de suite, il est impossible d'oublier volontairement. La mémoire n'agit que par ajouts, jamais par soustraction.

Il est impossible d'oublier volontairement, mais nous luttons en permanence, parfois très discrètement, comme une routine indétectable, tapie dans l'ombre. Il y a ceux qui passent leur temps à poursuivre la technologie, à faire des tonnes de projets, à garder le nez dans le guidon, comme si attendre le dernier I-phone les obligeait à regarder toujours devant, pour ne pas voir ce qu'il y a derrière. Et puis il y a les autres, au nombre desquels je me compte, qui n'échangeraient pas leur vieux cartable contre tout l'or du monde, mais qui ont bien du mal à se rendre compte que c'est parce qu'il est empli de souvenirs qui les rassurent. Des morceaux de passé dans une pochette de cuir. Drôle d'endroit pour ranger sa mémoire !

Alors, pourquoi est-il impossible d'oublier volontairement ? Il y a d'abord tous les signaux dont nous venons de parler qui se chargent de nous rappeler ce que nous avons vécu de pénible. Nous croisons ces indices à longueur de temps. Une mélodie, une parole, un parfum, trois petits rien capables de beaucoup. Il y a ensuite le fait que, pour oublier volontairement un épisode désagréable de notre vie, il faut se concentrer sur ce souvenir, ce qui lui donne encore plus de force. C'est un peu comme lorsque quelqu'un veut effacer une rumeur sur Internet : il parviendra peut-être à la supprimer du site d'origine, mais elle pourra refaire surface, à tout moment, de manière inattendue. Dans notre vie, il est possible d'éviter ce qui évoque un souvenir. On peut ne plus jamais retourner sur les lieux d'une agression, par exemple. Mais si on peut faire en sorte que le site Internet à l'origine de la rumeur efface ce qui nous gêne, il est impossible de faire disparaître toutes les copies qui ont été faites sur d'autres sites, qui elles-mêmes se répliquent, et ainsi de suite. Et si on choisit de publier un communiqué qui vient démentir les

> Il est impossible d'oublier volontairement.

informations diffusées, on augmente encore le nombre de pages qui parlent de ce qu'on cherche à effacer. En essayant de ne plus penser à un épisode douloureux de votre vie, en tentant de nier ce qui s'est passé, vous créerez encore plus de copies de ce souvenir et le piège se refermera.

Les souvenirs nous ont construit

Par ailleurs, depuis l'événement que vous cherchez à oublier, votre façon de vous comporter et de voir le monde a forcément changé. Vous avez déjà été modifié, de toute façon. Effacer le souvenir ne changera rien à ce que vous êtes maintenant. Ce qu'il faut comprendre, c'est que les souvenirs ne sont pas les ouvrages d'une bibliothèque que nous pourrions détruire à volonté. Ce que nous vivons nous réorganise et irrémédiablement nous change. Au moment où nous souhaitons les faire disparaître de notre mémoire, les expériences que nous avons vécues nous ont déjà transformés. Parfois, il m'arrive de parler à mes patients de théorie du chaos. Vous avez bien lu. Mais, rassurez-vous, je ne leur fais pas un cours de physique. Je n'y connais pas grand-chose non plus ! J'ai juste compris qu'une toute petite modification de notre histoire change absolument toute la suite. Quand on se laisse aller aux « si seulement », on imagine que si les choses avaient été différentes, seule la catastrophe qui a eu lieu ne serait pas survenue, mais que tout le reste aurait été identique. C'est une erreur. Changez un seul élément de l'histoire et *tout* en sera modifié. Et personne ne sait dans quelle direction.

UN CHOIX CORNÉLIEN ?

Imaginez que vous ayez le choix : d'un côté perdre tous vos souvenirs depuis l'événement marquant – les bons comme les mauvais puisque personne ne peut prédire ce qu'aurait été votre vie sans cet événement –, et de l'autre conserver précieusement les souvenirs des bons moments, mais aussi celui qui vous taraude. Que choisissez-vous ?

Malgré tout, nous avons tous plus ou moins l'intuition que perdre une partie de notre passé ne se ferait pas sans risque. Imaginons que vous parveniez à oublier ce souvenir pénible. Totalement. Seriez-vous prêt à prendre le risque de revivre ce que vous avez vécu ? Êtes-vous prêt à perdre une partie de votre identité d'aujourd'hui ? Ce que je vis avec la nostalgie illustre parfaitement cette ambivalence. Est-ce que je souhaiterais me débarrasser de mes souvenirs d'enfance ? Pour rien au monde. Ils me font pourtant aussi souffrir. Cependant, je sais qu'ils m'ont forgé et qu'ils sont une partie de ce que je suis. Face un souvenir pénible, celui d'une agression ou d'une perte, on peut avoir d'emblée envie de l'effacer. Mais il a tout autant contribué à faire de moi ce que je suis aujourd'hui. C'est une partie de mon parcours et de mon histoire – une partie de moi.

À quoi sert d'éviter ?

Certaines fois, je fais ce que je sais pourtant être préjudiciable : je change de chaîne pour ne pas voir un reportage sur les rythmes scolaires, j'évite de traverser les rayons de supermarché dans lesquels se trouvent les stylos et les trousses. Il y a un temps pour tout, et tous les instants ne se prêtent pas au travail sur soi. Pourtant, si je m'autorise quelques entorses à ce que je conseille aux patients que je rencontre, c'est parce que je sais que je prendrai le temps de regarder tout cela en face, que je travaille de temps en temps sur cet aspect de ma mémoire – et pas seulement au moment de la rentrée scolaire.

LE CERCLE DE L'ÉVITEMENT

Les évitements ne sont pas néfastes en eux-mêmes. C'est lorsqu'ils deviennent le seul mode de relation au monde, qu'ils sont accomplis de façon stéréotypée et automatique, qu'ils deviennent un réel problème.

Lutter pour ne *jamais* se souvenir d'un accident, d'un décès, d'une agression ou d'une séparation, c'est risquer d'en faire un travail à plein temps et de ne plus avoir d'énergie et d'espace pour simplement vivre.

Pour ma part, quand je constate que je commence à tourner en boucle sur un souvenir, qu'il soit ancien ou récent, cela allume chez moi un signal d'avertissement. Si je m'aperçois que je ne parviens plus à penser à autre chose, plutôt que de chercher à chasser ce souvenir, je m'arrête un moment et je l'observe en détail. Le plus souvent, cela suffit au moins à ce que je n'aie plus peur qu'il réapparaisse.

Se rapprocher de ses souvenirs et continuer son chemin

Quelle que soit la difficulté de son passé, la démarche pour s'en libérer est plus ou moins la même. La première étape consiste à se rendre compte que chercher à oublier ne fonctionne que temporairement. Il faut d'abord signer l'armistice. La deuxième étape repose sur un rapprochement volontaire et tranquille avec ses souvenirs. La dernière, et peut-être la plus importante, consiste à créer de nouveaux souvenirs.

Si un squatteur s'installe chez vous, votre première réaction sera d'essayer de le mettre à la porte. Mais imaginez un squatteur « définitif » qu'il serait impossible de pousser dehors. Un souvenir, c'est exactement cela. Vous pouvez continuer à essayer de le faire sortir de chez vous, mais vous allez gaspiller beaucoup d'énergie et de temps. Vous pouvez aussi essayer de ne jamais le croiser dans votre appartement, mais vous risquez de passer votre vie dans un placard. Vous pouvez enfin l'insulter ou pester contre l'État, les services sociaux ou la police, ce qui aura pour effet de vous miner encore davantage. S'il vous est vraiment impossible de vous débarrasser de ce mauvais compagnon de route, la meilleure façon de reprendre goût à la vie est peut-être d'inviter des amis à un dîner, malgré sa présence. Il vous envahit, mais rien ne vous oblige à mettre votre vie au point mort.

Quels que soient les efforts que vous ferez, vous ne parviendrez pas à modifier votre souvenir du passé ou à le museler. Et tous les efforts et le temps que vous passerez à essayer de le rayer de votre mémoire vont vous empêcher de mener une vie heureuse, voire tout simplement de vivre.

Agir au présent pour guérir du passé

Le seul moyen de reprendre le train de sa vie consiste donc à créer de nouveaux souvenirs afin que les anciens ne prennent pas toute la place. Nous ne pouvons pas changer le passé ni les traces qu'il a laissées en nous. En revanche, nous pouvons changer la partie de notre histoire qui commence maintenant. Le problème, lorsqu'on essaie d'effacer son passé, c'est que, simultanément, on valide le message qu'il est impossible de recommencer quelque chose, de repartir de là où nous sommes, parce que notre histoire nous l'interdirait. Mais il est toujours possible de recommencer à vivre et à aller de l'avant. Si vous avez vécu des événements difficiles, même si vous les détestez, même si vous auriez préféré ne jamais les vivre, ils ont été importants pour vous. Ce qui est important n'est pas obligatoirement ce qu'on aime, mais ce qui nous a changé.

Avec le temps, vous parviendrez peut-être même à mettre un couvert pour lui, à faire la paix plutôt que signer l'armistice. Pour ma part, j'ai trouvé le seul moyen de continuer ma route avec le souvenir de François, Pierre et les autres, et de ces parties de billes aujourd'hui disparues : je prends un moment pour me souvenir. Complètement. Sans chercher à me défendre, je me laisse aller à convoquer le plus de détails possible sur ces moments à la fois merveilleux et douloureux, quitte à ce que la tristesse l'emporte. Je prends garde à ne pas me laisser aller à de grandes envolées philosophiques sur l'existence et le temps qui passe, toutes ces analyses qui ne servent pas à grand-chose. J'accorde simplement en moi la place à ces avatars de mon existence. Et, une fois le pèlerinage accompli, je me sens en paix, serein et prêt à continuer ma route, à me créer de nouveaux souvenirs.

Quand je revis ces années d'école que je regrette tant parfois, je me pose toujours la même question : comment se fait-il qu'à l'époque je ne me rendais pas compte que c'était si bien ? Et puis aussi une autre interrogation teintée de crainte : et si ce que je vis actuellement était tout aussi chouette mais que je ne le voyais pas ? Est-ce qu'il faut attendre qu'un événement soit passé pour s'apercevoir qu'il a le goût du bonheur ? Ou le saisir au vol, ici et maintenant.

Il est peut-être temps que je m'offre un nouveau cartable…

> Nous pouvons changer la partie de notre histoire qui commence maintenant.

Pour en savoir plus, reportez-vous page 175.

8. Accepter ce qui se passe en moi

André C., *Imparfaits, libres et heureux*, Paris, Odile Jacob, 2006.

Monestès J.-L., *Changer grâce à Darwin*, Paris, Odile Jacob, 2010.

9. Être cohérent dans sa vie professionnelle et dans sa vie privée

André C., *Imparfaits, libres et heureux*, Paris, Odile Jacob, 2006.

Bucay J., *Laisse-moi te raconter... les chemins de la vie*, Paris, Pocket, 2007.

Cariou-Rognant A.-M., Chaperon A.-F., Duchesne N., *L'Affirmation de soi par le jeu de rôle*, Paris, Dunod, 2007.

Cyrulnik B., *Sous le signe du lien*, Paris, Hachette, « Pluriel », 1997.

– *Un merveilleux malheur*, Paris, Odile Jacob, 2002.

Dac P., *L'Os à moelle* (vol. I), Paris, Julliard, 1963.

– *L'Os à moelle* (vol. II), Paris, Julliard, 1965.

Hahusseau S., *Tristesse, peur, colère. Agir sur ses émotions*, Paris, Odile Jacob, 2006.

Duchesne N., *Des hauts et des bas, bien vivre sa cyclothymie*, Paris, Odile Jacob, 2006.

Redfield-Jamisson K., *De l'exaltation à la dépression, confession d'une psychiatre maniaco-dépressive*, Paris, Robert Laffont, 1999.

Saint-Exupéry A. de, *Le Petit Prince*, Paris, Gallimard, 1945.

Yalom I., *Le Bourreau de l'amour, histoires de psychothérapies*, Paris, Galaade, 2005.

– *Le Jardin d'Épicure*, Paris, Galaade, 2009.

10. Avoir confiance en sa féminité au travail... et ailleurs

Think Tank, *L'Observatoire des Futur(e)s*. Les travaux de ce groupe de réflexion, qui ont débuté en juin 2010, portent sur les mutations du genre féminin et leurs conséquences sur le genre masculin.

Non, ma fille tu n'iras pas danser, Film de Christophe Honoré, 2010.

Laurens C., *Romance nerveuse*, Paris, Gallimard, 2010.

11. Ne plus avoir peur de vieillir, ni de mourir

Livres

André C., *Les États d'âme. Un apprentissage de la sérénité*, Paris, Odile Jacob, 2009.

Atran S., *Au nom du Seigneur. La religion au crible de l'évolution*, Paris, Odile Jacob, 2009.

Boyer P., *Et l'homme créa les Dieux*, Paris, Robert Laffont, 2001.

Changeux J.-P., *Du vrai, du beau, du bien. Une nouvelle approche neuronale*, Paris, Odile Jacob, 2008.

Comte-Sponville A., *L'Esprit de l'athéisme. Introduction à une spiritualité sans Dieu,* Paris, Albin Michel, 2006.

Damasio A., *Le Sentiment même de soi,* Paris, Odile Jacob, 1999.

Debray-Ritzen P., *Ce que je crois,* Paris, Grasset, 1983.

Denton D., *Les Émotions primordiales et l'Éveil de la conscience,* Paris, Flammarion, 2005.

Dawkins R., *Le Gène égoïste,* Paris, Odile Jacob, 1996.

Edelman G., *Plus vaste que le ciel. Une nouvelle théorie générale du cerveau,* Paris, Odile Jacob, 2004.

Hamburger J., *La Raison et la Passion,* Paris, Seuil, 1984.

Reeves H., *Poussières d'étoiles,* Paris, Seuil, « Sciences », 2008.

Articles

« Penser la mort », *Le Point Références,* mai-juin 2010.

« Les athées », *Le Monde des religions,* janvier-février 2006, n° 15.

« La conscience », *La Recherche,* mars 2010.

12. Comment j'ai découvert la relaxation et la méditation

Livres

Servant D., *La Relaxation. Nouvelles approches, nouvelles pratiques,* Paris, Masson, 2009.

Servant D., « Se soigner par la relaxation », *in* C. André (dir.), *Le Guide de psychologie de la vie quotidienne,* Paris, Odile Jacob, 2008.

Servant D., *Relaxation et méditation. Trouver son équilibre émotionnel,* Paris, Odile Jacob 2007.

Site Internet

www.symbiofi.com : vous y trouverez des exercices audio et vidéo à télécharger, ainsi que des CD et CD-Rom à commander.

André C., *Vivre activement serein par la méditation,* Symbiofeel, Symbiofi 2009.

Servant D., *Dominer vos émotions par la relaxation,* Symbiofeel, Symbiofi 2008.

13. Faire la paix avec son passé pour vivre son présent

Monestès J.-L., *Faire la paix avec son passé,* Paris, Odile Jacob, 2009.

3 S'ÉPANOUIR
dans les liens

À quoi bon aller bien, si c'est pour aller bien tout seul dans son coin? Les relations aux autres nous construisent et nous nourrissent. Elles nous sauvent parfois. Et parfois elles nous blessent. Heureusement, là aussi il y a des repères, des modes d'emploi. On n'est pas obligé de les respecter à la lettre, mais on peut toujours s'en inspirer…

La révélation de soi : savoir se dévoiler

Les hommes se distinguent par ce qu'ils montrent et se ressemblent par ce qu'ils cachent. Paul VALÉRY

Depuis quelque temps, j'ai installé un cadre numérique dans la salle d'attente de mon cabinet. Les patients peuvent y voir défiler des photos de vieilles portes. Ces clichés, que j'ai rassemblés au fil des ans, me tiennent à cœur et je suis heureux de les partager. Entre chaque photo, j'ai également glissé une citation, une pensée ou quelques lignes d'un poème. Ces quelques mots sont une invitation à la réflexion ou à partager une émotion.

L'orthographe ce n'est pas mon fort

Régulièrement mes patients me font un petit commentaire : ils aiment les photos, telle ou telle citation les a touchés, certains prennent des notes, d'autres m'annoncent même que la prochaine fois ils arriveront en avance pour avoir le temps de savourer ces images et ces pensées. Régulièrement, certains patients me font observer : « C'est vraiment super mais j'ai relevé quelques fautes d'orthographe. » Ou encore : « J'aime beaucoup ce que vous avez mis dans votre salle d'attente mais je ne sais pas si vous avez remarqué, il y a des fautes d'orthographe. »

Avant

Il y a quelques années, j'aurais probablement bafouillé une excuse : « Ah non, c'est ennuyeux, je n'ai pas eu le temps de tout lire très attentivement. » Ou encore : « J'ai fait ça très vite, je n'ai pas eu le temps de bien relire. » En faisant cela, je n'aurais clairement pas été en cohérence avec ce que je recommande quotidiennement à mes patients : remercier pour les compliments, accepter les critiques constructives, ne pas se justifier inutilement, reconnaître ses erreurs sans honte… Aujourd'hui je suis donc très attentif et profite de ces occasions pour donner l'exemple !

Ce que j'ai changé

D'abord, puisque dans 99 % des cas le commentaire commence par un compliment, je remercie pour celui-ci. Ensuite, j'exprime combien il me touche, car je ne cache pas que je me suis investi dans ce diaporama. Cela donne quelque chose comme : « Merci, ça me fait plaisir que vous appréciiez, surtout que cela m'a pris du temps pour le faire et que je me demandais comment cela serait perçu. » Après, il faut bien répondre à la deuxième partie du commentaire concernant les fautes d'orthographe et, là, je dois bien reconnaître une de mes faiblesses ! « Je vous remercie aussi de m'alerter pour les fautes d'orthographe, vous n'êtes d'ailleurs pas le premier. Vous savez, c'est un de mes gros problèmes. J'ai beau relire, j'en laisse toujours passer. Pour être franc, l'orthographe et moi, on n'a jamais fait très bon ménage. » Selon la personne qui m'a fait la remarque, j'en profite également pour lui adresser un petit clin d'œil qui la renvoie à des sujets la concernant comme le perfectionnisme (un sujet qui revient régulièrement en consultation) : « Et puis, vous savez, ça fait belle lurette que j'ai abandonné l'idée d'être parfait, il y avait beaucoup trop de travail ! » Ou encore : « Je ne sais pas si vous l'avez vu passer, l'une des pensées que je préfère c'est celle de Michel Audiard : "Heureux soient les fêlés car ils laissent passer la lumière." Nous avons tous nos fêlures, nos failles, et là vous venez de mettre le doigt sur une de mes failles ! Bon, maintenant je compte sur vous pour me noter ces fautes d'orthographe sur un papier. J'essaierai quand même de les corriger, sans trop tarder… »

L'orthographe est souvent un sujet douloureux. Nombreux sont les patients qui m'expliquent qu'ils n'osent pas écrire, ne serait-ce que pour envoyer des cartes postales pendant les vacances, d'autres encore déforment leur écriture ou raturent pour semer le doute. Certains se refusent à prendre des notes pendant une réunion de peur que leur voisin n'observe leurs lacunes. S'ils ne peuvent pas faire autrement, il leur arrive d'écrire tout petit et au crayon à papier pour être sûrs d'être illisible de loin. Pour eux, animer une réunion et écrire ne serait-ce que quelques mots sur un tableau est un exercice redouté qu'il faut éviter coûte que coûte.

Pour ne pas être moi-même confronté à une telle souffrance et pour montrer qu'il est possible de laisser paraître ses failles, je farfouille dans le dossier du patient, en tire une feuille au hasard et lui propose de vérifier s'il n'y retrouve pas quelques fautes d'orthographe… Il n'a généralement pas beaucoup d'efforts à faire, la moisson est toujours bonne.

Moi aussi je rougis !

Comme tout le monde, il m'arrive de rougir. Mes patients, surtout ceux qui sont préoccupés par leur propre rougissement, ont beaucoup de mal à le croire : comment un thérapeute, quelqu'un qu'ils viennent voir pour les aider, n'aurait-il pas été capable de régler ce problème pour lui-même ? Eh bien si, j'ai réglé le problème, je rougis toujours, mais je l'accepte ! C'est tellement plus facile que de vouloir à tout prix s'en empêcher (ce qui est le meilleur moyen de provoquer un rougissement encore plus fort et plus désagréable).

MON TRUC POUR ROUGIR QUAND JE VEUX

Si je n'arrive pas à m'empêcher de rougir, je suis devenu capable de me faire rougir presque à volonté ! Pour cela, il me suffit de raconter une petite mésaventure qui m'est arrivée, il y a quelques années : alors que j'étais en réunion avec des collègues, assis face à une jeune femme plutôt séduisante et alors que je la regardais droit dans les yeux, au lieu de dire : « Il faudrait que l'on fasse une tentative… », j'ai fait un lapsus et me suis entendu prononcer : « Il faudrait que l'on fasse une tentation… », ce qui a déclenché une explosion de rires chez tous mes collègues qui regardaient dans la même direction que moi. Bien sûr, je suis devenu écarlate, la jeune femme en face de moi aussi… ce qui a encore ajouté à ma rougeur.

Aujourd'hui le simple fait de raconter cette histoire, même si je la trouve avant tout cocasse, suffit à me faire rougir, et ce pour le plus grand plaisir de mes patients. Il est clair que pour en arriver là il m'aura fallu travailler sur mes croyances et remettre en question toutes les pensées négatives que je pouvais nourrir à propos du rougissement.

Non, rougir n'est pas nécessairement se montrer faible ou fautif. Non, rougir ne suscite pas le rejet ou la pitié. Oui, rougir est tout simplement humain et les gens qui rougissent me sont plutôt sympathiques… Mais réviser sa façon de voir les choses, même si c'est une étape indispensable, ne suffit pas à surmonter une difficulté. Il faut aussi apprendre à être à l'aise avec son malaise. Il faut s'exposer et non éviter, exprimer son trouble plutôt que le cacher.

Récemment, j'ai proposé à une patiente qui avait pris l'habitude de dénigrer tous les compliments qu'elle recevait de faire un exercice d'affirmation de soi consistant justement à remercier son mari qui la complimentait sur son physique. Je lui explique : « Je vais tenir le rôle de votre mari et vous allez mettre en œuvre ce que nous venons de travailler. » Elle me regarde avec un sourire malicieux et me dit : « Oui, mais alors je ne vais quand même pas aller jusqu'à me déshabiller ! » Conscient soudain de la potentielle ambiguïté de mon propos, je sens un peu de chaleur dans mes joues. Un léger malaise qui se dissipe très vite en constatant et en dévoilant : « Ah, je sens que vous seriez capable de me faire rougir ! »

Ma tendance au perfectionnisme me rend anxieux

Il y a quelque temps, j'ai été sollicité pour faire une présentation à des confrères, une présentation sur les TCC (« thérapies comportementales et cognitives »). Passé un bref instant d'euphorie, sans doute flatté que l'on se soit adressé à moi et que l'on s'intéresse à un sujet qui me tient à cœur, j'ai soudainement réalisé que je ne disposais que d'une heure pour traiter le sujet.

Comment allais-je pouvoir traiter un sujet aussi vaste en seulement une heure ? La mission me semblait impossible : à l'euphorie succédèrent rapidement l'anxiété et toutes sortes d'émotions et pensées négatives fort désagréables. Je voulais absolument parfaitement maîtriser l'exercice que l'on m'avait confié, donner l'impression que c'était facile, bref… passer pour un surhomme ! Eh oui, on peut être thérapeute et se faire piéger par ses exigences tyranniques, comme le font les patients avec lesquels on travaille chaque jour ce genre de problème !

Conscient de cette exigence tyrannique qui m'interdisait de montrer la moindre faiblesse, je suis donc revenu aux fondamentaux. J'ai pris le temps d'examiner en détail les émotions et les pensées qui me déstabilisaient : j'ai fait ce que l'on appelle de la « restructuration cognitive ». Plutôt que de me laisser envahir par mes émotions, ou pire encore d'essayer de les fuir, je les ai considérées comme un signal d'alerte m'invitant à examiner de plus près les pensées qui les nourrissaient. Rapidement, j'ai pu identifier tout un flot de pensées automatiques qui me troublaient. En prenant conscience de ces petites voix qui me disaient : « Tu n'y arriveras pas, tu ne pourras jamais tout dire… », j'ai pu les examiner de plus près et les remettre méthodiquement en question, l'une après l'autre, afin de développer ce que l'on appelle des pensées alternatives. Pas des pensées de rechange, juste des pensées différentes de celles qui étaient venues si spontanément me « stresser ». À force de nourrir ce dialogue avec moi-même, j'ai pu reformuler de nouvelles pensées par rapport à cette situation, des pensées beaucoup plus réalistes et surtout beaucoup plus apaisantes.

Mais il ne fallait pas s'arrêter en si bon chemin : après la réflexion, l'action ! Cette situation et ce petit travail étaient une superbe entrée en matière pour expliquer à mes confrères ce qu'étaient les TCC. C'était décidé : j'allais leur révéler les coulisses de la présentation à laquelle ils assistaient. Non, je n'allais pas me présenter comme un surhomme, mais humblement comme un confrère ému et troublé à l'idée de relever le défi de présenter son activité. J'allais afficher mes doutes, mes tensions, mon anxiété, et expliquer comment je les avais surmontés pour leur donner la présentation à laquelle ils allaient assister. J'allais leur montrer les TCC en direct.

Les tableaux qui suivent sont ceux que j'ai utilisés pour conduire ce travail de restructuration cognitive, ce sont les tableaux que j'ai présentés à mes confrères. Les pourcentages qui accompagnent les émotions indiquent l'intensité avec laquelle je percevais ces émotions. Les pourcentages associés aux pensées automatiques indiquent à quel point j'étais convaincu du bien-fondé de chacune de ces pensées.

Situation	Émotions	Pensées automatiques
Je repense au topo sur les TCC et je prends conscience que cela doit tenir en 1 heure avant le dîner	Tension 60 % Anxiété 50 % Déprime 30 % Frustration 80 %	Je ne pourrai jamais tout dire (100 %) Je ne vais pas y arriver (70 %) 1 heure, ça ne suffit pas (100 %) En 1 heure, on ne peut rien dire (90 %) Ça va être superficiel (80 %)

Pensées alternatives	Réévaluation des pensées automatiques et des émotions
Qui a dit qu'il fallait tout dire ? Personne !	Je ne pourrai jamais tout dire (0 %)
Tu crois vraiment que tes confrères ont envie (et sont capables) de tout absorber en 1 heure ?	Je ne vais pas y arriver (0 %)
1 heure pour parler de toutes les indications et des méthodes, oui c'est impossible. Par contre, faire passer quelques messages, c'est possible.	1 heure ça ne suffit pas (30 %) En 1 heure on ne peut rien dire (0 %) Ça va être superficiel (30 %)
Plutôt que de rêver d'un résumé génial sur les TCC en 1 heure tu peux réfléchir aux messages que tu veux faire passer. Si tu pouvais éclairer tes confrères sur ce que tu fais concrètement avec leurs patients ça serait déjà pas mal.	Tension 10 % Anxiété 0 % Déprime 0 % Frustration 20 %
Si tu réponds déjà à quelques questions et suscite la curiosité il sera toujours temps d'organiser une session pour approfondir le sujet.	
Si ça déborde de 10 minutes ce ne sera pas un drame.	

Simple mais pas toujours facile

Après avoir décrit ces trois situations au cours desquelles je révèle quelques-uns de mes doutes, de mes failles et fragilités, je serais tenté, dans un premier élan d'optimisme, de dire que, pour moi, cette opération est devenue facile.

En fait, cela ne serait ni tout à fait exact ni tout à fait honnête. En réalité, oui, m'exposer, me dévoiler, me révéler sont devenus des opérations plus simples, beaucoup plus simples.

Simples, car j'ai développé un savoir-faire qui, avec le temps et l'expérience, me rend plus à l'aise. *Simples*, car la façon de procéder n'est pas, en soi, bien compliquée. Mais *faciles* ne serait effectivement pas le mot juste, car bien souvent je dois tout de même être attentif et produire un petit effort pour ne pas laisser revenir de vieux réflexes.

CHASSEZ LE NATUREL...

Je dois reconnaître que, parfois, à la faveur d'une situation nouvelle ou d'un effet de surprise, je peux me surprendre à vouloir masquer ou laisser dans l'ombre ce que je pense être une faille ou une faiblesse. J'observe alors cette supposée faille ou faiblesse, somme toute bien humaine, avec bienveillance et je me félicite d'avoir remarqué ma tentative de dissimulation, bien décidé à poursuivre ma petite gymnastique.

En fait, il s'agit bien d'une gymnastique régulière à pratiquer. Même si tous les jours nous n'avons pas la même forme, tous les jours cette gymnastique nous apporte ses bénéfices.

Nous reviendrons plus loin et plus en détail sur les bénéfices de cette gymnastique quotidienne. Auparavant, je voudrais aborder un bénéfice particulier : devenir capable de parler de ses échecs passés, échecs parfois douloureux.

Au départ était l'échec !

Lorsque l'on m'interrogeait sur mon parcours professionnel, j'ai longtemps été embarrassé. Comment faire face à des interrogations qui posent comme une évidence que « vous avez toujours été passionné par ce que vous faites », « vous avez passé l'internat, et après… » ? Pas facile quand vous n'avez ni passé l'internat ni été passionné par ce que vous faites depuis toujours ! Pas facile de détromper votre interlocuteur qui pense vous faire plaisir en tenant pour acquis que vous avez brillamment réalisé votre vocation.

Force est de reconnaître que j'ai longtemps élaboré toutes sortes de discours plus confus et compliqués les uns que les autres. Confusion du discours qui ne faisait qu'ajouter à ma propre confusion – pour ne pas dire à ma détresse.

Aujourd'hui les choses sont beaucoup plus simples, je ne me lance plus dans d'interminables explications sur le contexte de l'époque, les circonstances toutes particulières qui ont présidé aux événements. Je dis simplement ce que j'ai vécu : « Non, en fait je n'ai ni passé l'internat ni toujours été passionné par ce que je fais, en fait j'étais passionné par l'obstétrique. Pour moi, la médecine c'était même l'obstétrique ou rien. Après quatre années de pratique j'ai été confronté à l'échec, je n'ai pas pu en faire ma spécialité. » Je passe sur toutes les excuses extérieures à moi-même que je pouvais trouver pour expliquer cet échec et préfère reconnaître : « Pour moi, l'enjeu était tel que j'étais devenu prisonnier d'une anxiété de performance qui m'a coûté les examens et le diplôme. Je l'ai très mal vécu, j'ai traversé une période de profonde dépression. Pendant un long moment, je ne voulais même plus entendre parler de malades ou de médecine. C'est pour cela que j'ai travaillé dans l'industrie pharmaceutique. »

Je peux alors parler en toute sincérité du présent : « Rassurez-vous, ce que je fais aujourd'hui me passionne mais ce n'est pas venu tout de suite, j'en ai bavé. Il m'a fallu du temps pour que je comprenne à quel point la relation avec les patients me manquait. Il m'a fallu du temps pour reprendre le chemin de la fac et me former à une nouvelle pratique médicale. Il m'a fallu du temps pour me débarrasser de cette anxiété de performance et reprendre confiance en moi. Il m'a fallu du temps… mais aujourd'hui je pense que toutes ces blessures n'ont pas été vaines et contribuent à la façon dont j'exerce mon métier de médecin et de thérapeute. »

Il faut du temps pour se révéler à soi et aux autres.

Il faut du temps pour se révéler à soi et aux autres.

Quatre bonnes raisons de pratiquer la révélation de soi

Pratiquer la révélation de soi peut être source d'une multitude de bénéfices : se libérer d'une peur, améliorer son estime et sa confiance en soi, accéder à une meilleure connaissance de soi, tisser des liens plus sincères, développer son empathie… La liste des bonnes raisons pour pratiquer la révélation de soi est longue, très longue. Je vous propose d'explorer quatre de ces raisons, non pas qu'elles soient plus importantes que les autres mais tout simplement parce qu'elles me parlent personnellement et m'encouragent quotidiennement à continuer sur cette voie.

Finie la double peine !

Toutes les ruses que l'on peut déployer, tous les efforts que l'on peut faire pour masquer, cacher, dissimuler, habiller, maquiller nos faiblesses ou nos échecs sont épuisants. Pire encore, à l'insatisfaction générée par une faiblesse, à la peine ressentie face à un échec, ces ruses et ces efforts viennent ajouter leur propre poids. Ils viennent accréditer et nourrir les idées négatives que nous nous en faisons. Nous devenons alors prisonniers de cette logique absurde : « Si j'éprouve le besoin de le cacher c'est que c'est inavouable, et si c'est inavouable, il faut redoubler d'efforts pour le cacher… »

Vous l'aurez compris, depuis que je reconnais publiquement mes difficultés d'orthographe je suis dans la logique : « Je ne cache plus mes difficultés, et si ces difficultés sont "avouables", c'est que ce n'est pas bien grave, et si ce n'est pas bien grave, j'aurais bien tort de faire des efforts pour les cacher, donc je continue à les révéler… » Pour mon plus grand bien-être, la logique s'est inversée.

Accepter de ne pas être parfait

Ne pas révéler nos faiblesses et nos échecs est en réalité une forme de perfectionnisme particulièrement nocive. À vouloir ne montrer de nous-même que la face que nous pensons positive, nous risquons de ne plus montrer quoi que soit : « C'est trop risqué, et si cela laissait filtrer cette faille ou cette faiblesse, et si, et si… » Comme le souligne Tal Ben-Shahar dans son magnifique ouvrage *L'Apprentissage de l'imperfection*, « la volonté de feindre une assurance et un respect de soi qu'en réalité on ne ressent pas » est un puissant facteur de dégradation de l'image de soi. Cet auteur, professeur à Harvard, souhaite même à ses étudiants d'échouer plus souvent ! Pour lui, cela veut dire

« qu'ils ont tenté des choses, qu'ils ont pris des risques et relevé des défis ». Il cultive aussi l'idée que « si l'on n'apprend pas à échouer, on échoue à apprendre ». Et comment apprendre de nos échecs si nous les dissimulons au lieu d'en parler ?

Progresser et s'améliorer

Souvent mes patients m'opposent l'idée qu'accepter ses faiblesses ou ses échecs relève de la complaisance. Ils redoutent que cela ne soit la porte ouverte à la médiocrité. Et si c'était le contraire ? Si exposer notre faiblesse nous aidait à avancer ? Reprenons les exemples concernant l'orthographe, le rougissement et ma tendance au perfectionnisme.

Je n'ai pas renoncé à améliorer mon orthographe, bien au contraire. Cette faiblesse étant devenue presque légendaire autour de moi, je reçois régulièrement de l'aide ! En réunion, si je suis au tableau à relever des notes, plutôt que d'éluder ou de chercher un autre mot, je n'hésite pas à demander : « Aidez-moi, *notamment* un ou deux *m* ? » Récemment encore, un collègue m'a gentiment expliqué que ce n'est pas parce que l'on dit « cauchemardesque » qu'il faut mettre un « d » à cauchemar. J'aurai mis près de cinquante ans à apprendre à écrire correctement « cauchemar », je ne m'en afflige pas, je me réjouis seulement de m'être amélioré !

À force d'exprimer sans fard ce que je ressens quand mes joues s'échauffent, non seulement je le vis beaucoup mieux mais comme j'ai développé une stratégie de révélation de moi dans laquelle j'ai pris confiance, eh bien je rougis de moins en moins souvent, pour ne pas dire très exceptionnellement.

Évoquer le « stress » que je ressens en préparant une présentation devant des collègues n'est pas un prétexte pour faire une présentation au rabais, bien au contraire, c'est plutôt l'expression du respect et de la considération que je leur témoigne. Par contre, en échangeant sur ce sujet, je recueille de nombreux témoignages sincères : c'est rassurant de savoir que l'on n'est pas seul au monde ! Sans compter tous les trucs et astuces que l'on ne manque alors pas d'échanger et qui nous aident à progresser.

C'est rassurant de savoir que l'on n'est pas seul au monde !

Apprendre à parler de ses forces et de ses succès

Apprendre à parler de ses faiblesses et de ses échecs, c'est ouvrir une porte à laquelle on ne pensait peut-être pas. C'est apprendre à se dévoiler plus généralement, et notamment à être plus à l'aise pour parler de ses forces et de ses succès, sans craindre que cela ne soit l'occasion de faire rejaillir une faiblesse ou un échec caché.

Je peux vous parler de ma passion pour l'équitation sans craindre les questions sur mon palmarès ou mes prouesses en concours hippique : je n'en fais plus et je m'en porte finalement plutôt mieux, car je crois bien que la peur me gâchait le plaisir. Je peux vous parler de ma passion pour le bois, de ma dernière réalisation, une bibliothèque dont je reconnais que je suis assez fier, sans pour autant avoir le sentiment de tricher avec moi-même, de ne chercher qu'à « étaler » ou « faire mousser » quoi que ce soit, juste à partager le plaisir que j'ai eu à réaliser ce projet libéré de tout préjugé toxique.

Cinq recommandations pour procéder à la révélation de soi

1. Se préparer

Pour cela nous pouvons commencer par repérer les situations où l'on évite de se révéler et où cela nous est préjudiciable. Le fait que cela nous soit préjudiciable est important car il ne s'agit pas de tout révéler à n'importe qui et n'importe quand. Il s'agit seulement de révéler ce qui pourra nous aider dans une situation donnée et avec des personnes données. Une fois les situations identifiées, l'examen des pensées qui font obstacle à cette révélation et le développement de pensées alternatives nous aident alors à desserrer le frein et à passer à l'action.

2. Passer à l'action

Se préparer mentalement est une étape indispensable mais insuffisante. C'est en se révélant que l'on apprend à se révéler.

3. Faire simple, progressivement et régulièrement

Il ne s'agit pas de faire des exploits. Il s'agit d'apprendre et de gagner en assurance. Pour cela il est préférable de commencer avec les situations qui nous semblent les plus abordables, avec des personnes de confiance ou au contraire avec des inconnus que l'on ne reverra pas. Cela permet de se familiariser, d'ajuster progressivement son discours. Au début, inutile de se lancer dans de grandes phrases compliquées, nous risquerions de nous embrouiller. Nous pouvons nous contenter d'un simple : « Je suis troublé », « C'est un sujet qui me met toujours mal à l'aise », « Je suis intimidé… » Avec le temps, nous nous rendrons compte :

● premièrement, que nous avons trop souvent tendance à faire compliqué alors que quelques mots simples suffisent ;

● deuxièmement, que nous pouvons développer la technique des « poupées russes » : quelques mots simples que nous énonçons puis reprenons pour développer en apportant quelques détails ou nuances et ainsi de suite par couches successives. C'est une bonne façon d'éviter de s'enliser dans un discours confus, tout en apprenant progressivement à développer un discours plus riche si nécessaire.

4. Ne pas se dévaloriser

Se révéler ne consiste pas à se dénigrer ou à se dévaloriser, ni encore à s'excuser pour une faute qu'on n'a pas commise : « Je suis désolé, je tremble, je rougis, je bafouille, je… c'est toujours pareil, je me trouve nul » n'est pas de la révélation de soi mais de l'autoflagellation ! Si ce sont ces mots qui nous viennent à l'esprit, soit nous n'aurons pas envie de les révéler, soit nous le ferons mais au risque de nous faire plus de mal que de bien. Encore une fois, un simple : « J'en bafouille, je suis ému(e) » peut largement faire l'affaire pour commencer.

5. Se féliciter et persévérer

Il ne s'agit pas de faire à la perfection, pas même de bien faire, mais juste de faire pour apprendre. À chaque fois que nous renonçons à nos vieilles habitudes, ne commençons pas par nous juger, ne commençons pas par nous demander si nous nous y sommes bien pris, commençons juste par nous féliciter de l'avoir fait. Il sera toujours temps de voir ce qui peut être amélioré… la prochaine fois.

Pour en savoir plus, reportez-vous page 268.

15

Dr Gisèle
George

La guerre du « non » : l'autorité entre parents et enfants

L'opposition de l'enfant est un phénomène troublant qui renvoie aux parents une image négative d'eux-mêmes ou de leur éducation. L'enfant, l'adolescent qui dit « non » est souvent perçu comme étant le représentant d'un mauvais « dressage », d'un système social défaillant ou d'un « moi » trop narcissique, mais avant tout d'une mère ou d'un père incompétents dans leur autorité.

Comment l'éviter ? Comment faire ou ne pas faire, dire ou ne pas dire, penser ou ne pas penser ? Faut-il l'envoyer ou non chez un psy ? Y aller soi-même ? Mais surtout, comment endiguer cet immense sentiment de désarroi et d'injustice face à l'ingrat(e) qui se rebelle alors que, depuis sa naissance, nos valeurs de vie se sont centrées sur les siennes, c'est-à-dire sur *son* bonheur au quotidien ? Depuis Rousseau, Freud, mai 1968, Dolto, Super Nanny et même le livre du bon docteur George, de qui, ou de quelle autorité, faut-il s'inspirer afin d'endiguer ces épisodes de conflits mettant à mal le cœur des parents et la sécurité affective du protestataire ?

Thibault ou ma rencontre avec mon premier « non »

Je me souviens de ma toute première patiente, la maman de Thibault, cinq ans. Bien campée dans mon fauteuil en cuir et dans la suffisance que me donnaient mes diplômes, je l'écoutais avec un sentiment d'aberration :
« Voici mon problème, docteur, je n'arrive pas à habiller Thibault le matin. Je vis seule. Son père nous a abandonnés à l'annonce de la grossesse. D'après le "psy" qui le suit

depuis des mois, il ne voudrait pas me quitter le matin, car il serait dans sa période œdipienne et jouerait le "petit homme" de la maison. Je l'ai bien compris, j'ai moi-même fait un travail psychothérapeutique et lu tout ce qui peut s'écrire dans le domaine de la psychologie de l'enfant. Je suis assez tolérante, communicante, et le peu de temps qu'il me reste en dehors de mon travail lui est consacré.

« Seulement voilà, le matin je dois impérativement le déposer à l'école pour 8 h 30 sous peine d'arriver en retard au bureau, de risquer de me faire renvoyer, et j'ai beau le lui expliquer, il n'en fait qu'à sa tête et je dois le courser dans tout l'appartement afin de l'habiller. Il m'arrive parfois de perdre patience et je ne vous cache pas qu'alors, la fessée tombe. On dirait d'ailleurs qu'il n'y a que ça qu'il comprend. Une fois qu'il m'a mise hors de moi, il se laisse faire en pleurnichant et moi je culpabilise et ne sais comment me faire pardonner.

« Je sais bien qu'il faut mettre de l'autorité, que je ne dois pas me laisser faire, que ce n'est qu'un mauvais moment à passer, qu'il fait sa crise. Mais j'en arrive à angoisser tous les matins, je crains le conflit qui survient inexorablement jour après jour. Je crains pour nos relations futures et je me dis que s'il est déjà comme cela maintenant alors l'adolescence sera insupportable. Vous savez, c'est difficile d'élever son enfant seule et parfois à bout de nerfs j'en arrive à penser qu'il me pourrit la vie, qu'il ne m'aime pas, je me surprends même à le détester. En fait, ce n'est pas qu'il affirme haut et fort sa personnalité qui me gêne, c'est cette guerre du non qui nous rend malheureux ! »

La société, juge du « non »

Oh ! Je vous entends penser, chers lecteurs : tant d'exagération et d'émotions pour si peu ! En parlant de Thibault, d'aucuns diraient qu'il s'agit d'un manque d'autorité, d'un enfant au tempérament récalcitrant, d'une personnalité trop affirmée, d'un pervers polymorphe, d'un casse-pieds, d'un trouble du comportement, d'une sale graine, d'un sale gamin qui finira en prison… Sur sa mère, leurs cancans iront bon train : de leur temps, ils savaient les dresser ces gosses-là, il y a des fessées qui se perdent (et d'autres qui doivent être punies par la loi); on ne travaille pas quand on est une mère, elle aurait dû y penser avant; elle doit avoir de drôles de rapports avec les hommes, avec son père notamment… Et je vous fais grâce des hypothèses sociologiques, génétiques, biologiques, héréditaires et des tares transmises à ce pauvre chérubin dont le soi psychique souffrait déjà dans le ventre maternel de l'incompétence et de l'incohérence de ces nouvelles tribus familiales, de la parentalité du IIIᵉ millénaire.

Le « non » qui détisse les liens parentaux

Vous voulez que je vous dise? J'ai pensé la même chose et me suis même offusquée que cette dame ose me déranger, moi, qui me targuais d'être une spécialiste en psychopathologie de l'enfant et de l'adolescent, chef de clinique et tout et tout… (Si elle me lit aujourd'hui, et si elle se reconnaît, je lui présente mes humbles excuses!) Sauf que je n'avais ni réponse ni aide à apporter à cette maman qui avait totalement raison : si elle et son fils allaient bien sur un plan psychologique, nul doute que leur communication affective pâtissait de ces conflits. L'animosité, la culpabilité, l'angoisse détissaient subrepticement le lien d'attachement entre eux, et là, je connaissais bon nombre de pathologies psychiatriques dont on définit l'origine comme étant la résultante d'une déchirure de ce lien d'attachement (J. Bowlby, M. Ainsworth, B. Cyrulnik, B. Pierre-humbert, N. et A. Guedeney). Quels que soient les écoles et les dogmes biologiques, génétiques, psychoanalytiques, cognitivistes, comportementalistes, tous s'accordent à dire que c'est au sein d'un attachement sécurisé qu'un enfant peut développer sa personnalité, construire son soi, s'envisager comme un être existant et pensant dans son environnement et se projeter dans le futur. Chez la mère, certains pensent encore au fameux instinct qui lui permettrait de tout comprendre et de savoir s'adapter à son enfant en toutes circonstances. On le sait maintenant, les neurotransmetteurs vecteurs de cet « amour conditionné par l'ontologie » font vite place à un partenariat consenti et choisi au sein d'une relation singulière entre la mère et l'enfant (T. Brazelton, D. N. Stern, A. Braconnier, A. Naouri).

Or, entre Thibault et sa mère, la relation était subie. Lui ne parvenait plus à lui dire les premières peurs de son enfance : séparation, socialisation, apprentissage, performance, manque de repère masculin… Elle ne trouvait plus les mots pour le rassurer et lui dire de garder confiance, qu'il saurait surmonter toutes ces peurs, qu'elle serait là pour l'aider, qu'elle l'aimait. Débordés par leurs émotions et leurs sentiments, l'enfant et sa mère ne pouvaient plus se parler. Alors, tant bien que mal, ils jouaient une scène, une conduite agie, qui avait pour but illusoire de s'expliquer, de se comprendre, mais n'aboutissait qu'à exacerber leur rancœur de ne plus se trouver, se ressentir, s'individualiser dans le regard bienveillant de l'autre.

Le psy face au « non »

Notre rôle de psy est avant tout de soigner la souffrance, sans jugement, sans référence arbitraire et avec une empathie bienveillante. Comprendre est la base de toute thérapie, et le fait est que ce travail avait déjà été fait. Le dialogue existait entre Thibault et sa mère, mais le comportement du matin persistant, cette dernière avait de moins en moins la patience d'écouter son fils qui, de son côté, devenait de plus en plus provocateur afin de susciter son attention. Déçus tous les deux dans leur quête de communication, ils éprouvaient maintenant du ressentiment l'un pour l'autre. Mes maîtres à penser, mes lectures, mon savoir-faire, mon expérience ne m'aidaient en rien afin d'arrêter cette course folle du matin, ce cercle vicieux, cette guerre du « non » qui entamait chaque jour un peu plus la relation du couple mère-fils.

Comprendre est la base de toute thérapie.

La conclusion devenait alors évidente : il fallait rompre cet orage émotionnel du matin qui semblait ne plus pouvoir être interrompu par des mots apaisants ; chacun devait pouvoir partir le cœur léger vers ses activités du jour. Je me suis alors tournée vers les manuels d'éducation comportementale qui avaient le mérite, pour moi, de mettre fin rapidement au conflit qui n'était plus que virtuel, mais empêchait toute forme d'accès à une communication sereine. Skinner et Magerotte ont ainsi pu m'expliquer ce qui maintenait le comportement d'opposition.

Les deux protagonistes de la bataille avaient en commun une angoisse à l'idée de se séparer afin d'aller vers un monde stressant. En se mettant en colère, ils évitaient cette angoisse car, d'après G. Magerotte, une émotion forte (telle que la colère) en empêche une autre (telle que l'angoisse) de dominer. Ainsi, mère et fils se protégeaient presque instinctivement de leur angoisse par la colère. De plus, Thibaut, en maintenant l'attention de sa mère sur lui, l'empêchait de s'échapper mentalement vers sa journée de travail et sa cohorte de facteurs de stress. Cette conséquence positive pour lui renforçait son attitude et la maintenait (Skinner). À partir de l'enseignement des auteurs cités ci-dessus, R. Barkley a développé des techniques instrumentales faciles d'utilisation au quotidien, permettant de lever rapidement les comportements écrans qui interdisent l'accès à un travail psychothérapeutique.

Grâce à ces auteurs, nous avons développé, avec la mère de Thibault, un jeu lui permettant d'abandonner son comportement d'opposition au profit d'un autre plus valorisant et plus efficace en termes d'atténuation de l'anxiété de chacun. Après quelques jours de ce régime, la matinale était redevenue sereine et la mère et l'enfant ont choisi de s'octroyer un moment le soir pour discuter de leurs activités respectives passées et à venir. Le travail thérapeutique antérieur leur avait permis d'échanger et de se comprendre à nouveau. Le jeu s'est estompé de lui-même, n'ayant plus de raison d'être.

Le « non » symptomatique, comment l'aborder

Cette expérience a beaucoup marqué mon cursus de psychothérapeute. J'avais été conditionnée à ne jamais m'occuper du « symptôme »; je venais de comprendre qu'il fallait d'abord évaluer sa fonction, son retentissement sur le quotidien relationnel familial et sa capacité à entraver une quelconque prise en charge avant de l'ignorer, sous peine de voir entraver le bon déroulement du processus psychothérapeutique.

Je sais que beaucoup de thérapeutes vont m'en vouloir d'authentifier et d'assumer de tels propos : « Comment ! Vous croyez qu'il suffit de stopper un comportement pour qu'il ne revienne pas ? Vous ne faites que le déplacer ! Faire du comportementalisme, c'est comme faire de la gonflette, une fois l'entraînement physique stoppé, les muscles disparaissent… » J'en ai entendu des vertes et des pas mûres ! Il paraît même que choisir d'être thérapeute cognitif et comportemental est le reflet d'un antisémitisme sauvage. Mes grands-parents, qui ont fui les pogroms et se sont cachés durant la guerre, doivent se retourner dans leur tombe. Non, je ne suis pas une renégate, et loin de moi l'idée de rejeter toute forme de psychothérapie. Mais j'ai appris de mes maîtres – R. Diatkine, S. Leibovici, P. Jeammet, A. Braconnier – que, pour faire un travail psychothérapeutique d'*insight* de qualité, il fallait libérer un espace psychique suffisant afin de pouvoir être disponible pour ce travail. Il m'apparaît donc primordial, dans la juste ligne de mes pairs, de lever une symptomatologie tellement bruyante qu'elle obère tout autre accès à un raisonnement pensé et objectif. Je rappelle que Thibault et sa mère avaient suivi une thérapie étiologique de leurs difficultés mais ne pouvaient mettre en place les outils du changement qu'ils souhaitaient, tant leurs conflits ne leur laissaient aucun répit qui leur aurait permis de se lier à nouveau émotionnellement et de façon sécure. Oui, me diront certains, mais est-on sûr que l'on avait été au fond du problème et que sa persistance n'était pas due à des résistances quelconques ? Oui, mais de toute façon, comment le savoir si ce n'est en désamorçant les conflits du quotidien et l'anxiété anticipatrice des deux partenaires qui en découle.

Le « non » protecteur des émotions

N'ayez nul doute, je ne suis pas là pour critiquer l'une ou l'autre des thérapies : des études Inserm (février 1984) ont su montrer leur efficacité dans différents troubles. J'ai surtout compris, avec ma formation de médecin, de thérapeute et mes responsabilités de maman, que chaque type de prise en charge peut et doit se faire selon une logique, une complémentarité, l'évolution du trouble et surtout la singularité du patient et son relationnel avec sa famille, son soi, sa vision du futur, ses valeurs. Il n'existe actuellement aucun processus thérapeutique étudié qui vous garantisse une guérison à 100 % et tout au long de votre vie d'une pathologie quelconque. Pensez-vous réellement que le cerveau humain sera exempt de toute problématique ? Pensez-vous que le fait de bien conduire une voiture vous garantisse à vie que vous n'aurez pas d'accident ? L'anxiété fait partie de nous au même titre que l'amour, la colère, la tristesse. Faudrait-il vous lobotomiser pour être sûr de ne pas souffrir un jour d'un problème dit psychologique, de ces émotions qui certes peuvent être douloureuses mais si humaines ? Je veux bien entendre et croire que, pour un patient, connaître les origines de son histoire lui permettra de mieux vivre avec. Toutefois, si la douleur est trop intense, n'a-t-on pas intérêt à la diminuer plutôt que prendre le risque que le patient s'enfuie dans un espace qu'il croit être protecteur mais où il risque de s'empêtrer dans une autre problématique plus supportable ? C'est ce qu'avaient fait Thibault et sa mère. Les ramener en douceur vers les vrais problèmes leur a permis de les surmonter ensemble par une communication à nouveau consentie et dans une confiance mutuelle retrouvée.

Le « non » des parents

Tout au long de mes années d'exercice, j'ai perdu de ma superbe, tout comme mon discours pontifiant sur les parents pathogènes qu'il fallait laisser en dehors de la prise en charge. Si l'accès à la parole des jeunes doit rester protégé par le secret médical, je suis maintenant persuadée que leurs parents sont les meilleurs acteurs en ce qui concerne leurs soins, leurs besoins, leur bien-être. Sans une bonne alliance thérapeutique avec eux, l'enfant ne peut mettre en place les outils de son mieux-être. Il se retrouve en conflit de loyauté entre le thérapeute et sa famille, et il est normal qu'il préfère rétablir avant tout la communication au sein de sa parenté.

Ma façon de travailler a donc évolué. Dans un premier temps, j'essaye d'établir une collaboration avec les parents. Au lieu de chercher immédiatement ce qu'ils n'ont pas fait et/ou ce qu'ils auraient dû faire, je m'acharne à leur faire retrouver leurs compétences actuelles, celles qui leur ont donné le courage de passer ma porte et de demander de

Sans une bonne alliance thérapeutique avec les parents...

l'aide pour le bien-être de leur enfant. Qu'ils soient épuisés, en colère, angoissés, en discorde parentale, ils arrivent toujours à accepter de reconnaître qu'il n'est pas toujours aisé d'être un « bon parent ». Mais y a-t-il de « bons enfants » (et des thérapeutes parfaits) ? Je dirais plutôt qu'il y a une « familialité », c'est-à-dire un réseau très particulier et singulier dont les liens se tissent dans une « bien-traitance » infantile et une « bien-traitance » parentale. Aider les parents sans les culpabiliser, c'est les reconnaître comme porteurs d'un projet d'autonomisation infantile qui n'est pas si facile à accomplir. Faire comprendre à un enfant que bien traiter ses parents, c'est aussi bien se traiter et mieux se construire. À l'inverse, bien traiter à nouveau un enfant dans l'amour et l'empathie permet aux parents de se sentir à nouveau investis dans leur parentalité. La symptomatologie bruyante, provocatrice, anxiogène, irritante, blessante, épuisante d'un trouble psychopathologique amène à tout coup une maltraitance familiale. L'émotion est telle que les mots deviennent méchants, hargneux, culpabilisateurs, vexatoires, entamant systématiquement le lien d'attachement qui unit les protagonistes et les laissant impuissants, emportés dans une violence verbale et/ou physique dévastatrice. C'est toujours dans ces moments-là que les parents consultent, contraints par la reconnaissance du cataclysme familial ou fermement encouragés par d'autres acteurs de soins de l'enfant. C'est toujours dans ces moments-là que des chercheurs les ont évalués et, face à l'intensité et l'ambivalence de leurs émotions, en ont conclu qu'ils devaient être iatrogènes, que si on ne les séparait pas de leur enfant, son cas s'aggraverait. Mais ces chercheurs, que connaissaient-ils des émotions parentales avant que le trouble apparaisse et les déboussole ? Je prends le parti de dire que s'ils n'avaient pas craint d'être jugés aussi sévèrement par les psys et la société, que s'ils avaient eu accès à une guidance psychoéducative (plutôt que psychoculpabilisatrice), les parents seraient venus plus tôt demander de l'aide pour éviter une maltraitance familiale qui aboutit à une souffrance chronique et à des pathologies sévères de l'adulte (rapport Inserm sur les troubles des conduites, septembre 2005).

... l'enfant ne peut mettre en place les outils de son mieux-être.

Le « non » dans la psychologie du quotidien

Grâce à Thibault, sa mère et de nombreux parents d'enfants opposants que j'ai suivis depuis, j'ai découvert qu'il existait une psychologie du quotidien, celle qu'intuitivement tout un chacun utilise afin de faire face aux conflits, aux peurs, aux inquiétudes des enfants qui inévitablement émailleront leur développement. Cette « débrouillardise » est la plus fréquente des thérapies, et je suis sûre que, s'il s'avérait nécessaire de l'évaluer, elle serait la plus efficace, car il n'y a pas de meilleurs thérapeutes d'enfants que leurs propres parents. J'ai eu maintes fois l'occasion de l'utiliser face aux bêtises de ma fille. Je suis comme vous, elle arrive toujours à susciter des émotions chez moi et à m'entraîner dans un conflit que je n'aurais pas souhaité. Vous, vous entendez sûrement : « Les parents des autres sont toujours mieux que vous », ou « Je ne t'aime pas, maman » ; moi, j'ai régulièrement droit à : « Ça marche avec tes patients mais pas avec moi », ou « Je ne comprends pas ! Tu t'occupes mieux de tes patients que de moi… »

Je voudrais vous transmettre la technique que j'ai utilisée avec la maman de Thibault, mais aussi avec ma fille et avec des centaines d'autres patients. De nombreux thérapeutes l'utilisent maintenant afin de lever cette symptomatologie qui empêche tout le monde d'y voir clair. Je souhaite ici les remercier, car je sais qu'ils ont eu les mêmes questionnements que moi sur notre éducation psychothérapeutique et ont choisi de faire confiance aux parents et à des techniques complémentaires qui n'ont pas toujours bonne presse auprès d'une certaine *intelligensia*. Le jeu des points est maintenant largement connu et utilisé. Je vous dévoile ici la version la plus récente. Depuis une dizaine d'années que les parents l'utilisent, ils y ont apporté des modifications qui se sont révélées tout à fait pertinentes et efficaces au quotidien.

Le jeu des points ou comment transformer un « non » en « oui »

Avec votre enfant, fabriquez un tableau semainier où vous allez faire figurer une série de consignes qui doivent être réalisées.

	Lun.	Mar.	Mer.	Jeu.	Ven.	Sam.	Dim.
Faire son lit							
Se mettre à ses devoirs de 17 à 18 heures							
Faire répéter les demandes trois fois maximum							
Préparer son cartable le soir							
Se laver les dents							
Téléphoner moins de dix minutes							
Divers							
Total							

Mode d'emploi

Si votre enfant n'est pas en âge de lire, vous pouvez dessiner ou coller des images correspondant au comportement que vous souhaitez valoriser.

● Lorsque votre enfant applique la consigne du jour
– Mettez un point dans la case correspondante (collez une gommette ou donnez un jeton) en faisant des commentaires positifs ;
– N'hésitez pas à manifester votre plaisir.

● Lorsque le comportement n'est pas réalisé
Ne faites pas de commentaire et si possible laissez la case vide. (Toutefois, afin d'éviter toute tricherie, vous pouvez combler la case avec une autre couleur, mais toujours sans commentaires.)

● Devenez des chasseurs de points
Vous pouvez ajouter des points lorsque votre enfant fait quelque chose d'inhabituel qui vous fait plaisir, comme obtenir une bonne note en classe, rendre un service spontanément, etc. Recherchez toute situation ou tout comportement que vous pouvez valoriser et ajoutez autant de points que vous voulez dans la case.

Les bilans de fin de semaine

Selon la somme obtenue, votre enfant pourra échanger ses points contre les plaisirs de la vie quotidienne qu'il désire avoir en choisissant sur un catalogue (établi au préalable).

Ne comptez et ne valorisez que les points obtenus. En effet, donner de la valeur aux cases vides, et donc au comportement oppositionnel, risque de le renforcer au lieu de l'éteindre.

En vue de l'échange des points, vous aurez au préalable préparé avec votre enfant un tableau de plaisirs (renforçateurs positifs).

Les trois types de renforçateurs

● **Les renforçateurs « consommables »** : friandises, cadeaux, etc.

● **Les activités** : aller au cinéma, au parc de loisirs, regarder la télévision, jouer sur l'ordinateur, etc.

Ces deux types de renforçateurs ont un effet immédiat sur le plaisir d'avoir su appliquer une consigne, mais leur effet est à court terme. C'est la carotte !

● **Les renforçateurs sociaux** : félicitations, sourires, baisers, etc. Ces derniers, c'est-à-dire les différentes formes de satisfaction que vous manifesterez à chaque fois que vous mettrez un point, sont les plus importants et les plus efficaces à long terme. Les récompenses matérielles ont un effet immédiat, mais c'est votre plaisir exprimé qui aide au prolongement et au maintien des efforts. Alors, n'hésitez pas à complimenter chaque fois que vous le pourrez les moindres tentatives de changement de comportement de votre enfant.

User et abuser des compliments

Lorsque nous avons parlé de psychologie de l'apprentissage, nous avons vu l'importance des renforcements positifs : un enfant choisit un mode de réponse et observe les conséquences sur son entourage ; si elles sont positives, il aura tendance à réitérer son comportement. Un grand nombre d'études l'ont montré, ce n'est pas l'obtention d'un point ou d'une récompense qui est le plus efficace en éducation mais les commentaires positifs (les compliments) que vous faites lorsque vous complétez le tableau de consignes. Il est indispensable que vous utilisiez le plus souvent possible, et pas seulement dans le cadre du jeu des points, ces renforçateurs sociaux que nous appelons compliments. Leurs avantages sont nombreux. Les principaux sont les suivants :

Satisfaire un besoin commun aux petits et aux grands

Tout le monde aime les compliments. En manifestant de manière audible la satisfaction et la joie que vous éprouvez, vous valorisez votre enfant et vous le rassurez sur ses compétences. Vous pensez souvent qu'il sait que vous êtes content mais, en termes de communication, il est important qu'il l'entende.

Montrer que vous voyez les efforts et les progrès de votre enfant

Vous l'encouragez ainsi à poursuivre (conséquence positive).

Faire plaisir et améliorer vos relations

Plus vous parlerez avec votre enfant de ce qu'il fait de bien et meilleurs seront vos rapports.

Indiquer clairement et de façon positive ce qui vous est agréable.

Il est beaucoup plus efficace de féliciter votre fils (fille) parce qu'il (elle) a mis la table que de le (la) disputer parce qu'il (elle) ne l'a pas fait.

Aider votre enfant à mieux connaître vos demandes et vos sentiments

Plus vous parlez de vos désirs, plus vous exprimez vos sentiments et plus il est facile pour votre interlocuteur de savoir à qui il a affaire et d'agir pour vous satisfaire.

Encourager la communication

Nous avons assez insisté sur le fait que l'opposition est avant tout un trouble de la communication. L'opposant parle mais de façon paradoxale et souvent incompréhensible pour l'entourage qui se sent rejeté ou entre dans des conflits qui ne résolvent pas les problèmes. Lorsque vous vous exprimez, vous montrez à votre enfant que l'utilisation du langage est plus efficace que l'opposition pour améliorer les échanges entre les personnes.

Avoir moins de critiques à faire

Si vous dites régulièrement ce qui vous plaît, vous laissez ainsi sous-entendre que le contraire ne vous plaît pas. Vos critiques sont alors plus crédibles et mieux acceptées.

L'heure des récompenses

Faites une liste de *tous* les plaisirs de la vie quotidienne de votre enfant. J'insiste sur le *tous*. Fixez ensuite selon vos principes éducatifs leur tarif en points.

La liste des activités plaisantes de la vie quotidienne

Déterminez le nombre de points nécessaires afin d'utiliser jeux, télévision, ordinateur, PlayStation, DS, portables et autres médias. Tant de minutes = Tant de points.

N'hésitez pas à fixer le tarif de manière tout à fait arbitraire, c'est-à-dire selon vos choix et vos principes éducatifs. Je gage, par exemple, que la minute télévisuelle avant les devoirs accomplis sera beaucoup plus chère que la minute après ceux-ci.

Usez de la même méthode pour toutes les activités favorites de votre enfant. Ainsi, à chaque fois qu'il vous demandera quelque chose, ne refusez plus, ajoutez la nouvelle demande à la liste des plaisirs et donnez sa valeur en points.

Attention : vous êtes absolument libre de refuser une demande si elle est contraire à vos principes éducatifs, mais vous devez, dans ce cas, expliquer votre position. Vous pouvez aussi, si vous ne souhaitez pas vraiment accéder à une demande, proposer un prix inatteignable.

La liste des consommables de la vie quotidienne

Utilisez les mêmes principes pour le plaisir : la pâte à tartiner du matin, les frites (plutôt que les légumes), les bonbons, le pain au chocolat à la boulangerie…

Vous pouvez y intégrer l'argent de poche qui, dorénavant, s'échangera lui aussi contre des points, les abonnements à des revues plaisantes, etc.

La liste de cadeaux

Vous pouvez accéder aussi à des récompenses sous forme de cadeaux, mais ceux-ci doivent être assez chers et nécessiter que l'enfant fasse des économies en points afin de les avoir.

Tableau de plaisirs

0 à 100	101 à 300	Au-delà de 300
Regarder la télé 1 heure	Regarder la télé avant les devoirs	Nouvelle DS Lite
Jouer à l'ordinateur pendant 1 heure	Vêtements	
Jouer au lieu de débarrasser la table	Baskets Décathlon	Baskets de marque
Inviter un(e) ami(e) à déjeuner	Inviter un(e) ami(e) à dormir	Inviter 2 ami(e)s à dormir
Bonbon (10 bonbons = plus cher)	Aller au cinéma	
Des biscuits ou du Nutella au goûter	Faire des gâteaux	
Attendre 10 min pour faire ce qu'on demande		
Abonnement téléphonique	Abonnement téléphonique	Abonnement téléphonique
Argent de poche		

Utilisez les principes du jeu des points avec tous les enfants de la fratrie. Vous éviterez ainsi la stigmatisation de l'« enfant problème » et régulerez du même coup les conflits d'organisation autour de l'ordinateur ou de la télévision.

Au fil des semaines

● Programmez les plaisirs choisis et échangés en points pour la semaine suivante. Cette planification est particulièrement importante pour les enfants qui ont du mal à différer leurs demandes.

● Chaque semaine, un nouveau tableau sera négocié avec l'enfant.

● Augmentez vos demandes en qualité et en quantité. Il vaut mieux faire les choses progressivement. Ainsi, si vous voulez obtenir le rangement régulier de la chambre alors que votre enfant opposant n'a jamais rien rangé, commencez la première semaine par lui demander de faire son lit puis, la semaine suivante, demandez-lui de faire son lit et de ranger son bureau.

	Lun.	Mar.	Mer.	Jeu.	Ven.	Sam.	Dim.
Faire son lit et ranger ses affaires							
Se mettre à ses devoirs de 17 à 18 heures et les terminer							
Faire répéter les demandes une fois maximum							
Préparer son cartable le soir et ses affaires							
Se laver les dents et ranger sa serviette							
Téléphoner moins de dix minutes et mettre la table							
Divers							
Total							

Si vous remarquez qu'une rubrique a peu de points, vous devez vous poser un certain nombre de questions :

● Ma consigne est-elle compréhensible ?

Évitez les formules trop vagues comme : « Doit travailler », « Doit ranger », « Doit être sage ». À chaque fois, vous devez expliciter ce que vous attendez de votre enfant : les comportements mentionnés dans le tableau doivent tous être observables ou mesurables (le lit est fait ou pas ; les devoirs commencent ou ne commencent pas à 17 heures, etc.). En indiquant précisément à votre enfant ce que vous attendez de lui, vous éviterez les désaccords qui tiennent à l'appréciation très différente qu'ont les enfants et les adultes des mêmes termes.

● Ma consigne est-elle applicable par mon enfant ?

Vous devez toujours tenir compte de l'âge et du niveau de développement atteint lorsque vous choisissez une consigne. Votre enfant peut très bien ne pas être à ses devoirs à 17 heures parce qu'il ne sait pas encore lire l'heure. Adaptez vos demandes à ses compétences et à ses apprentissages.

● Ma consigne n'est-elle pas trop difficile ?

Votre enfant n'a jamais rangé quoi que ce soit, et vous lui demandez maintenant de ranger sa chambre tous les jours ! Procédez autrement, par étapes : d'abord le lit ; puis le lit et les vêtements ; puis le lit, les vêtements et les jouets, etc. S'il vous fait répéter dix fois les choses, commencez par « faire répéter dix fois maximum », puis diminuez progressivement.

● Qu'en pense mon enfant ?

Cherchez toujours avec votre enfant les raisons de l'échec. Pour ce faire, demandez-lui pourquoi il a peu de points dans la rubrique. C'est plus encourageant, et vous lui montrerez ainsi que vous ne vous intéressez qu'à sa réussite. Interrogez-le sur les stratégies qu'il a mises en place pour réussir la consigne. Essayez de voir avec lui comment les améliorer et les rendre plus efficaces. Si vous arrivez à discuter ensemble des éventuels problèmes, alors vous avez réussi l'un des objectifs principaux que vous vous étiez fixés dès le départ : communiquer de nouveau avec votre enfant et comprendre les difficultés sous-jacentes qui sont à l'origine de son comportement oppositionnel.

Quelques règles pour bien jouer le jeu

● Les activités sportives ou les loisirs hebdomadaires ne doivent pas faire l'enjeu de négociations. Ils sont nécessaires car ils permettent à votre enfant de souffler un peu. Ils favorisent l'expression corporelle souvent limitée durant le temps scolaire, ils améliorent la socialisation. Ils valorisent de nouvelles formes de comportements, ouvrent l'esprit, offrent une application à ce qui a été appris à l'école. Les enfants scolarisés ont besoin de ces temps d'expression libre qui souvent améliorent leurs capacités d'apprentissage. Ne les supprimez pas.

● Ne refusez jamais de procéder à un échange sous prétexte que votre enfant a été particulièrement odieux ce jour-là. Les points ont été gagnés grâce à l'application de consignes que vous aviez appréciées. Si vous les retirez parce que votre enfant a une attitude inadéquate, vous détruisez ses efforts antérieurs. Si un comportement vous est insupportable ce jour-là, vous avez néanmoins la possibilité de donner un coût en points à l'action qui vous aura déplu. Ce coût sera imputé à la somme globale des points en fin de semaine

● Les deux premières semaines, faites gagner votre enfant ! Inscrivez en rubrique des comportements qu'il sait déjà faire mais qu'il n'applique pas régulièrement. Ainsi vous l'encouragerez et lui montrerez que votre tableau n'est pas punitif mais qu'il évite les conflits et permet d'obtenir des récompenses. Ces quinze jours doivent principalement vous permettre d'apprendre à bien utiliser le jeu des points et à négocier avec votre enfant.

● N'hésitez pas à faire jouer vos autres enfants s'ils le souhaitent. Souvent, les frères et sœurs d'un opposant demandent eux aussi à jouer. Pourquoi pas ? Si les disputes fraternelles sont fréquentes, pensez à insérer la rubrique « X disputes par jour maximum » dans chaque tableau. Vous verrez alors vos enfants se débrouiller entre eux pour éviter les conflits et obtenir des points.

● N'offrez rien avant que le nombre requis de points ne soit atteint. Une fois le barème des récompenses négocié et accepté, vous ne devez plus céder. S'il manque quelques points pour atteindre la valeur d'un plaisir, attendez jusqu'à l'obtention du prix négocié. Votre tableau n'aura de valeur qu'à ce prix. Si votre enfant sait qu'il peut avoir ce qu'il veut en vous faisant craquer, il ne fera plus aucun effort.

● Ne menacez jamais de mettre des points négatifs.

ADAPTEZ LA MÉTHODE

Le jeu des points est une méthode élaborée par des professionnels. Cependant, elle sera encore plus efficace si vous savez l'adapter à votre enfant – que vous connaissez mieux que personne – et à vos principes. Mélangez les « trucs » des professionnels et ce que vous dicte votre intuition personnelle. C'est ainsi que vous aurez les meilleurs résultats. En effet, l'idée est de permettre à votre enfant d'exprimer sa personnalité selon une modalité acceptable par son environnement et en même temps bénéfique pour lui.

Si cette personnalité vous inquiète ou vous paraît « pathologique », le système des points vous aidera à préciser vos craintes quand vous irez consulter un thérapeute.

Récapitulons

Le système des points doit vous permettre d'éviter les conflits et les punitions qui donnent souvent des remords aux parents et ne font pas changer l'enfant. C'est une méthode efficace, simple, valorisante, et qui présente de nombreux avantages à court ou à long terme.

Principes	Avantages
Renforcer les réponses adaptées	Valoriser et récompenser les efforts fournis
Supprimer les conséquences négatives	Diminuer les conflits et les punitions
Éteindre le comportement problème	Ne pas donner de valeur à l'opposition
Autonomiser l'enfant	Donner à l'enfant le choix de sa réussite
L'aider à mettre en place des stratégies pour arriver au but	Donner à l'enfant l'envie de réussir
Échanger l'opposition par le dialogue	Communiquer avec l'enfant
Anticiper l'avenir	Maintien à long terme des apprentissages
Faire comprendre les principes éducatifs	Donner les valeurs nécessitées par la vie en société

Très vite, vous serez surpris par les capacités que votre enfant va mettre en œuvre et par les progrès qu'il réalisera. Et vous découvrirez tous ensemble une autre forme de communication fondée sur la négociation et non plus sur le conflit !

Que faire en cas d'urgence ?

Ce système est de loin le plus efficace pour faire disparaître les manifestations d'opposition au profit d'un dialogue permettant de résoudre les problèmes par une communication efficace et bénéfique pour les deux parties. Toutefois, il existe des moments où, même avec la meilleure volonté du monde, il est très difficile de rester « zen » face à la provocation de l'enfant opposant. Lorsque votre seuil de tolérance est dépassé ou que l'urgence de la situation le nécessite, il est clair qu'il faut agir, c'est-à-dire punir. Dans la théorie de l'apprentissage, les punitions sont appelées « conséquences négatives ». Il en existe de trois sortes :
● les premières permettent la disparition du comportement dans l'immédiat mais aussi dans l'avenir ;
● les deuxièmes répondent à l'urgence mais n'effacent pas le problème à plus long terme ;
● les troisièmes fixent les limites à ne pas dépasser.

Première solution : supprimez les bénéfices

On distingue deux types de procédures selon que le retrait des bénéfices est temporaire ou permanent. Dans le premier cas, vous allez empêcher votre enfant, pendant un temps donné, d'obtenir des bénéfices (renforçateurs positifs) : c'est ce qu'on appelle la mise à l'écart (ou time out). Dans le second cas, vous allez retirer définitivement des bénéfices que votre enfant avait précédemment gagnés.

La mise à l'écart de l'enfant : principe

Lorsque vous sentez que votre colère gronde et que vous n'allez pas tarder à perdre votre calme, nous vous proposons d'intervenir en faisant sortir l'enfant de votre champ d'action et d'écoute. La mise à l'écart consiste à envoyer votre opposant dans un endroit de la maison très ennuyeux (couloir ou salle de bains). Ce local ne doit pas être effrayant, donc pas de cave ni de placard noir, s'il vous plaît ! Vous pouvez aussi tout simplement mettre votre enfant à la porte de l'endroit où vous vous trouvez ou bien vous enfermer dans une pièce agréable dont vous lui interdirez l'accès.

Attention : cette mise à l'écart doit se faire sans cris et sans longues explications. Vous aurez toutefois prévenu votre enfant de la façon dont vous risquez de réagir s'il persiste dans son comportement.

La durée de la mise à l'écart est variable, d'une à cinq minutes, rarement plus de quinze, et il est préférable de la fixer à l'avance. Plus l'enfant est jeune, plus elle doit être courte.

Si votre opposant persiste dans son comportement alors qu'il est en période de *time out*, ne commencez à chronométrer qu'à partir du moment où il cesse son opposition.

La mise à l'écart temporaire de votre enfant introduit un changement dans l'environnement (conséquence négative). Toutefois, comme la procédure d'extinction (conséquence neutre), elle vise à obtenir la disparition définitive du comportement.

Quelle attitude adopter, quelles précautions prendre ?

● **Ne vous inquiétez pas si votre enfant ne se calme pas tout de suite**

C'est normal. Vous risquez même de le voir augmenter l'intensité de son comportement dans le but de vous faire réagir. Ne soyez pas étonné par sa violence verbale et par les noms d'oiseaux dont vous serez affublé. Si c'est trop pénible, branchez la radio, écoutez votre lecteur de musique ou profitez de l'occasion pour téléphoner à votre meilleur(e) ami(e).

● **Ne laissez pas d'objets précieux à portée de main**

Pensez bien à cacher votre merveilleux vase de Chine ou le cristal de votre grand-mère : ils ne résisteraient pas à la colère de votre enfant. D'ailleurs, en règle générale, plus vous aimez un objet et plus il risque d'être malmené (pour vous faire céder, bien évidemment).

● **Supprimez tous les facteurs qui pourraient vous faire « craquer » par peur**

Fermez les portes et les fenêtres, ne tenez pas compte des réflexions des voisins, cachez les objets dangereux. Compte tenu de ce que nous venons de dire, le couloir est une pièce idéale pour le *time out* : il y a peu de meubles, peu d'objets dangereux et rarement de fenêtres.

● **Ne cédez pas à la culpabilité**

Certains enfants peuvent persister dans leur comportement jusqu'à une ou deux heures après le début de la mise à l'écart. Durant ce temps-là, votre colère à vous va baisser et éventuellement faire place à de la culpabilité. Vous aurez alors envie de tout arrêter et d'aller consoler votre chérubin. Mais cette réaction aurait un effet renforçateur immédiat et si vous avez à affronter de nouveau le même problème, il faudra attendre encore plus longtemps pour que votre enfant se calme.

Notez bien : les enfants savent très bien que les mamans craquent plus facilement que les papas. Aussi ont-ils une réaction d'autant plus forte qu'elle s'adresse à leur mère. Nous vous conseillons donc, mesdames, de ne pas être seules lorsque vous pratiquez la mise à l'écart. La présence du père vous rassurera et l'enfant sera plus facilement calmé.

● **N'oubliez pas de faire exécuter la consigne après la période de mise à l'écart**

Lorsque vous aurez attendu le temps prévu, demandez à votre enfant d'exécuter la consigne qui a été à l'origine de son comportement opposant.

● **N'allez pas imaginer le pire**

La plupart des parents sont d'abord réticents. Ils craignent que leur enfant mis à l'écart ne casse les portes, hurle ou se mette en danger. En fait, ils s'aperçoivent bien vite que la colère exprimée est rarement au niveau de ce qu'ils avaient craint. En outre, une fois que votre enfant aura constaté que vous ne cédez pas, il va devoir adopter un autre mode de communication pour obtenir votre attention, vous verrez alors la durée de la mise à l'écart diminuer progressivement et rapidement.

● **N'envoyez jamais votre enfant dans sa chambre**

Soit il l'adore, et au lieu de supprimer un agent renforçateur vous lui donnez l'occasion de se soustraire à une consigne pour retrouver ses jouets. Soit sa chambre devient un lieu punitif où il va désormais refuser de jouer, de faire ses devoirs et, surtout, de s'endormir (l'endroit étant devenu trop angoissant).

Donner une amende ?

À la suite de comportements que l'on souhaitait voir disparaître, l'enfant doit rendre des renforçateurs gagnés précédemment, suivant un tarif fixé au préalable et connu des deux parties. En cas d'opposition insupportable, vous allez plus loin : vous retirez directement des points du tableau. L'enfant comprend ainsi que son comportement a un « coût », qu'il est tenu de « payer » à l'aide de ses points. Même si elle fait bien comprendre à l'enfant la valeur de son action, cette méthode est un peu plus discutable et risquée. Si elle est appliquée trop régulièrement, votre enfant pourrait renoncer à faire des efforts, dès lors que leur bénéfice peut être annulé par le coût des dérapages.

Deuxième solution : les traditionnelles punitions

Il s'agit de présenter un *stimulus* aversif immédiatement après l'émission du comportement inadéquat. Ces *stimuli* sont appelés « primaires » lorsqu'ils font appel à l'agressivité (fessée, gifle, etc.) et « sociaux » lorsqu'ils passent par un discours élaboré (réprimandes, sermons, critiques, etc.). Ils existent dans la vie courante. Le jeune enfant expérimente vite que s'il prend le jouet de son camarade, il va recevoir un coup, que s'il laisse ses doigts dans l'entrebâillement de la porte, il va se faire pincer. Les parents utilisent depuis la nuit des temps cette méthode aversive. Elle a l'avantage de mettre un terme rapidement à une situation insupportable, mais elle n'a aucun effet d'apprentissage sur le long terme.

À UTILISER À BON ESCIENT

La punition fait du bien à celui qui la donne et met rapidement un terme à une situation d'urgence. Cependant, elle ne doit être réservée qu'à des moments de tension extrême ou aux cas de danger immédiat pour l'enfant.

Elle doit être distribuée de manière parcimonieuse si l'on veut qu'elle reste efficace à l'avenir.

Le revers de la punition traditionnelle est qu'elle n'a aucune efficacité pour le changement à long terme du comportement de votre enfant. Tous les parents le savent : ce n'est pas parce qu'un enfant a été puni ou a été réprimandé qu'il ne renouvellera pas sa bêtise dans les jours ou les heures qui suivent. N'en abusez jamais. Cette méthode comporte un risque important d'habituation.

Troisième solution : les menaces

Ne menacez jamais d'une chose que vous ne ferez pas.

La menace vise à empêcher l'apparition du comportement indésirable en prévenant l'enfant de la conséquence de ses actes. Elle lui permet de connaître vos attentes et votre réaction en cas de déception, elle fixe les limites qu'il ne doit pas dépasser. Elle a donc une action préventive sur la réponse. L'utilisation de menaces ne sera efficace que si vous respectez les termes de votre contrat.

Soyez certain que vos enfants vérifieront si vous êtes capable de les appliquer. Ils testeront votre crédibilité et vous serez obligé, même si vous n'en avez pas envie, d'être coercitif. C'est à ce prix que vos enfants respecteront vos consignes éducatives.

Ne menacez donc jamais d'une chose que vous ne ferez pas ou qu'il est impossible de réaliser.

Conclusion

Dans ces dernières pages, j'espère vous avoir convaincus de ma sincérité lorsque je vous écris que je me sens fière et cohérente dans ma démarche d'écrire un chapitre dans ce livre collectif de « psychologie du quotidien ». Depuis maintenant plus de dix ans, je m'inscris dans cette logique et les parents qui me lisent trouvent dans mes livres des outils qu'ils s'attribuent et qui leur permettent de créer cette collaboration si précieuse pour m'aider dans le travail que j'ai à accomplir avec leur enfant souffrant. À vous parents de stopper l'escalade symptomatique, dévastatrice de la familialité, à moi de travailler plus directement, plus confidentiellement, mais plus activement sur les origines du trouble de l'enfant. Le jeune ne se retrouve plus en conflit de loyauté mais entouré d'adultes qui combinent leur savoir-faire et leurs connaissances afin qu'il retrouve le chemin de son bien-être.

Pour en savoir plus, reportez-vous page 268.

Savoir écouter
avant d'agir

16

Dr Gérard
Macqueron

Au cours de mes consultations quotidiennes de médecin psychiatre et psychothérapeute, j'ai pris conscience d'un certain mode relationnel qui m'a amené à appréhender différemment la relation à l'autre dans ma vie personnelle. Je souhaiterais vous le faire partager.

Qu'est-ce que l'écoute ?

Dans le cadre de mes études de médecine, j'ai appris à poser un diagnostic précis, afin de soigner, sinon guérir, le patient en supprimant le mal à l'origine de la plainte. Si bien que, face à des patients en fin de vie ou à des personnes atteintes d'un handicap lourd et irréversible, ma fonction me paraissait illusoire, il n'y avait littéralement « rien à faire » puisque l'évolution était connue et irrémédiable. C'est alors que j'ai réalisé que ma présence était importante même si je ne faisais « rien » pour empêcher cette évolution fatale. Ce « rien » était en fait de l'accompagnement, du soutien, qui consistait essentiellement en une écoute empathique et réconfortante.

Quand le mieux devient l'ennemi du bien

Plus tard, dans ma pratique de psychothérapeute, je me suis aperçu que la démarche médicale, *a priori* bienveillante, consistant à faire disparaître à tout prix les symptômes était parfois inefficace, inutile, voire contre-productive pour l'équilibre général du patient. La tentation d'agir rapidement pour soulager le patient en prescrivant un psychotrope, en donnant des conseils pertinents pour le sortir d'affaire, en avançant une interprétation apaisante mais hâtive – pour me rassurer ? – n'apportait bien souvent pas de résultats probants, ou ces derniers étaient de courte durée. À l'extrême, parfois, d'autres problèmes plus complexes surgissaient. En outre, certains patients devenaient progressivement dépendants des médicaments ou du psy que j'étais. Ils attendaient que je règle leur problème mais restaient passifs, sans chercher d'eux-mêmes les moyens de s'en sortir. Quoique soulagés, ils ne parvenaient pas à s'approprier les bénéfices du traitement et évoluaient peu. Progressivement, j'ai réalisé qu'en dépossédant ces personnes de leur mal de vivre, certes, je les soulageais, mais en contrepartie je les déresponsabilisais car elles ne développaient pas de nouvelles stratégies pour changer intérieurement et évoluer. Au lieu de les écouter attentivement, de reformuler leurs pensées, de leur faire prendre conscience des conséquences de leurs actes pour les faire réfléchir sur elles-mêmes afin qu'elles se découvrent, se connaissent et se construisent, j'étais concentré sur les moyens que je pouvais leur proposer pour dissoudre leur mal-être et, *in fine*, c'était comme si je pensais et agissais à leur place.

Comment intervenir avec autrui à bon escient ?

Cette prise de conscience a aussi influencé ma façon d'appréhender la relation à l'autre d'une manière plus générale : j'ai compris et accepté qu'agir systématiquement pour réduire la souffrance d'autrui n'est pas une attitude aussi bénéfique qu'on pourrait le croire. Bien entendu, cela ne signifie pas pour autant qu'il faille laisser autrui se désespérer, souffrir moralement et psychiquement sans réagir. Il s'agit de trouver la juste mesure, l'attitude délicate qui permet d'intervenir à bon escient sans se substituer à l'autre ni le laisser sombrer dans le désarroi par notre silence ou notre distance.

Et cette position passe par l'écoute. Une écoute attentive qui autorise le patient à se laisser aller à verbaliser, à s'entendre parler, à prendre conscience de ce qu'il exprime et à l'intégrer. Or cela peut se réaliser, mais sans précipitation, en prenant le temps d'écouter le patient avant d'agir pour le guider pendant qu'il cherche son chemin, l'accompagner pour qu'il se réalise.

Pour résoudre un problème, prendre le temps d'écouter est parfois plus utile que d'agir. En effet, en voulant protéger l'autre de tout mal-être intérieur, le soulager de toute souffrance, nous abîmons parfois chez lui des désirs enfouis et méconnus. En agissant à sa place, nous refusons de partager ses émotions, de le considérer à part entière. Or de nombreux problèmes relationnels naissent de cette volonté de soulager ou d'épargner l'autre d'une souffrance inutile. J'aimerais ici évoquer comment, dans la vie de tous les jours, ces comportements fréquents induisent des problèmes relationnels, alors même qu'ils sont motivés initialement par la volonté d'améliorer la relation à l'autre.

Nos attitudes au quotidien sont-elles aussi bénéfiques que nous le pensons ?

Se taire quand la parole pourrait libérer

Régulièrement, je vois en consultation des patients qui n'osent pas exprimer l'insatisfaction qu'ils ressentent dans leur couple par crainte de blesser leur conjoint, des parents qui cachent à leurs enfants les sévices qu'ils ont subis dans leur propre enfance pour ne pas les inquiéter, d'autres qui masquent les défaillances d'un proche pour protéger la famille… Tous ces comportements ont un seul et même but : agir afin de ne pas envenimer une situation déjà critique. Pourtant, mentir pour éviter une discussion, cacher des souvenirs personnels inacceptables, camoufler une vérité douloureuse à entendre incitent à douter ensuite de l'authenticité de la parole énoncée, favorisent les secrets de famille, développent les sujets tabous et, *in fine*, empêchent de parler librement. Et quand il n'y a plus de libre circulation des idées, chacun se tait, chacun se replie sur lui-même. On devient des étrangers qui vivent ensemble.

Vouloir tout dire pour ne rien cacher

Inversement, certaines personnes ayant souffert de secrets de famille lourds à porter, de parents peu attentifs ou peu fiables, d'un manque d'affection et de considération dans leur enfance adoptent parfois une attitude opposée en se confiant à leurs proches, notamment leurs enfants, sans aucune retenue. Elles souhaitent par là entretenir une relation de totale franchise afin que tout se sache et que rien ne soit caché. Mais en agissant ainsi, elles ne respectent pas les limites psychiques, l'intimité de leur interlocuteur, elles ne se préoccupent pas de ce que l'autre peut entendre ni de l'impact émotionnel éventuel de leurs révélations. L'enfant n'est pas une poubelle dans laquelle on pourrait déverser nos émotions, répandre notre souffrance, jeter nos fantasmes les plus intimes. L'autre n'est pas là pour porter nos angoisses, connaître notre intimité, décider des choix qui nous appartiennent, vivre à notre place comme s'il se confondait avec nous-même. Savoir ne pas en dire trop, c'est reconnaître l'existence d'un lien relationnel qui à la fois nous unit et nous distingue l'un de l'autre. C'est savoir respecter les limites de l'autre, son intimité, et lui témoigner notre attention, le considérer à part entière comme différent de nous.

Ne pas tout dire permet de réguler la communication et sauvegarde en quelque sorte l'intimité de chacun. Cette attitude se distingue du « non-dit », où l'on tait ce qui devrait être énoncé pour clarifier une situation et permettre ainsi à l'autre de l'appréhender différemment et de mieux la comprendre.

> Ne pas tout dire [...] sauvegarde en quelque sorte l'intimité de chacun.

Éviter les conflits pour garder une relation harmonieuse

La peur du conflit et de ses conséquences imaginées et redoutées amène souvent à réprimer ses émotions et à prendre sur soi. Pour ne pas « faire d'histoire », par crainte de ne pas pouvoir gérer leurs propres émotions ou la réaction de l'interlocuteur, nombreux sont ceux qui cultivent le ressentiment, l'amertume, l'envie et la colère. Cette attitude passive et résignée conduit régulièrement à une relation biaisée dans laquelle l'un est victime et l'autre bourreau. Mais la résignation nuit à l'épanouissement intérieur, étouffe la créativité et ne permet pas de construire une relation équilibrée. Éviter les conflits par crainte d'une rupture, c'est ne pas reconnaître que l'autre peut penser, agir, ressentir, en un mot vivre différemment, et que pour autant la relation est toujours possible.

Le conflit ne signe pas l'échec d'une relation même si, dans un premier temps, il peut déstabiliser, mettre en danger l'équilibre affectif et sembler contre-productif. Le conflit est une éventualité qu'il faut savoir accepter dans la relation, par nature dynamique, où chacun possède ses désirs propres, affirme ses besoins, décide de ses choix, prend sa place.

Par ailleurs, en évitant systématiquement les conflits, on ne pose pas de limites, de règles, on ne s'oppose plus aux multiples désirs de l'autre qui vit dans l'illusion qu'il peut tout obtenir, qu'il est tout-puissant. L'autorité est protectrice, les limites sont structurantes pour l'individu qui apprend ainsi à se confronter à la réalité, laquelle n'est pas établie en fonction de ses désirs.

Effacer tout mal-être chez ceux que l'on aime

Nous vivons dans une société qui est devenue intolérante à toute forme de souffrance humaine, quelle que soit sa nature, comme si nous devions vivre dans un état de bien-être permanent. Quand un proche souffre, nous cherchons naturellement un remède pour calmer la douleur, l'apaiser rapidement. On pense alors immédiatement à un médicament qui agit sur l'organisme, une action qui résout le problème. Pourtant, le mouvement dépressif qui accompagne l'endeuillé est nécessaire pour assimiler, intégrer la perte. Et vouloir en faire l'économie par l'action d'un traitement n'est pas souhaitable. Comment apprécier notre attachement, l'importance du défunt si nous ne ressentons aucune tristesse quand il disparaît ? En outre, préoccupés par l'idée de soulager au plus vite celui qui souffre, nous risquons de ne pas prendre le temps nécessaire pour l'écouter.

● RECONNAÎTRE LA SOUFFRANCE DE L'AUTRE

Agir pour anéantir le mal n'est pas toujours utile, notamment quand la personne n'en n'exprime pas le désir. Très souvent, elle souhaite simplement faire part d'un vécu, mettre en mots sa souffrance. Être juste entendue, considérée, et partager ses émotions. Parfois, elle aimerait avoir quelques conseils, être consolée, être rassurée, mais sans être dépossédée pour autant de ses émotions par l'action d'un tiers.

L'important n'est pas toujours d'agir rapidement pour soulager immédiatement, mais de reconnaître la souffrance chez l'autre, de le considérer comme singulier, de prendre en considération ce qu'il traverse, de l'écouter de manière empathique et de déceler ce qu'il souhaite réellement. Respecter ses fragilités, son rythme d'élaboration, ses capacités de changement, sa volonté, même si parfois elle s'oppose à nos désirs bienveillants. Lui faire prendre conscience de ses limites, des conséquences de ses actes, de l'écart existant entre ce qu'il souhaite et ce qu'il peut actuellement faire, le responsabiliser car lui seul est maître de sa vie, lui seul sait réellement ce qu'il vit intérieurement et connaît ce qui lui convient. L'écoute empathique, c'est aussi s'autoriser à exprimer notre propre ressenti, à verbaliser l'impact émotionnel de la situation sur nous-même. C'est ainsi que la rencontre peut véritablement avoir lieu.

Réaliser et anticiper les désirs de l'autre pour qu'il ne manque de rien

Très souvent, le manque produit par l'attente d'un désir non encore réalisé et le mal-être intérieur qu'il entraîne inquiètent, un peu comme si ne pas obtenir ce que l'on souhaite était inconcevable et injuste. Alors, nous nous attachons à faire tout ce qui est en notre pouvoir pour donner à ceux que nous aimons ce dont ils manquent pour leur faire plaisir. Comme si ceux que l'on aime ne devaient pas connaître la frustration de ne pas pouvoir concrétiser ce qu'ils désirent. Ainsi, certains anticipent, devinent et prévoient ce qui devrait être fait pour que leurs proches soient comblés et ne manquent de rien. Pourtant, personne ne peut lire dans nos pensées ni deviner nos désirs.

Lorsque, par exemple, les parents connaissent et répondent parfaitement aux désirs de leurs enfants, ces derniers évoluent dans le même espace psychique que leurs parents dont ils sont totalement dépendants. Le risque est alors que l'enfant comblé n'ait plus de désirs propres, ou qu'il reste dans l'attente passive que ses parents décident pour lui, devinent ce qu'il souhaite. Outre la perte d'un espace créatif motivée par le manque où il pourrait se réaliser, répondre systématiquement aux désirs de l'autre induit dans la

L'écoute empathique, c'est aussi s'autoriser à exprimer notre propre ressenti.

relation l'illusion d'une compréhension mutuelle parfaite qui, *in fine*, limite l'échange. « À quoi bon se parler si tu sais déjà tout de moi ? » pourrait résumer la situation. Anticiper les désirs d'autrui revient à ne pas l'écouter, ne pas prendre en compte sa réalité psychique. Deviner pour lui, croire et penser à sa place, c'est le nier en voulant l'aider.

De nombreux désirs exprimés sont en réalité des souhaits profonds qui ne demandent qu'à être reconnus comme tels sans forcément être réalisés. Tout désir a le droit d'être exprimé indépendamment de sa possible réalisation. Et il me paraît important de pouvoir entendre un désir sans pour autant se sentir obligé d'y répondre.

Si chaque rêve devait se réaliser quel plaisir aurions-nous à nous laisser transporter dans notre rêverie ?

Tout accepter par amour

Sous prétexte d'aimer, beaucoup acceptent l'insupportable. Pourtant, il existe une différence entre la nature de nos sentiments et la qualité du lien relationnel qui nous unit à l'être aimé. Au nom des sentiments, nous pouvons tolérer des relations inacceptables, comme si le fait d'éprouver de l'amour pour quelqu'un lui donnait tous les droits. Différencier ce que l'on ressent pour quelqu'un et la qualité de lien relationnel permet de nous aider à ne pas tout accepter.

Anticiper les désirs de son enfant revient à ne pas l'écouter.

S'oublier en voulant être généreux

Une autre attitude fréquente consiste à vouloir obstinément renoncer à toute aspiration personnelle par crainte d'être égoïste. Certains individus s'oublient, passent à côté de leurs désirs, négligent leurs besoins pour se dévouer corps et âme à leurs proches qu'ils aiment plus que tout. Pour fuir toute forme d'égoïsme, ils se sacrifient et se satisfont de voir les autres vivre heureux, s'épanouir autour d'eux, avec le secret plaisir qu'ils ont activement participé à ce bonheur. L'altruisme est merveilleux, mais malheureusement il cache souvent une incapacité à se réaliser, un manque de confiance en soi, une difficulté pour s'affirmer et défendre ses droits, définir ses propres besoins… En outre, même si ce comportement a pour origine une bonne intention, il implique de lourdes conséquences pour soi et pour l'entourage. La culpabilité et la dépendance sont les deux principales. En effet, celui qui s'efface pour laisser s'épanouir ses proches exerce sur eux un pouvoir en déséquilibrant la relation. Lui-même traverse souvent des moments de profonde souffrance, car il n'existe qu'à travers les autres et sa vie lui échappe peu à peu. Certaines femmes vivent ainsi une vie de couple désastreuse pour « préserver » leurs enfants d'un divorce. Quand leurs enfants souhaitent se réaliser et quitter le domicile familial, ils sont tentés de banaliser ou nier les efforts que leur mère a pu faire, afin de ne pas se sentir coupables de l'abandonner alors qu'elle-même s'est sacrifiée pour eux. La prise de conscience brutale que toutes ces années passées n'ont pu éviter une telle évolution est alors particulièrement inacceptable et pénible à vivre.

Quelques conseils pour construire et entretenir des relations épanouissantes

Aborder les problèmes au fur et à mesure

Faites-le sans attendre qu'ils disparaissent d'eux-mêmes. Les conflits renforcent une relation car chacun accepte l'autre dans sa singularité et chacun assume les conséquences de ses actes. Une relation qui permet que les problèmes soient exprimés librement est une relation dynamique où chacun se retrouve.

Exprimer des demandes claires

Demander, c'est reconnaître ses propres limites et accorder notre confiance à celui que nous sollicitons. Il faut savoir signifier notre demande et non pas attendre que l'autre devine ce que nous voulons. Savoir accepter aussi qu'il puisse dire « non » sans prendre cela comme une preuve de rejet ou de non-amour.

Reconnaître ses propres limites

Parfois, on peut accepter de se disqualifier plutôt que de s'engager dans une voie perdue d'avance. Il y a une vraie dignité à assumer ses limites. Et cela va de pair avec le fait de ne pas rendre l'autre responsable de nos difficultés, ni lui faire porter le poids de notre propre défaillance.

Pratiquer l'écoute empathique

S'oublier, savoir se taire et écouter avec une neutralité bien-veillante, avec attention, tolérance, patience caractérisent l'écoute empathique. Allez à la rencontre de votre interlocuteur et cherchez à le découvrir. Ne donnez pas systématiquement votre avis, laissez-lui la possibilité de s'entendre parler, de se découvrir pendant qu'il parle. Il s'agit de l'accueillir sans s'emparer de sa parole, sans le juger mais en essayant de comprendre son monde intérieur.

Accepter de voir l'autre en difficulté sans se sentir obligé de l'aider à tout prix

Certains parents font les devoirs de leurs enfants pour qu'ils ramènent de bonnes notes à la maison, mais les aident-ils réellement en agissant ainsi ? Combien d'organismes de crédit prêtent de l'argent, endettant des foyers qui ne pourront jamais les rembourser ? Est-ce raisonnable et utile ? Pour ne pas souffrir de solitude, des personnes préfèrent vivre des relations affectives insatisfaisantes, sont-elles plus heureuses pour autant ? La souffrance est porteuse de création, de motivation, de développement de ressources personnelles. Il existe ainsi des frustrations, des déceptions, des souffrances qui méritent d'être vécues, car elles sont porteuses de sens, elles donnent de la valeur aux choses et induisent une maturité psychique. Lorsque nous avons surmonté une épreuve, ne sommes-nous pas fiers ensuite des efforts fournis, de la peine que nous nous sommes donnée pour atteindre notre objectif ? Il sera plus difficile d'être fier de soi si on obtient satisfaction sans effort ou par l'entremise d'autrui.

Agir à bon escient

Agissons non pas en fonction de nos craintes mais en fonction de nos désirs. Et apprenons à nous écouter et nous faire confiance plutôt que d'agir en fonction de ce que nous imaginons que l'autre va penser.

Ne pas satisfaire systématiquement tous les désirs d'autrui

Qu'est-ce qu'une vie sans désir ? Pensez-vous que nous serions plus heureux demain si nous avions tout ce qui nous manque aujourd'hui ? Est-ce bien raisonnable de croire que nous devons réaliser tous nos désirs ? Est-ce possible ? Est-ce souhaitable ?

Laissez aux autres la possibilité de réaliser leurs rêves. N'anticipez pas leurs désirs, acceptez qu'ils soient frustrés de ne pas obtenir systématiquement ce à quoi ils aspirent sans culpabiliser.

OSER ÊTRE SOI

Se réaliser socialement ne signifie nullement déposséder les autres pour s'enrichir, ni les écraser pour atteindre ses objectifs. On peut vivre pleinement, s'épanouir, sans être discourtois, agressif, mesquin ou indifférent du sort des autres. Un peu d'égoïsme, d'amour-propre, de considération pour soi n'entament pas les relations, bien au contraire. Penser à soi, défendre ses intérêts, se donner les moyens de réussir, se faire plaisir, prendre du temps pour soi, exiger d'être respecté, parler de soi... toutes ses attitudes sont saines et sources de bien-être. À chacun de les développer sans culpabilité ni retenue.

Permettre à autrui d'accéder à ses désirs ne signifie pas les satisfaire en agissant à sa place. Accompagner quelqu'un pour qu'il se réalise implique d'être disponible et attentif, mais cette attitude ne nous oblige aucunement à régler ses problèmes. Chacun doit trouver son propre chemin et découvrir les ressources pour y parvenir. Agir à la place de l'autre revient à le déposséder de son projet. Lui donner plus qu'il aurait pu obtenir par lui-même casse sa motivation. Anticiper ses désirs éteint en lui la créativité et la prise d'initiative. Laisser autrui, et notamment ses proches, se confronter à ses limites, sans l'aider en se suppléant à lui, signifie qu'on croit en lui, en ses capacités à se dépasser. C'est aussi accepter que l'on puisse ne pas répondre à toutes les demandes de nos proches et que pour autant la relation reste de bonne qualité.

Pour en savoir plus, reportez-vous page 268.

L'affirmation de soi du thérapeute

17

Dr Frédéric Fanget

Je souhaite vous présenter cinq situations que j'ai vécues personnellement et qui sont autant de variations autour de l'affirmation de soi. Ces épisodes m'ont beaucoup apporté et fait réfléchir sur ce concept si utile au quotidien. Ces variations vous permettront, je l'espère, comme à moi, de bien comprendre ce qu'est l'affirmation de soi, ce qu'elle peut nous apporter chaque jour dans notre vie. C'est, par exemple, l'impression d'être soi-même authentique, en accord avec ses besoins. C'est aussi la possibilité d'approfondir les relations humaines, de les rendre plus chaleureuses, que ce soit dans la sphère privée ou au travail.

On ne peut pas tout avoir même lorsqu'on est affirmé

L'exemple du poisson : la bonne pêche

J'invite deux amies à dîner en bord de mer. Au moment de passer la commande, le serveur, jovial, vient nous dire : « Nous avons de très beaux poissons frais pêchés du jour, si cela vous dit… » Après en avoir discuté avec mes amies, je réponds au serveur : « Oui, nous aimerions un loup pour trois personnes, en auriez-vous un d'environ 1,2 kg ? » « Ah non, pour trois personnes, il faut au moins 1,5 kg », me répond-il. Je reprends : « Je suis désolé, 1,2 kg suffira largement. » Mes deux amies et moi avons un appétit modéré et je sais pertinemment qu'un loup de 1,2 kg, même une fois les déchets enlevés, nous laissera une part largement suffisante. Je poursuis : « Pourriez-vous vous renseigner pour savoir si vous avez un loup de1,2 kg, s'il vous plaît ? »

Le serveur revient quelques minutes plus tard : « Désolé, le plus petit fait 1,5 kg. »

Pour me montrer galant et faire plaisir à mes convives, j'accepte le loup de 1,5 kg. Notons qu'à aucun moment le serveur n'est venu peser le loup devant nous et je ne peux pas vérifier la réalité de ce qu'il me dit. Il revient quelques minutes plus tard en disant : « Que prendrez-vous en entrée ? »

Moi : « Nous pensions essentiellement manger le loup. »

Le serveur : « Vous risquez d'attendre… » Je suis un petit peu étonné, je connais la durée de cuisson d'un loup et je sais que ce n'est pas long, mais il insiste en nous disant : « Vous pouvez prendre une ou deux entrées pour trois si vous voulez, cela vous permettra d'attendre. »

Là encore, assez peu affirmé, je le reconnais, et pour faire plaisir à mes convives, j'accepte la proposition. Nous mangeons donc nos entrées et, vingt minutes plus tard, le garçon, très fier, vient nous desservir en nous disant : « Alors, vous avez terminé vos entrées ? Puis-je lancer le loup ? » Ce qui signifie clairement qu'il n'avait pas commencé à faire cuire le poisson et que cette cuisson ne comportait pas le temps d'attente qu'il avait annoncé.

Quelques minutes plus tard, il nous apporte notre poisson. J'ai une certaine expérience de ce genre de plat, et je suis tout à fait affirmatif lorsque je dis que le loup était très loin de peser 1,5 kg.

> L'essentiel est de voir le côté positif de la médaille plutôt que son côté négatif.

Petite philosophie d'affirmation de soi

Cette scène montre à quel point il faut être affirmé pour ne pas être manipulé. Malgré mon expérience et la pratique de l'affirmation de soi depuis près de vingt ans, je me suis probablement fait arnaquer sur le poids et donc sur le prix de ce poisson, puisque le prix dépend du poids. Mais, dans le cas présent, le poisson était succulent, le cadre idyllique et la soirée agréable.

Comment je ferais maintenant si j'étais plus affirmé

Avec le recul de l'affirmation de soi, je pense qu'aujourd'hui j'accepterais de me faire avoir un peu et je profiterais du moment merveilleux dans lequel nous nous trouvions avec mes deux amies pour passer un bon moment.

L'essentiel est de voir le côté positif de la médaille plutôt que son côté négatif, c'est-à-dire qu'il ne sert à rien de se focaliser sur le fait que l'on s'est fait avoir sur le prix. Au contraire, sachons apprécier tout ce qu'il y a de positif dans une situation donnée. En l'occurrence, cette belle soirée valait sans aucun doute de payer 300 g de poisson de plus. Si vous vous faites un peu manipuler ou avoir, sachez parfois l'accepter si par ailleurs tout le reste est parfait.

L'autre leçon à tirer de cette histoire est de ne pas chercher à changer l'autre, dans cette situation le serveur. En effet, je l'ai entendu toute la soirée refaire la même proposition de poisson trop gros aux autres tables ! Même si je m'étais plus affirmé, je pense que cela n'aurait rien changé à son attitude.

On se fait beaucoup de mal en prêtant de mauvaises intentions à l'autre

Les retards du conjoint

J'avais la fâcheuse tendance à me mettre très vite en colère lorsque, partant en week-end ou en vacances, ma conjointe était régulièrement en retard. J'avais ce que l'on appelle en thérapie cognitive des pensées externes négatives, c'est-à-dire que je la rendais responsable de mon propre malaise. Je me disais alors : « Elle n'a pas su s'organiser, elle n'est pas respectueuse de ses engagements avec moi, elle se débrouille toujours pour ne pas arriver à faire les choses en temps et en heure, elle préfère faire passer d'autres choses avant notre départ en week-end… »

Bien évidemment, après avoir ruminé ce genre de pensées pendant plusieurs dizaines de minutes, vous imaginez que j'étais assez mal dans ma peau et passablement en colère lorsqu'elle arrivait et je lui faisais donc tout un tas de reproches, bien injustifiés d'ailleurs.

Comment je gérerais ma colère si je voulais être plus affirmé

Aujourd'hui, j'essaierais de remplacer mes pensées négatives par des pensées plus réalistes, en particulier en accordant à ma compagne des intentions positives qui pourraient m'amener à penser autrement. Par exemple : « Elle a beaucoup de travail, elle doit elle-même être désolée d'être en retard, elle fait comme elle peut, elle préférerait elle aussi être à l'heure pour partir en vacances. Son retard n'est pas le plus grave, le principal est que nous partions en vacances ce soir, tant pis si nous restons un peu plus longtemps sur la route. Voyons le côté positif des choses, nous partons en vacances, notre retard n'est donc qu'un épiphénomène. »

Être sincère plutôt que de s'enferrer dans les cachotteries

Pris au dépourvu

J'ai écrit plusieurs livres dans lesquels je relate les exemples réels de patients que je suis dans mon cabinet. Bien sûr, pour respecter leur anonymat, je change les prénoms et souvent d'autres caractéristiques comme l'âge, la profession, et même parfois le sexe. Toutefois, malgré ces modifications, un de mes patients me dit un jour en souriant et en se faisant dédicacer mon dernier livre : « Je me suis reconnu dans quelques pages de votre livre. » Je suis alors extrêmement gêné avec l'impression de l'avoir trahi, de l'avoir dévoilé aux yeux du grand public. Ma gêne, ma confusion et ma honte me conduisent à nier fermement : « Mais non, ce n'est pas de vous que j'ai parlé… » Mais le patient, assez affirmé depuis sa thérapie, savait très bien ce qu'il disait et insiste : « Si, si, je me suis reconnu, vous parlez de mes enfants et j'ai reconnu tout à fait la scène citée… »
Toujours aussi honteux, confus et peu affirmé, je continue à nier : « Vous savez beaucoup de patients me rapportent des histoires qui se ressemblent… » Mais au fur et à mesure que je contestais, je me rendais compte que je n'étais pas du tout affirmé et pas du tout authentique dans cette situation.

Si j'avais été plus affirmé, voici ce que j'aurais probablement répondu

« Oui, c'est vous, j'ai trouvé que votre exemple pouvait être particulièrement illustratif et intéresser le grand public [authenticité], mais je suis gêné de ne pas vous en avoir parlé, j'aurais dû le faire [reconnaître son erreur]. D'ailleurs, je m'en excuse auprès de vous si cela vous a perturbé [empathie reconnaissance des émotions de l'autre]. » Dans cette situation, cette réponse aurait été plus adaptée puisqu'en fait, le patient avait été très fier que j'aie cité son exemple dans mon livre, ce que j'ai compris bien après et qui m'a soulagé.

Nos imperfections nous rendent plus humains

On ne peut pas tout savoir et il n'y a pas à en avoir honte...

Alors que j'effectuais mes premiers remplacements en médecine générale, je me souviens avoir été extrêmement perturbé lorsque, au moment de prescrire un médicament à un patient, impossible de me rappeler la posologie, c'est-à-dire de la dose quotidienne à donner. À l'époque, un vieux médecin m'avait expliqué que cela ne faisait pas sérieux de regarder le *Vidal* devant le patient. Je me torturais donc les méninges en me demandant comment j'allais faire, au risque de prescrire une dose mal adaptée. Je me souviens avoir vécu un moment difficile. J'ai même envisagé prescrire un autre produit dont je connaissais la dose mais qui aurait été moins adapté au patient. J'ai encore en souvenir ma difficulté à dire à ce patient que je ne me souvenais plus de la dose du médicament.

NOS IMPERFECTIONS NOUS RAPPROCHENT

Révéler nos points faibles, être authentique, faire confiance à l'autre peut se révéler utile et être source de relations plus humaines, plus chaleureuses. L'imperfection rapproche les individus. J'ai remarqué que, dans la majorité des cas, les patients apprécient que je vérifie et préfèrent que je ne me trompe pas. Certains m'ont même fait remarquer : « Vous ne pouvez pas tout retenir par cœur, vous nous conseillez pour gérer notre stress de ne pas chercher à tout retenir et d'accepter de montrer nos faiblesses, alors nous sommes contents de voir que vous le faites vous aussi. »

... mais on peut faire preuve d'empathie

Maintenant que je suis un médecin un peu plus affirmé qu'à mes débuts, si j'ai un trou de mémoire, j'ai appris depuis des années à dire au patient : « Écoutez, je suis désolé, je ne me souviens plus de la dose à prescrire pour ce médicament [révélation de soi et de ses limites], c'est toutefois de très loin celui qui peut à mon avis vous convenir le mieux [authenticité] ; et si cela ne vous gêne pas [empathie], je vais vérifier la dose dans le *Vidal*. »

En étant tolérant avec soi-même, on se surprend à faire des choses dont on se croyait incapable

L'anglais, ce n'est pas mon fort

Lorsque j'étais interne, mon patron de l'époque m'a demandé de faire une présentation dans un congrès mondial de psychiatrie où la langue officielle était l'anglais, et uniquement l'anglais.

Je maîtrisais très mal cette langue. Pour contourner le problème, j'avais trouvé comme stratégie de faire des diapositives extrêmement claires afin d'éviter d'avoir à répondre à des questions en anglais, car je m'en sentais bien incapable.

Comment je m'exprime en public de manière plus affirmée

J'avoue que je n'ai plus du tout de stress depuis très longtemps et que j'ai pris l'habitude de faire part de mes limites dès que je commence à intervenir avec, par exemple, des phrases du type : « Je suis vraiment désolé mais je maîtrise très mal l'anglais, aussi je serai bien incapable de répondre à vos questions si vous m'en posez. Auriez-vous l'amabilité de parler très lentement ou de demander à vos collègues de traduire les questions ? »

AVOUER SES POINTS FAIBLES

Savoir demander de l'aide lorsqu'on est en difficulté montre à notre interlocuteur que nous avons nos limites, comme tout être humain. Cela lui offre également l'occasion de nous rendre service dans une interaction chaleureuse et humaine. Cela peut aussi le décomplexer. S'entraîner à répéter la chose plusieurs fois finit par diminuer le stress. C'est parce que j'ai régulièrement effectué des prises de parole en public que je ne suis plus stressé lorsque je pratique cet exercice.

Ce que l'affirmation de soi m'a apporté

Après avoir travaillé avec des patients sur la notion d'affirmation de soi, j'éprouve une énorme satisfaction à les entendre me dire : « Je fais ce que je ne faisais pas avant. » Par exemple : « Je sors », « Je vais au cinéma », « J'ai repris un travail », « Je me suis inscrit(e) dans une association », « J'ai abordé quelqu'un qui me plaît, depuis c'est le grand amour », « Je me fais beaucoup plus respecter par les autres, par mes enfants, par mes collègues »…

L'affirmation de soi permet une sorte de libération de soi. On est en contact avec ses désirs, on apprend à les accepter et à les exprimer. C'est une source de grande satisfaction qui augmente notre sérénité et notre confiance en nous. On est fier d'avoir accompli pour nous-même et pour les autres des actes simples de la vie quotidienne, d'avoir résolu facilement des petits problèmes au jour le jour.

Il y a aussi un bénéfice dans nos relations aux autres qui se multiplient, s'approfondissent et deviennent plus chaleureuses. On est franc, direct, authentique ce qui donne le ton à la relation et permet souvent à notre interlocuteur d'en faire autant.

> L'affirmation de soi permet une sorte de libération de soi.

Mon petit bréviaire de l'affirmation de soi

« Je fais ce qui me plaît », comme le dit la chanson

Je dis non à ceux dont les propositions m'ennuient ou me surchargent. Je refuse des conférences que je juge se dérouler trop loin d'où je vis ou qui risquent d'être trop fatigantes. Je dis non lorsque je suis débordé. J'ai appris à me protéger, ce qui d'ailleurs me rend plus disponible pour les autres.

Je suis à l'aise lorsque je prends la parole en public et j'ai acquis des qualités pédagogiques reconnues grâce à un meilleur niveau d'affirmation de soi.

Je gère mieux ma colère. J'ai toujours mes pensées négatives, ayant tendance à croire que c'est de la faute des autres, mais elles m'envahissent moins, je les critique et je prends de la distance et ainsi je ne me mets pratiquement plus en colère.

L'empathie et le respect de l'autre enseignés par l'affirmation de soi m'ont permis d'approfondir les relations en général, amicales bien sûr, mais aussi les relations sociales.

J'accepte mes points faibles sans me dévaloriser

Ces points faibles, ce sont :
- mon côté très mauvais bricoleur ;
- parler tout seul sous la douche et en m'en amusant lorsque je m'en rends compte ;
- répondre honnêtement et franchement à un patient qui me demande : « Comment ça va ? » en disant ce que je ressens : « Pas terrible aujourd'hui, j'ai mal dormi, j'ai des soucis ou je viens de me faire opérer… », sans toutefois passer la consultation à parler de moi, car ce temps lui est consacré. Souvent les personnes sont contentes de connaître un peu leur médecin et de prendre de ses nouvelles ;
- accepter de laisser venir l'ennui en consultation sans l'éviter et en précisant au patient que c'est moi qui ai mal dormi et que ce n'est pas lui qui m'ennuie ;
- accepter d'être mal en consultation car le patient vient de mettre le doigt sur un des schémas cognitifs que nous rencontrons nous aussi psys, par exemple des angoisses d'abandon qui se réveillaient lorsque j'étais face à des patients qui avaient ces mêmes schémas cognitifs.

Conclusion

L'affirmation de soi n'est pas seulement un outil de développement personnel. Oui bien sûr, elle nous permet de mieux nous exprimer, de mieux communiquer et de défendre nos droits, mais c'est aussi un outil de libération de soi. Nous nous acceptons comme nous sommes, avec nos points forts et nos points faibles, nous devenons nous-même, authentiques et nous acceptons d'être imparfaits et même de nous dévoiler dans le cadre d'un article… pour ce livre !

Pour en savoir plus, reportez-vous page 268.

Non, je ne suis pas une mère parfaite

« Et toi, Béatrice, est-ce que ta fille t'écoute ? », me demanda Christophe lors d'un dîner. Sous-entendu, du fait que tu travailles avec les enfants, il est évident qu'elle t'écoute !

Ou cette dame avec qui nous avions fait un bout de chemin, et qui avait des soucis avec son grand fils : « Oui mais, vous, vous avez tous les outils pour ne pas faire d'erreur. Vous saurez toujours quoi faire pour que votre fille aille bien ! »

La mère parfaite n'existe pas

Merci à tous de votre confiance, elle me fait chaud au cœur et me touche vraiment. Mais, non, je ne suis pas une mère parfaite et n'en serai jamais une. Oh, il m'arrive d'en rêver, de rêver de ce temps où je ne me fâchais pas, où je n'avais pas le souci de la responsabilité qui est la mienne en tant que maman. Il m'arrive même d'ouvrir des livres de collègues pour voir s'ils ont, eux, des réponses que je n'aurais pas – livres que je referme en ayant retenu une ou deux bonnes idées que je m'empresse d'essayer de mettre en pratique. Eh bien, évidemment, ça ne marche pas !

Pourquoi « bien évidemment, ça ne marche pas » ? Parce que je suis celle qui connaît le mieux ma fille, celle qui sait ce que j'ai envie de faire avec elle, celle qui sait ce que sont les valeurs que j'ai envie de lui transmettre, ce qui est important pour elle, ce qu'elle aime, ce qu'est sa vie, ce qu'est la mienne, ce qu'est la nôtre… tout ce qu'aucun livre ou professionnel ne peut connaître et donc dont il ne peut tenir compte. Alors ?

Alors, j'ai refermé ces livres et oublié ces conseils. Car je suis une maman et un être humain, et que depuis des millions d'années les uns et les autres ont su se construire et retomber sur leurs pattes sans l'aide de personne. Oh, bien sûr, avec des hauts et des bas. Mais globalement, ça a fonctionné, ça fonctionne toujours et ça continuera de fonctionner.

Attention, tout cela ne veut pas dire qu'on ait jamais besoin de conseils. Cela signifie simplement que la première des choses est de ne pas oublier que vous savez faire, que vous pouvez faire.

Faites-vous confiance : c'est vous qui connaissez votre enfant

Nous tous, professionnels, nous pouvons vous donner des conseils, mais c'est vous qui saurez s'ils sont adaptés ou non à votre enfant. Il n'y a pas une réponse unique qui vaudrait pour tous, mais des idées, des lignes directrices qui peuvent vous aider dans votre réflexion. N'oubliez jamais que tous, nous savons faire, mais que, souvent, nous l'avons oublié en cours de route. Alors nous nous tournons vers des professionnels pour qu'ils nous disent comment faire.

Tel Jean-Yves, papa d'une petite Louise de trois mois qui pleure tant et tant qu'avec sa femme, ils en ont été réduits à appeler SOS médecins, un soir où ses pleurs ne s'arrêtaient pas. « Elle a faim, votre fille », lui explique l'urgentiste. Comment des parents ont-ils pu en arriver là ? Oh, ne riez pas, cela pourrait vous arriver à vous aussi. Ils ont simplement suivi l'avis de leur pédiatre : « Donnez un biberon de 150 ml. » Prescription qu'ils ont suivie… à la lettre. En oubliant d'observer leur fille et d'adapter ce qui n'était qu'une préconisation au cas particulier de leur enfant.

Ou encore Julie, maman d'un petit Alexis de trois mois, qui chaque soir pleurait dans son lit et se calmait sitôt dans les bras de sa maman. À ma question : « Pourquoi ne l'endormez-vous pas dans vos bras alors ? », la maman me répond : « Non, je ne peux pas, il faut laisser pleurer les enfants et ne pas les endormir dans les bras ou les prendre dans notre lit. » Ah bon ? Mais en vertu de quoi ? Où est-il écrit qu'il est bon pour les enfants de les laisser pleurer alors qu'on peut arrêter leurs pleurs simplement ? Car enfin, nous savons bien que l'enfant qui pleure le fait pour manifester un désagrément, une douleur… enfin quelque chose de désagréable, et qu'il n'a pas d'autre moyen de l'exprimer. Ce n'est pas pour autant qu'il deviendra capricieux – à condition que vous restiez dans la mesure, et surtout, surtout, à son écoute.

Soyez à son écoute et faites-lui confiance

Un enfant ne se comporte pas « mal » intentionnellement. Sans dire non plus qu'il n'a pas conscience de ce qu'il fait, je veux juste dire qu'ils ne pense pas à mal. S'il se comporte d'une manière ou d'une autre, c'est qu'il y a une raison, qu'il a quelque chose. Et son comportement peut ainsi varier du tout au tout, d'un jour à l'autre.

Telle Clara, cinq mois, qui refuse de prendre son biberon qu'elle buvait la veille sans problème. Une fois, puis la suivante, et ce, pendant deux jours. Sa maman s'interroge et incrimine la bouillie, qui effectivement était en cause : jusque-là elle utilisait de la bouillie sans gluten (indiquée jusque vers six mois), que sa fille, d'un coup, s'est mise à refuser. En utilisant la bouillie avec gluten, Clara a repris ses biberons avec plaisir.

Ainsi, même plus tard, gardez présent à l'esprit qu'il y a toujours quelque chose qui conduit l'enfant à ne pas faire ce que vous attendez de lui.

Je reçois à mon bureau les parents de Clément, huit ans, pour des problèmes scolaires : « Il a du mal à faire ses devoirs en rentrant de l'école. Au début du trimestre, ça va, mais plus on avance dans l'année, plus c'est difficile. » Grand classique de la fatigue des enfants. Alors, au lieu de se mettre en colère et de s'énerver parce que Clément baye aux corneilles devant ses cahiers et est fatigué, cherchez plutôt comment le rendre moins fatigué, quitte à (mes excuses auprès des enseignants) lui faire rater un ou deux jours d'école pour le « requinquer ».

Ainsi, faites confiance à votre enfant, et comprenez qu'il vous manifeste son problème non pas verbalement, mais par les modifications de son comportement. Devant un tel changement, la colère ne sert à rien ; il faut essayer de comprendre.

LA COLÈRE NE SERT À RIEN

De même que frapper un enfant, la colère ne sert à rien. Elle ne fait pas avancer : vous criez, ce qui, éventuellement, stoppe ce que vous prenez pour un problème, mais celui-ci se reproduira à l'identique ou presque la fois suivante, et vous n'aurez rien réglé du tout. Dites-vous que les bêtises ne sont pas intentionnelles et qu'elles ont une raison. Mettez-vous à la place de votre enfant, souvenez-vous de vous à son âge, interrogez-le et vous obtiendrez une réponse.

Prenons l'exemple de la maman de Caroline. Au moment de se coucher, trouvant tous les livres de sa bibliothèque en vrac sur le sol, elle se met en colère. Sa fille vient alors ranger avec elle. Mais quelques jours plus tard, même situation. Sa maman demande à Caroline ce qui a provoqué un tel désordre : « Je cherchais un livre, je ne l'ai pas trouvé, et après je n'arrive pas à les remettre à leur place. » Une fois cela dit, vous pouvez trouver une solution : que Caroline cherche un livre, et qu'elle vienne vous demander de l'aide pour tout ranger.

Et David, qui recrache le petit pot que son père lui donne au dîner, mettant celui-ci dans une colère noire car il « faut » qu'il mange ? Oui, mais, me dit-il, il a eu de la fièvre toute la semaine et, me dit sa maman, il n'aime pas tellement les petits pots. Alors ? Admettre qu'il n'est pas grave qu'un enfant mange parfois moins (aucun enfant ne se laissera mourir de faim), et varier son menu.

Pensez à ce qui est bon pour lui... sans oublier ce qui est bon pour vous

Votre rôle de parent consiste à accompagner le développement de votre enfant pour qu'il comprenne le monde dans lequel il vit, y trouve sa place, le tout en bonne harmonie. C'est votre responsabilité. De ce fait, vous devez d'abord penser à ce qui est bien pour lui, bien sûr dans la limite de ce qu'est votre vie, votre environnement, vos valeurs et vos idées. Quitte à vous faire un peu violence.

Le papa de Lucie, quatre ans, m'explique n'inviter que peu ses amis : « Vous comprenez, ça m'est difficile, je ne sais pas très bien faire, et c'est un peu comme si une troupe de Huns envahissait la maison. » L'image est bonne. Cela étant, Lucie a besoin d'amis pour apprendre la vie en société. Et l'école ne suffit pas. Alors, oui, il faut un peu se forcer, mais c'est pour la bonne cause. Et si vous voulez éviter la troupe de « vandales », pensez à organiser des jeux, une chasse au trésor, prévoyez des jeux de société, des coloriages... Internet regorge d'idées pour vous y aider.

De même, les parents de Lucas sont contre la télévision et les séries à la mode qui envahissent tout. Ils commencent par lui interdire de les regarder, lui montrant ce qu'ils jugent de meilleure qualité. Ce faisant, ils se rendent bien compte qu'ils le singularisent. La solution est venue des amis et de la famille qui lui ont offert les DVD et les jeux de ces séries. Les parents en ont été ravis et lui ont même offert un livre.

Ou Xavier, à qui son petit garçon manque tellement, et réciproquement, car il rentre tard du travail. Pourtant, une fois en vacances, il l'inscrit au club pour enfants... afin de se retrouver avec son épouse et faire avec elle de grandes randonnées. Je comprends ce qu'il me dit, mais il oublie alors l'intérêt de son fils et sa demande, qui est de partager du temps avec lui. Il y a toujours des solutions : par exemple, ne pas rendre la garderie systématique tous les jours, faire des randonnées avec un porte-bébé sur le dos, une poussette, de plus petites promenades...

Ne tombez pas dans l'extrême inverse qui serait de ne penser qu'à votre enfant pour passer le plus de temps avec lui, mais un temps de mauvaise qualité, car à votre détriment.

Mieux vaut moins de temps, mais où vous êtes vraiment disponible pour partager et jouer avec lui, que trop de temps pendant lequel vous n'êtes pas disponible.

Penser au parent idéal que vous aimeriez être vous permet de savoir ce qui est vraiment important pour vous. Mais ne visez surtout pas la perfection ni pour vous ni pour votre enfant. Oui, il est agaçant que dès son entrée en maternelle votre fils ait pris le tic du copain et se ronge les ongles. Mais, si ce n'est pas trop envahissant, dites-vous que ça lui passera. Et c'est comme ça. Pour l'instant !

● C'EST COMME ÇA

Votre enfant a un caractère qui est le sien, et vous n'y pouvez rien. Chercher à le changer selon vos désirs plutôt que de vous y adapter ne vous conduira qu'à des crises de colère et d'opposition de sa part.

Dites-vous : « C'est comme ça », et cherchez plutôt à l'accompagner en fonction de cet état de fait afin de l'aider à faire avec, à en tirer le meilleur parti, à en diminuer les mauvais côtés. Car enfin, tous, ou la plupart d'entre nous du moins, sommes des adultes qui tiennent à peu près d'aplomb. Cela veut dire que, malgré les « bêtises » que nous avons faites lorsque nous étions enfants, malgré le caractère qui était le nôtre, nous avons su évoluer dans le bon sens, et surtout faire en sorte que notre vie corresponde à ce que nous en attendions.

Nous avons tous autour de nous l'exemple d'un ami d'enfance, d'un cousin, d'une cousine, d'une nièce... qui était capricieux, que tous trouvaient mal élevé, qui manquait de curiosité. Et aujourd'hui ? L'enfant capricieux et colérique est devenu une belle jeune femme, mère de deux enfants, équilibrée, gentille et attentionnée.

Acceptez également d'avoir des moments de colère, d'énervement, des moments où vous êtes loin d'être parfait. Ayez-en conscience, expliquez-le à votre enfant, et, le cas échéant, excusez-vous.

Limites, laxisme, réalisme, autorité et respect...

Même si c'est l'image qui prévaut, l'autorité avec les enfants n'a jamais été de l'obéissance « militaire » et ne devrait jamais l'être. Car celle-ci est une des formes de l'autorité fondées sur le pouvoir qui n'est pas équilibrée. Par contre, l'autorité fondée sur le respect, la compréhension de l'expérience de l'autre et sa connaissance est librement écoutée. C'est là toute la différence entre les limites et les repères qu'il s'agit de donner à nos enfants. Et l'idée sous-jacente est bien celle d'éduquer les enfants plutôt que de les discipliner à tout prix.

Les enfants n'ont pas besoin de limites en tant que telles, ils ont besoin de repères afin de savoir comment se comporter dans telle ou telle situation, ils ont besoin de garde-fous pour les aider à ne pas commettre d'imprudences, mais ils n'ont pas besoin d'interdits purs et durs, je veux dire d'interdits qui seraient immuables et ne pourraient être ni nuancés ni expliqués. Ils ont besoin de régularité pour construire leur représentation du monde.

> Faire confiance à son enfant ne veut pas dire que vous le laissiez tout faire.

AMOUR ET GENTILLESSE, EXPLICATIONS ET RESPONSABILISATION

Il ne m'est que très rarement arrivé de rencontrer des parents qui n'aimaient pas leurs enfants. Tous les autres aiment leur enfant d'un amour inconditionnel, c'est-à-dire quoi qu'il fasse. Ce que nous n'aimons pas, ce sont certains de leurs comportements, de leurs attitudes, ponctuellement, mais cela ne remet jamais en question l'amour que nous avons pour eux. Alors dites-le leur et manifestez-le leur, encore et encore.

Expliquez-leur que vous aussi vous avez des comportements parfois inappropriés, notamment lorsque vous êtes en colère, et qu'alors vous êtes comme eux à dire des choses que vous n'auriez pas dû dire. À l'inverse, lorsqu'ils font une bêtise, expliquez-leur que les bêtises leur permettent d'avancer, en leur montrant ce qu'il convient ou pas de faire, et que c'est ainsi qu'ils apprendront petit à petit à ne pas recommencer. Encouragez leurs efforts plutôt que leurs résultats et dites-leur que vous savez qu'ils sont sur la bonne voie et qu'ils y arriveront.

Mettez-les également à contribution en leur demandant ce qu'eux feraient à votre place, et en utilisant des phrases du genre : « Tu sais que ce n'est pas bien ce que tu as fait, alors je n'ai pas besoin d'en rajouter n'est-ce pas ? »

Car enfin, vous savez bien que votre enfant est le meilleur de tous et que pour rien au monde vous ne voudriez l'échanger contre un autre. Alors dites-le lui et faites-le lui comprendre. C'est ainsi qu'il développera sa confiance en lui.

Faire confiance à son enfant ne veut pas dire que vous le laissiez tout faire : le laisser courir seul autour d'une piscine alors qu'il ne sait pas nager n'est pas un signe de confiance ni, comme Paul me le dit, un entraînement « pour ne pas céder à la peur ». Non, c'est une manifestation d'inconscience et de non-compréhension de son enfant, de ce que l'enfant est capable de faire ou de ne pas faire : il suffit que le ballon roule vers la piscine pour que l'enfant le suive et tombe à l'eau.

De même, forcer un enfant à dire bonjour à la boulangère ne l'aidera pas. Au contraire, il se braquera et refusera de parler. Si votre enfant est timide, aidez-le à passer outre en lui apprenant comment faire, déjà, avec les autres enfants, afin qu'il en prenne l'habitude. Julien avait trois ans lorsqu'à la plage il allait vers les autres enfants, s'arrêtait devant eux en les regardant dans les yeux et attendait qu'ils jouent avec lui. Ça ne marchait pas très bien, et il revenait à chaque fois déçu vers ses parents. Sa maman lui a appris à s'approcher, à dire : « Bonjour, est-ce que tu veux jouer avec moi ? » Depuis, il est plus à l'aise avec les autres.

Confiance et manque de confiance

Sa maîtresse trouve que Lucie manque de confiance, car elle hésite à demander quelque chose aux adultes de l'école. Par contre, elle considère que Thomas est un « affreux jojo », qui intervient trop et n'écoute que peu ses consignes. Alors, lequel des deux a confiance et lequel manque de confiance ? Où se situe l'équilibre ?

Il ne faut pas comparer confiance chez les adultes que nous sommes et confiance chez les enfants. Le rapport entre un adulte ayant autorité (professeur des écoles) et un enfant est, de fait, déséquilibré. Est-ce illogique de se dire que l'enfant ne lui racontera pas spontanément sa petite vie ? Irions-nous, adultes, raconter l'histoire de notre quotidien à notre supérieur hiérarchique ? Non, n'est-ce pas.

L'enfant ayant confiance en lui participera en classe à bon escient, aura cependant un petit pincement au cœur lorsqu'il devra demander quelque chose dont il n'a pas l'habitude (comme nous), mais surtout saura se faire des amis et sera à l'aise avec ses pairs. Dans ce domaine, n'oubliez pas qu'il est important d'aider votre enfant à se faire des copains, apprenez-lui à les aborder, donnez-lui l'idée de jeux auxquels il pourra jouer dans la cour, des chansons et des comptines qu'il pourra fredonner avec ses copains… et n'oubliez pas de les inviter et de participer aux activités collectives (fête de l'école, carnaval…), afin qu'il se sente à l'aise en société. Vous pouvez également lui faire rencontrer d'autres enfants lors d'activités, mais n'en faites pas trop. Sous prétexte d'éveiller les enfants, leur temps de loisir se transforme en parcours du combattant : mieux vaut choisir une ou deux activités, régulières, voire en alterner de ponctuelles, plutôt que de courir partout. En effet, votre enfant a besoin de temps chez lui pour souffler et profiter de sa maison et de ses jouets.

● POURRI GÂTÉ ?

Encore un concept galvaudé et dont je ne connais pas la signification. Un enfant évolue en permanence, il est donc logique que ses besoins évoluent également. Lui offrir des jeux et des jouets en accord avec son développement n'en fera pas un enfant capricieux. Lui offrir un nouveau livre alors qu'il en a déjà beaucoup, non plus. Répondre favorablement à ses demandes contribue à l'aider à se construire en confiance, à lui montrer que vous croyez en ses capacités et que vous souhaitez lui montrer que tout est possible.

Ce n'est pas la même chose que de satisfaire tous ses désirs, ou de le laisser décider de tout, au risque de mettre en péril son équilibre et de le transformer en enfant roi. Ce n'est pas lui qui décide ce qu'il doit manger, ni à quelle heure il doit se coucher, ni ce qu'il peut regarder à la télévision : il n'a pas les repères pour savoir ce qui est bien pour lui.

Qu'il demande ce qui est le plus facile pour lui, ou qu'il soit tenté de céder à ce que le marketing lui vante est de bonne guerre : à vous de le lui expliquer et de ne pas céder. En revanche, lui offrir un jeu de poterie, même s'il n'a que cinq ans et que vous jouerez avec lui, n'est pas le pourrir, c'est lui montrer de nouvelles choses, développer sa conscience des autres en lui faisant faire des cadeaux qu'il offrira autour de lui.

Tout ne se joue pas dans l'enfance de manière inéluctable et immuable : votre enfant retombera sur ses pattes et sera, bon an mal an, un adulte équilibré.

Quelques phrases clés

● **N'oubliez pas que vous savez faire.**
Vous êtes les mieux placés pour savoir ce dont votre enfant a besoin. Vous faites partie de l'espèce humaine qui existe depuis des millions d'années et vous avez en vous la

capacité de savoir ce qu'il faut faire. Écoutez-vous, écoutez votre petite voix intérieure pour mettre en pratique ce qu'elle vous souffle.

● **C'est comme ça.**

Votre enfant est ainsi fait, il a son caractère, ses qualités et ses défauts. Acceptez-le, et vous l'aiderez à évoluer, à grandir en en tenant compte. Lutez contre et vous n'irez nulle part. De même, acceptez vos défauts et vos qualités.

● **C'est le plus merveilleux du monde.**

Il n'y a pas plus merveilleux que votre enfant. C'est le vôtre, celui que vous avez désiré et conçu. Oubliez alors ses bêtises, qui n'en sont pas, pour ne garder que votre amour pour lui, et gagnez ainsi en indulgence et en tolérance.

● **C'est un enfant.**

Ces attitudes qui vous agacent ne sont pas le reflet d'une intention machiavélique, mais le résultat de son état d'enfant : ce n'est pas un adulte miniature et il réagit à sa façon de la seule manière qui lui est possible.

● **Ce n'est pas grave.**

La plupart du temps, ses attitudes et ses comportements que vous cherchez à changer renvoient à quelque chose de désagréable chez vous : ranger ses affaires au moment de le coucher, nettoyer la peinture qui a giclé partout… Mais dans le fond, si c'est un peu casse-pieds, ce n'est sûrement pas très grave.

Et moi dans tout ça ?

Je me devais d'écrire un chapitre dans lequel je parlerais de moi. C'est bien ce que j'ai fait ! Car tout ce que je vous ai dit est le fruit de mon expérience, de thérapeute d'une part, avec tout ce que j'ai partagé avec les enfants et les parents que j'ai accompagnés, et de maman d'autre part avec les réflexions que j'ai entendues depuis que ma fille est née.

Et si vous en doutez encore, non je ne suis pas une mère parfaite, non ma fille n'est pas parfaite, mais je suis la meilleure maman du monde, et c'est la plus merveilleuse petite fille du monde !

Pour en savoir plus, reportez-vous page 268.

Les relations animaux-maîtres, miroirs des relations humaines

19

Dr Joël Dehasse

À vivre avec un animal de compagnie, on apprend à se connaître soi-même. Si on le désire. L'animal de compagnie est notre miroir : il nous révèle quelques secrets sur nous-même. On peut bien sûr changer le comportement de l'animal, dans certaines limites, mais n'est-il pas aussi judicieux d'aller voir en soi-même ce que l'on pourrait changer pour mieux être, pour mieux vivre ?

Trois anecdotes

Je l'exprime à ta place...

Une dame, la cinquantaine, me dit : « Mon chien est très gentil avec tout le monde. Presque tout le monde. En fait, je n'ai qu'un seul problème avec lui. »
J'écoute. J'attends la suite. « Oui ? »
Elle me dit : « Mon chien est agressif avec ma mère !
— Et seulement avec votre mère ?
— Oui, seulement avec ma mère ! »
D'habitude, j'irais examiner avec elle les détails de ce comportement agressif, les postures du chien, les contextes qui déclenchent l'agression, leurs conséquences sur le comportement du chien, sur les émotions de la propriétaire et de sa mère ; j'irais déterminer qui est ce chien, sa personnalité, ses humeurs, émotions, cognitions… ; mais là, je savais déjà.
Je lui demande : « Quels sont vos sentiments pour votre mère ?
— Je hais ma mère, me répond-elle sans hésiter, mais jamais je ne le lui montrerai !
— Ce n'est pas la peine, dis-je, le chien le fait pour vous ! »

Que le chien soit une éponge émotionnelle, qu'il réagisse à des microsignaux comportementaux involontaires de sa propriétaire ou qu'il soit lui-même en colère – avec ou sans raison – contre la mère de la propriétaire peut être analysé, et sera analysé, pour éventuellement modifier son comportement et le rendre acceptable; la société ne permet pas l'agression par des chiens, sous quelque forme que ce soit, même si elle est légitime. L'intérêt de la révélation de cette anecdote est de prendre conscience que le chien nous donne, parfois, un message qu'il serait bon d'écouter. Pourquoi cette dame continue-t-elle à fréquenter sa mère qu'elle déteste? Pourquoi rester dans une relation de haine année après année, tout en faisant croire qu'on est cordial? Quelles sont les dynamiques familiales que le chien pointe du doigt, ou plutôt des dents?

Je m'occupe de toi ou de moi?

Une autre dame, elle aussi la cinquantaine, me présente son chien, Macho, avec qui elle vit en dyade. En fait, c'est comme si elle vivait en couple ou en ménage. « Macho, me dit-elle, est irritable avec moi et m'agresse. »

Au cours de la consultation, j'apprends qu'elle ne va en vacances que là où elle peut emmener son chien. C'est à ce moment précis que je lui dis : « Je viens de lire un livre d'un auteur américain; il conseille aux parents de partir sans leurs enfants au moins une semaine par an. Je pense que ce serait une bonne idée pour vous aussi… »

La dame écoute, puis réfléchit. Après quelques secondes de silence, elle me dit : « J'ai des vacances la semaine prochaine, mais j'ai déjà prévu d'emmener Macho. Mais dans un mois, j'ai encore une semaine de congé; et je pourrais la prendre sans emmener mon chien… » La consultation se termine peu après, sans autre prescription ni conseil, avec la prise de conscience que Madame, qui aime son chien, n'est pas obligée de vivre pour son chien. La dame me téléphone six semaines plus tard pour me dire que son chien n'est plus agressif envers elle.

Pourquoi le chien était-il agressif avec sa propriétaire? Était-il en miroir avec elle? Exprimait-il l'irritation – peut-être même inconsciente – qu'éprouvait la femme à ne vivre que, et à travers, et pour l'autre, son partenaire, ce dernier étant son chien ? Ayant compris que la vie ne se résume pas à vivre avec et pour son chien, mais aussi pour soi-même, parfois sans son chien, même si on aime très fort cet ami à quatre pattes, son irritation contre Macho s'est envolée et, de même, celle du chien à son égard.

Nous sommes d'accord pour dire que le chien est malade

Je diagnostique un trouble d'hyperactivité chez un chien appartenant à un jeune couple. Les traitements sont efficaces et le chien s'améliore assez vite. Après quelques mois, Monsieur me consulte pour faire un bilan. Pendant la consultation, il me demande si le chien peut souffrir d'une séparation. En effet, depuis que le chien va mieux, sa femme et lui se sont séparés ; ils ont l'intention de divorcer. « Pensez-vous qu'une garde partagée puisse s'envisager ? Je veux dire, pour le bien-être du chien ! », me demande-t-il. À cette question je peux répondre : « Oui. » Le chien n'a pas qu'un seul maître ; d'ailleurs, il serait bon d'arrêter de penser en tant que maître et subalterne (voire esclave…). Le chien peut avoir plusieurs personnes de référence, d'attachement ; il peut avoir plusieurs guides.

Ce divorce m'a interpellé : en quoi suis-je responsable du divorce des propriétaires de chiens ? Et cette histoire m'a lancé dans une belle aventure : j'ai demandé à pouvoir suivre une formation en intervention systémique et thérapie familiale et, après entretien d'évaluation et, paraît-il, de nombreuses discussions entre les formateurs et la direction, j'ai été accepté. Seul vétérinaire au milieu des psychiatres, psychologues, infirmières et assistants sociaux, je fus pour un moment la bête rare, avant d'être accepté à l'égal des autres étudiants. Néanmoins, il m'a été interdit de suivre la formation universitaire et d'obtenir un diplôme ; après trois ans de formation, on m'a donné un certificat de participation. Qu'importe le diplôme, j'avais acquis une formation, et j'avais appris… Parfois, ce qui permet aux gens de vivre ensemble et au système de garder un équilibre est un accord tel que : « Nous sommes d'accord pour dire que le chien/l'enfant est malade. » Et quand le chien n'est plus malade, le seul agrément s'effondre et chacun se retrouve face à un vide ou un tel nombre de désaccords que plus rien ne retient les éléments du système ensemble. Alors le divorce est une conséquence. En étais-je responsable ? Oui, dans le sens de l'effet papillon (loi du chaos) : une petite influence a créé de grands effets. Mais cela ne m'empêchera désormais plus de dormir !

Le parcours d'un psy au sein d'une science floue[1]

Un brin de « behaviorisme »

Après cette formation en intervention systémique et thérapie familiale, je n'étais plus le même thérapeute ni d'ailleurs la même personne. Même si je ne m'en suis rendu compte que des années plus tard. On est vraiment ce que l'on pense. Il est incroyable de se rendre compte que ce que l'on pense, sa vision du monde, définit qui l'on est et, dès lors, les stratégies de résolution de problème que l'on proposera à ses patients et clients.

En sortant de l'université, en 1979, je n'avais aucune notion de comportement animal. Mais j'avais étudié parallèlement l'homéopathie, qui est une médecine holistique de l'individu. Elle se fonde, pour trouver un traitement individuel, sur ce qu'il y a de plus personnel chez le patient : la façon dont il individualise sa maladie ; et nous parlons ici non seulement de l'expression somatique des symptômes mais, surtout, de leur expression psychologique. J'ai donc voulu en savoir plus sur le comportement animal et j'ai dévoré des livres d'éthologie, par exemple ceux écrits par Konrad Lorenz (1903-1989), prix Nobel de physiologie (1973) ; j'ai lu les publications des premiers auteurs vétérinaires, comme M. W. Fox[2], le volumineux travail de génétique expérimentale de Scott et Fuller[3], ainsi que d'autres livres d'auteurs moins illustres sur l'éducation canine et sur le développement psychomoteur et l'éducation de l'enfant[4]. À mon habitude, j'ai résumé ce que j'ai intégré de cette masse d'informations dans un manuscrit et j'ai eu la chance – ou le destin – de faire publier. En 1982 sortait de presse mon premier livre intitulé *L'Éducation du chien, de 0 à 6 mois*[5], qui mettait en évidence l'importance des périodes sensibles de socialisation décrites en éthologie, l'efficacité du renforcement positif extrait de la psychologie expérimentale en « behaviorisme skinnérien », et l'organisation du groupe humain-animal avec, entre autres, le modèle hiérarchique. J'en retiens quelques conseils.

QUELQUES CONSEILS ISSUS DU BEHAVIORISME

● On ne peut pas changer sa biologie : voyons ce qui appartient à la biologie, à la génétique, et accueillons-le.

● On peut changer les comportements en modifiant leurs conséquences ; les comportements qui persistent sont renforcés par des récompenses inter-nes ou externes : si nous trouvons ces récompenses, nous pouvons les modifier et changer nos comportements.

● On peut augmenter les compétences et l'intelligence des jeunes (enfants et animaux) en enrichissant leur milieu de développement.

Un soupçon de transpersonnel

Un peu de Maslow[6], un peu de Grof[7], pas mal de Castaneda[8] et beaucoup de lectures sur les recherches expérimentales en parapsychologie animale, réalisées notamment à l'Université Duke, sous la direction de Joseph Banks Rhine[9], m'ont entraîné sur le sujet passionnant de la « conscience universelle » et de ses applications pratiques chez l'animal, dans la relation télépathique entre les humains et leurs animaux de compagnie et dans la communication intuitive. J'ai alors résumé dix ans de recherches dans deux livres sur ce thème sortis respectivement en 1993 et 1998 : *Chiens hors du commun* et *Chats hors du commun*. Et cela m'a amené à formuler le conseil suivant que nous pouvons mettre en pratique : il existe un monde extraordinaire au-delà de nos perceptions sensorielles ; dans ce monde existe l'intuition, ayons confiance en notre intuition.

Une pincée de systémique

C'est en 1998, après trois ans de formation, que j'ai reçu ma certification en intervention systémique et thérapie familiale. Cela ne faisait pas de moi un thérapeute systémicien, mais un vétérinaire un peu particulier, voire bizarre, qui s'occupait davantage du propriétaire de l'animal de compagnie et de son système familial que de l'animal lui-même.

L'idée qui émane de cette approche est la suivante : un système (une famille, un groupe humain-animal) possède des mécaniques d'équilibration. Si un symptôme (comportement, affection) persiste dans un système, c'est qu'il a une valeur équilibrante pour le système. Ainsi, en quoi l'affection profite-t-elle au système ? Et si l'on change l'affection, comment le système se remettra-t-il en équilibre ?

Un zeste de psychologie et de psychopathologie

À force de voir des chiens et des chats présentant des problèmes de comportement, on en vient à se poser la question de l'unité du vivant et de la similitude des pathologies psychiques des humains et des animaux. Quand on est continuiste, c'est-à-dire que l'on croit dans la continuité des états mentaux entre animaux et humains, cela va de soi !

Dès lors, il faut ingérer des quantités de bouquins de psychologie, de psycho comparée, de psychopathologie et même lire le *DSM*[10] et, en même temps, s'intéresser à la psychopharmacologie. Un vétérinaire prescrit des psychotropes, ce qui facilite les changements comportementaux.

Quelques questions utiles dérivent de ce modèle :

● Est-ce que l'individu (l'animal, moi) souffre d'une pathologie affective ?

● Cette pathologie peut-elle se traiter facilement ou doit-on s'en accommoder ?

● Cette pathologie a-t-elle des répercussions sur l'environnement social (famille, proches) ?

Une mesure de taoïsme et de physique quantique

L'envie de savoir qui je suis et ce que je fais sur cette terre m'a conduit à expérimenter en parallèle la kinésiologie, qui combine des travaux de recherche occidentaux avec des stratégies de correction énergétique provenant de différents modèles, que ce soit l'homéopathie, les essences de fleurs de Bach, la symbolique ou, plus simplement, les points énergétiques de l'acupuncture, science médicale chinoise millénaire basée sur la loi du Tao.

En même temps, certains physiciens quantiques proposent des réponses étonnantes sur le sujet de la conscience. Le film *What the Bleep Do We Know…*[11] est très révélateur à ce sujet. Le scientifique qui découpe la matière en particules subatomiques se rend compte que la matière n'est autre qu'énergie condensée, information, conscience, et que cette conscience est indépendante du temps et de l'espace. Mieux encore, c'est comme si nous – notre conscience – étions responsables de tous les événements que nous vivons ; c'est la responsabilité universelle.

Une conclusion émerge de ce modèle : je suis coresponsable de ce qui m'arrive. Mais elle est bien difficile à exploiter, car en quoi suis-je coresponsable ?

De multiples modèles d'une même réalité

Ce parcours, qui est autant vécu et personnel qu'intégré par imitation à partir de l'expérience d'autrui grâce à cette invention incroyable de l'homme qu'est l'écriture, est en même temps séquentiel et parallèle. Je peux retrouver des graines de bouddhisme et de taoïsme dans mes lectures d'adolescent. Et si j'ai commencé des études de médecine vétérinaire au lieu de médecine tout court, c'était surtout pour ne pas parler avec les gens. Or aujourd'hui je ne fais que parler avec les gens. Comme quoi il est difficile d'éviter son destin, d'échapper à son karma.

Après m'être senti longtemps enfermé dans mon diplôme de vétérinaire, je suis désormais coach en comportement animal et en bien-être personnel pour leurs propriétaires, par l'intermédiaire de l'animal médiateur. J'ai compris que l'essence d'un être, animal ou humain, était mystérieuse et inaccessible. On peut en avoir une idée ou, plutôt, de nombreuses représentations, en utilisant des modèles de lecture : l'éthologie, la génétique, le behaviorisme, la psychologie, la psychiatrie, la systémique, le taoïsme, sans oublier la loi du chaos, la théorie des jeux, ou l'entretien de motivation[12]. Mon métamodèle combine tous ces modèles, avec une approche spiritualiste et, autant que faire se peut, la responsabilité universelle. L'intérêt de l'ouverture à l'utilisation de nombreux modèles est l'augmentation des stratégies d'action de résolution de problèmes, stratégies qui

Je suis coresponsable de ce qui m'arrive.

peuvent être individualisées à la vision du monde du propriétaire et, donc, recevoir plus aisément son accord, tout en étant efficaces pour l'animal et le système familial.

Le miroir en tant que modèle

Le miroir renvoie une image d'une certaine réalité ; le miroir est un modèle. Mon hypothèse[13] est que l'animal domestique, celui qui vit avec nous, reflète une image de nous-mêmes, nous les humains, en tant qu'espèce et en tant qu'individus. C'est un modèle que j'utilise lorsque je travaille avec les gens qui désirent un coaching personnel en médiation animale (en bien-être ou en développement) : l'animal est le messager d'informations qui conduiront à des réflexions et des compréhensions sur soi-même.

Le chien, la société et la hiérarchie de pouvoir

Le modèle du miroir est intéressant au niveau individuel et aussi au niveau collectif. Qu'est-ce que le chien peut nous raconter sur l'homme, l'humain – au moins dans nos cultures ?

Il y a quelques milliers d'années, certains loups ont subi des mutations qui les ont rendus moins peureux face aux humains ; ils ont trouvé plus aisé de se nourrir dans les poubelles des gens ; ils ont colonisé un biotope nouveau, duquel ils sont devenus dépendants[14]. Ils ont troqué leur autodétermination contre la sécurité. L'homme a ensuite sélectionné les chiens les plus dépendants (psychologiquement et économiquement), mais il a aussi hypertrophié (par sélection) certaines caractéristiques comportementales (patrons-moteurs qui sont des séquences comportementales intrinsèques, génétiquement programmées, et peu modifiables par apprentissage) afin d'utiliser le chien pour son plaisir, souvent au détriment de l'équilibre physiologique de l'animal.

Qu'est-ce que cela nous apprend sur l'homme, en tant qu'espèce ? Où est le miroir de dépendance et de perte d'autoréalisation ? C'est celui de l'homme face à sa société !

La société organise un groupe d'individus, elle définit ce qui est acceptable et réprouvable, elle sécurise ses membres et leur permet de se développer dans un certain cadre. La

La sélection des chiens de chasse ou des chiens de berger, qui ont un besoin inné (génétique) de courir et de s'activer plus de dix heures par jour, est un problème pour la gestion énergétique de l'animal. La nature n'a jamais sélectionné des comportements coûteux en énergie. Il faut en effet que les dépenses énergétiques soient compensées par des apports supérieurs. Autrement dit, un loup ne chassera pas une souris pendant trois heures, mais un chien pourrait le faire. Ses pertes énergétiques ne pourront être compensées que par un aliment riche en énergie distribué (gratuitement) par l'homme, ce qui rend bien le chien économiquement dépendant de l'humain.

société est un être virtuel qui a son homéostasie et cherche à survivre, parfois au détriment de ses membres. La société occidentale, notre société, a pris le pouvoir sur nous. Elle a une tendance répressive, décourage plutôt l'initiative personnelle, le développement et la créativité des individus ainsi que l'autoréalisation. Elle est moralisatrice ; elle définit ce qui est acceptable pour sa survie personnelle.

C'est le modèle systémique qui nous affirme que la société est un être à part entière, même s'il est virtuel. Le modèle behavioriste nous démontre qu'elle utilise le système de punition positive et négative (les multiples interdictions), plus que le renforcement positif ou négatif. La théorie des jeux nous prouve que la société est gagnante et que ses membres sont perdants, même si on leur fait croire qu'ils sont gagnants. En effet, l'homme occidental gagne en sécurité ce qu'il perd en initiative et autodétermination. Le modèle psychiatrique nous raconte que le blocage de l'initiative et de l'autoréalisation est une des sources de la dépression chronique, justement endémique dans nos sociétés.

La situation du chien dans le biotope humain est très similaire à celle de l'homme dans son biotope sociétal : dépendance psychologique, dépendance économique, dépendance sécuritaire, perte de l'initiative, soumission (contrainte) aux lois de l'être (réel ou virtuel) qui a pris le pouvoir hiérarchique. On retrouve même la tendance de l'homme à punir le chien plus qu'à le récompenser. Comme me disent de nombreux propriétaires de chiens : « Mon chien doit m'obéir, parce qu'il le *doit* ! », et non parce qu'il a un avantage (hédoniste) à le faire ; et ces personnes ne se rendent pas compte qu'elles parlent de leur miroir : leur propre situation, face à la société.

À son image, l'homme a pris le chien comme esclave, comme il est lui-même esclave de la société. La hiérarchie de pouvoir a dès lors été le premier, voire le seul, modèle utilisé par l'homme avec le chien. Et c'est encore le modèle le plus utilisé de par le monde. On pourrait croire que l'homme récupère, sur le dos du chien, un peu de l'autorité, du pouvoir, qu'il a perdu face à sa société (culture, religion).

Il est urgent de changer ce modèle au profit d'un autre plus respectueux de l'essence du chien. Mais est-ce possible ? Si je propose au propriétaire de changer de modèle de relation avec son chien, ne risque-t-il pas de changer son propre modèle de vie ? S'il se met à respecter son chien, peut-être va-t-il finir par se respecter lui-même ?

Miroir collectif

L'homme a fait l'animal à son image. C'est certainement vrai pour le chien, façonné depuis des milliers d'années. Le chat a échappé longtemps à l'emprise de l'homme ; il s'est autodomestiqué, mais il a gardé, pour la grande majorité des membres de son espèce, son autodétermination. « Être comme chien et chat » ne veut pas tant dire « se chamailler » que de manifester les différences entre dépendance canine et liberté féline. Même dans l'affectif, le chien est enfermé dans la relation, alors que le chat donne librement son affection. On retrouve ces miroirs chez les propriétaires de chiens et de chats, dans leurs relations avec leurs animaux de compagnie, mais aussi avec leurs semblables.

Miroir individuel

Au-delà de ces miroirs collectifs, ce qui intéresse le coach en bien-être et développement personnel, ce sont les miroirs individuels. Dans une philosophie de responsabilité universelle, chaque événement vécu donne des informations sur – et pour – celui qui vit l'événement. C'est le coaching médiatisé par l'animal. Tout comme l'enfant, l'animal est parfois le révélateur d'une dynamique (problématique) du système familial et d'une réactivité psychologique (émotionnelle, cognitive) de son propriétaire. Le plus révélateur est souvent le trait de caractère que le propriétaire ne supporte pas chez son animal, car c'est en général ce qu'il ne supporte pas de lui-même. C'est ce que je me dis aussi moi-même : si je ne supporte pas telle situation, telle émotion, tel sentiment, qu'est-ce que cela me dit sur moi-même ?

Le conseil dérivé du modèle du miroir individuel est le suivant : si je réagis à telle situation, comme tel comportement de mon animal, qu'est-ce que cela dit sur moi-même ? Ce décodage peut nécessiter l'intervention d'un thérapeute qui connaît les clés du décryptage.

Miroir du choix d'une race de chien

Il est impossible de décrire ici tous les miroirs individuels. Cependant, je vais décrire quelques miroirs liés au choix d'une race de chien, lorsque le chien est élevé pour une fonction bien déterminée. Le miroir humain est généralement l'opposé de l'énergie exprimée par le chien. Ces miroirs n'expriment qu'une facette de la personnalité de l'être humain.

QUEL CHIEN POUR QUEL TYPE DE PERSONNALITÉ ?

● **Les chiens de berger**, qui rassemblent les troupeaux (comme le border collie, le berger australien, etc.), expriment l'énergie de rassemblement, d'accumulation, en relation avec leur miroir humain de la peur de perdre, la possession, l'accumulation (de valeurs, d'informations, de connaissances).

● **Les chiens de défense** (et les chiens de combat, qui en sont dérivés) expriment l'énergie de protection contre l'hostilité ; ils nourrissent chez leur miroir humain les complexes d'infériorité/supériorité. Il est intéressant d'observer que ce sont ces types de chiens qui sont attaqués par des lois racistes et des tentatives d'extermination.

● **Les chiens de chasse**, autant les chiens courants (beagle, braque, pointer, bassets, etc.) que les rapporteurs (labrador, golden retriever, etc.), expriment une énergie d'orientation, de guidance, en miroir avec les humains qui en manquent. Il est amusant d'observer que les chiens guides d'aveugles, choisis dans cette catégorie raciale, permettent justement la guidance vers l'extérieur et le retour à la maison, tandis que le chien guide choisi dans une race de défense (berger allemand, par exemple) exprimera plutôt le besoin de protection que de guidance. Les chiens de terrier (terriers et teckels), quant à eux, expriment une énergie d'assurance, de fidélité (à leur intention) et de ténacité, en miroir des personnes qui aimeraient ces qualités.

● **Les chiens de course** (lévriers, huskies) et de sport de compétition (border collie en agility, par exemple) expriment une énergie de réalisation, en miroir des gens qui ont du mal à se réaliser par eux-mêmes. Ce sont par ailleurs des chiens qui se retrouvent plus dans une énergie de collaboration avec l'humain que de dépendance.

● **Les chiens de races géantes** (Irish wolfhound, caniche géant, saint-bernard, etc.) expriment une énergie d'hypertrophie, miroir d'un gonflement du moi mental qui s'exprime au détriment du cœur.

● **Les races de chiens de compagnie** (caniche nain, bichon, Lhassa apso, pékinois, papillon, etc.) expriment une énergie de sympathie et/ou de boute-en-train, c'est-à-dire d'absorption de souffrance (chagrin, tristesse, ressentiment, non-choix, repli sur soi...) de leurs miroirs humains. À ce titre, ces chiens deviennent une sorte de drogue affective pour leur compagnon humain.

Les miroirs sont plus une porte d'entrée vers la discussion avec soi-même qu'une vérité.

Responsabilité universelle

Dans une vision dualiste, on réagit souvent à un stimulus déclencheur. Pour aller mieux, il suffirait de supprimer ou de modifier le déclencheur. C'est ce que le propriétaire d'un animal de compagnie me demande de faire, lorsque les comportements de l'animal lui posent problème : « Changez mon chien/chat, et je serai plus heureux ! » Et on peut en effet remplacer les comportements problématiques de l'animal par des comportements plus acceptables, dans les limites de sa personnalité[15].

Dans une vision systémique, on est en même temps réactif et proactif dans la génération des problèmes. Pour résoudre le problème, on doit prendre la responsabilité de se changer soi-même.

Dans une vision de responsabilité universelle[16], de karma, de Tao, de Ho'oponopono[17], de philosophie quantique, on travaille à se changer soi-même essentiellement. Puisqu'on n'a pas prise sur l'autre, puisque changer l'autre est bien difficile, aléatoire et d'ailleurs illusoire, puisqu'on est finalement responsable de ce que l'on vit et, surtout, de la façon dont on ressent et vit les choses, alors la solution est d'accueillir ce qui nous arrive et/ou de nous changer nous-même.

Se changer soi-même

L'être humain (ou animal) est le résultat d'un mélange complexe d'interactions génétiques et expérientielles, de croyances et de conditionnements qui rendent automatiques des réactions à des contextes spécifiques. Si on ne peut guère changer sa génétique ni les expériences vécues, on peut cependant changer tous les conditionnements et les croyances qui ont été utiles un jour (dans le passé) et qui, aujourd'hui, ne sont peut-être qu'un fardeau inutile, voire bloquant pour notre bien-être et notre développement personnel.

Accueillir qui on est

Pour tout ce que l'on ne peut pas changer, il suffit – mais c'est sans doute le plus difficile à faire – d'accepter d'être qui l'on est. Dans l'ensemble des animaux, l'homme a reçu une hypertrophie cérébrale, ce qui est un don et en même temps un fléau : le cerveau fabrique de la pensée sans arrêt, et l'homme doit arriver à fonctionner dans ce brouhaha, voire ce vacarme, permanent. Qu'il arrive à aligner deux pensées raisonnables sans être noyé dans le blabla parasite tient du miracle. Dans cette fonction hypertrophiée (voire pathologique), le tracas et le jugement tiennent une grande place. L'homme accepte rarement qui il est ; il se compare à autrui, alors que personne d'autre que lui ne vit sa vie. L'homme est unique et incomparable. Sa vie est unique et incomparable. Malgré cela, l'homme se compare à un standard idéalisé par la société (par autrui), que ce soit physiquement ou psychologiquement.

Dans la philosophie de la responsabilité universelle, on a choisi qui on est, où et quand on est, avec qui on vit.

L'homme, comme l'animal, peut avoir reçu une génétique particulière qui le rend anxieux, dépressif, impulsif ou excitable. À défaut de forcer l'expression génétique à l'aide de psychotropes, que peut faire l'homme sinon accueillir qui il est et agir malgré tout ?

Si je suis de personnalité anxieuse, si j'anticipe des situations aversives pour le futur, situations qui je ne vivrai probablement jamais, je peux prendre conscience que ma façon de penser et de percevoir le monde ne changera jamais ; je ne

> L'homme accepte rarement qui il est.

serai pas heureux le jour où je ne serai plus anxieux, lorsque les soucis disparaîtront de ma vie, mais bien le jour où je pourrai vivre et agir malgré mon anxiété, mes soucis, mes tourments. C'est en accueillant cette facette de ma personnalité, sans croire à tout ce que mon cerveau bouillonnant crée comme catastrophes, que je pourrai vivre pleinement. Et c'est un travail de tous les jours.

Si je suis dépressif et que je me torture dans les regrets et culpabilités du passé, je serai heureux le jour où j'arrêterai de croire à mes blablas et que je mettrai un pas devant l'autre dans la recherche d'un mieux-être et d'une créativité personnels.

S'accueillir dans l'expérience

Puisque vivre, c'est essentiellement agir, alors comment agir quand on est contraint dans sa génétique, dans sa société, sa culture, ses croyances, ses automatismes, son corps ? Il n'y a pas mille manières d'agir : il faut, et ce n'est pas toujours facile, mettre un pied devant l'autre et avancer. Les bébés qui apprennent à marcher nous montrent un exemple de miracle au quotidien : ils tombent cent fois, ils se relèvent cent et une fois, tellement la motivation à se redresser est puissante. Et comme nous l'explique la loi du chaos, une très petite modification de l'état initial, une mise en action, un événement apparemment mineur peuvent avoir des répercussions considérables. On peut craindre l'insécurité de ces répercussions, regretter de s'être engagé dans l'action, revendiquer d'avoir osé agir, ou on peut s'accueillir dans l'expérience, quels que soient le désarroi émotionnel et le tumulte des croyances que cela a engendrés.

Conclusions et conseils

Le monde étant une illusion, nous n'avons pour vivre que des modèles, des interprétations, des croyances. L'intérêt de ces modèles et croyances n'est pas tant de nous rapprocher de la vérité du monde que de nous permettre de parcourir ce monde. Plus nous avons de modèles et plus nous aurons des solutions (efficaces) pour résoudre les problèmes que ce parcours nous fait rencontrer. Dans le monde du comportement, certains modèles sont plus efficaces que d'autres :

thérapies comportementales, interventions systémiques, recadrage cognitif, psychotropes, contre-conditionnements classiques, etc.

Dans le monde de la relation entre l'humain et ses animaux de compagnie, le modèle du miroir est très riche pour travailler sur soi. Une clé de décodage est la question : « Qu'est-ce que cela me raconte sur moi-même ? » À partir de là, je prends la responsabilité de mes perceptions, de mes réactions, de mes sentiments et, pourquoi pas – dans une philosophie spirituelle – celle de m'être proposé (même inconsciemment) pour vivre cette expérience unique. Ce faisant, je ne suis plus victime mais coconstructeur des événements de ma vie.

Notes de ce chapitre pages 346-347

Pour en savoir plus, reportez-vous page 268.

20

**Dr Aurore
Sabouraud-
Séguin**

Faut-il avoir vécu les mêmes choses pour avoir de l'empathie envers autrui ?

L'enfance est le lieu de toutes les expériences et de tous les apprentissages. Sans aucun doute, elle détermine ce que nous allons devenir et nos choix d'adulte.

Les enfants sont égocentriques et n'ont pas forcément d'empathie pour leurs semblables : l'empathie est un sentiment tourné vers les autres et qui intervient pour créer la relation sociale. Bizarrement, nous apprenons à être empathiques par l'apprentissage de la souffrance.

Comment naît l'empathie ?

Ma grand-mère a perdu un de ses fils pendant les bombardements à Paris. J'ai toujours vu la photo de ce jeune homme sur le petit meuble du salon, avec un petit bouquet de fleurs toujours renouvelées. Je me souviens que je pensais que ma grand-mère m'avait *moi* comme « enfant » et que c'était suffisant à son bonheur ! Je n'ai compris sa souffrance que lorsque j'ai eu moi-même des enfants. À ce moment, j'ai pu imaginer ce qu'elle avait dû ressentir : j'avais enfin de l'empathie pour elle et pas seulement de l'amour égocentré. Mère à mon tour, je pouvais partager cette expérience avec elle et donc être capable de me mettre à sa place et ressentir et imaginer ses propres émotions.

L'usage de la souffrance

La souffrance est certainement un moyen d'apprendre l'empathie. Avoir ressenti cette émotion et observé ce que cela provoquait chez soi et les conséquences avec les autres, permet de pouvoir comprendre les souffrances vécues par une autre personne quelle que soit sa cause, ou presque.

J'ai *beaucoup souffert* dans mon enfance – du moins je le croyais. Je ressentais beaucoup de souffrance, un sentiment de perte terrible quand une personne que j'aimais venait à me quitter ; pas parce qu'elle mourait mais parce qu'elle déménageait. Bien sûr, aujourd'hui, ces pertes, ces abandons sont des événements bien banals et normaux dans la vie, rien de traumatique. Mais pour moi, enfant, à chaque situation je vivais des émotions très fortes : tristesse, sentiment d'abandon, colère. Le premier souvenir de tristesse et de souffrance que j'ai, c'est quand mon petit frère a jeté ma poupée par terre et que son petit doigt s'est cassé (celui de ma poupée !). Elle n'était plus aussi belle qu'avant, j'avais mal et mon frère riait.

Quelques années plus tard, nous avons déménagé, nous sommes partis d'un petit appartement parisien pour une maison de banlieue. Mais j'allais devoir quitter ma meilleure amie. Elle n'a pas semblé avoir conscience de l'« horreur » de cette séparation. Moi, je me souviens encore des cauchemars que j'ai faits durant plusieurs mois à cette époque. C'était une vraie souffrance, qu'elle n'a pas partagée avec moi ; et jamais elle n'a répondu à mes lettres. C'était fini, elle m'avait oubliée. Elle s'appelait Sylvie Carpentier, et je m'en souviens encore, elle me prêtait ses livres de la « bibliothèque verte ».

Quelques années encore après, c'est ma grand-mère qui m'a abandonnée : elle a déménagé pour le Sud-Ouest. J'ai pleuré toutes les larmes de mon corps, je l'ai suppliée de ne pas s'en aller, mais mes grands-parents sont tout de même partis. Je me souviens que j'étais étonnée et déçue de comprendre que ma grand-mère, qui m'aimait beaucoup, trouvait normal de partir, je l'ai ressenti comme un abandon. J'observais douloureusement son plaisir d'avoir sa petite maison pour sa retraite et son incompréhension devant mon désespoir.

Il n'y avait pas beaucoup d'empathie de ma part envers eux ! J'étais bien plus focalisée sur ma personne, sur mes émotions, comme tous les enfants, que sur les sentiments d'autrui. Mais l'enfant grandit et, en grandissant, il apprend à échanger les sentiments, à les comprendre et à aimer les autres, à entrer dans la vie relationnelle avec plaisir. J'ai ainsi pu percevoir qu'il était possible d'oublier celle que je croyais être ma meilleure amie pour la vie et aller vers d'autres relations amicales, comprendre aussi que la distance n'empêchait pas la continuité des sentiments et du lien affectif que j'avais noués avec ma grand-mère.

Gagner sur la souffrance

Cet apprentissage des relations des autres à soi, de la souffrance vécue avec et à cause de l'autre, s'est fait dans un climat de sécurité affective (mes parents étant toujours présents), dans un climat de richesse relationnelle malgré les ruptures (de nombreux oncles, tantes et cousins à peine plus âgés que moi m'entouraient). Ce contexte a sans doute permis que l'apprentissage de la modulation émotionnelle se fasse avec souplesse et une intensité somme toute supportable (même si ce n'était pas mon avis sur le moment). Les souvenirs de ces moments douloureux dans des contextes de vie ordinaires ont fait que j'ai compris rapidement ce que les autres ressentent dans des situations plus difficiles ou traumatiques. C'est l'empathie qui se construit, c'est-à-dire le fait de ressentir, de comprendre et donc de partager les sentiments exprimés par une autre personne (souffrance, perte, honte, bonheur…).

Mon envie de comprendre mon propre fonctionnement comme celui de mes amis, ma volonté d'en atténuer les impacts sont venues de ces expériences enfantines. Je pense que c'est comme cela que se sont construites chez moi l'envie et la capacité d'être thérapeute.

J'entends souvent les gens reprendre l'affirmation de Nietzsche : « Ce qui ne nous tue pas nous rend plus fort. » La souffrance est un sentiment qui nous construit certainement, mais uniquement dans la mesure où cette souffrance est « supportable ». Elle nous apprend le bien et le mal et nous permet de nous dépasser, d'aller plus loin. Le sentiment d'avoir supporté et gagné sur la souffrance donne de la force à l'individu. On peut ainsi comprendre et partager la souffrance et les émotions des autres, trouver les mots, oser les dire quand eux-mêmes ne les perçoivent pas. C'est l'empathie.

L'empathie et le psy

Lors du vernissage de l'une de mes patientes, je me trouve face à un de ses tableaux près d'un homme portant un beau chapeau qui engage la conversation. Comme cela se fait, nous commençons par les banalités d'usage. Nous rendant compte bientôt que nous sommes de la même profession – psychiatres –, nous dépassons vite les banalités ordinaires pour discuter banalités professionnelles. La conversation s'engage sur nos centres d'intérêt et j'en arrive à parler des sujets qui m'intéressent et que je connais bien, le trauma et le viol, en particulier. Après m'avoir écoutée avec intérêt, il me répond d'un air sage et avec le ton de celui qui a tout compris : « Tu es très proche de ton sujet, on voit que cela te tient à cœur, t'es-tu jamais posé la question de savoir si tu avais toi-même été victime d'inceste ou de viol ? » Je me suis sentie extrêmement en colère et interloquée. Faut-il avoir vécu un événement traumatique pour être capable de le comprendre ou pour s'y intéresser ? Je pense que non.

Je le disais au début, la souffrance est constructive lorsqu'elle est en rapport avec un événement tolérable dans un contexte de sécurité. J'ai eu la chance de vivre dans une grande famille avec toujours quelqu'un pour veiller sur l'autre. Qu'un de mes oncles me fasse pleurer, un autre, ou une tante, arrivait pour le faire cesser. Que mes parents, qui étaient très jeunes, soient occupés à vivre leur jeunesse plutôt que de passer du temps avec nous, nos grands-parents étaient là pour prendre le relais. Il y a toujours eu quelqu'un pour protéger ou empêcher que quelque chose de mal n'arrive. C'est la croyance que j'ai toujours eue. Elle a été très efficace pour me faire grandir et elle est efficace pour m'aider en tant que thérapeute. C'est une force aussi pour aider les patients.

L'empathie est la capacité de comprendre et de partager les sentiments avec les autres. Les psychothérapeutes ont besoin de cette qualité. L'empathie est la capacité humaine à ressentir ce qu'un autre humain ressent. Cette capacité permet à l'être humain de mieux utiliser et comprendre les interactions sociales et relationnelles et de pouvoir ainsi se défendre ou fuir un comportement agressif. Si vous pouvez prévoir les actions et les besoins des autres avec suffisam-

> L'empathie est la capacité de comprendre et de partager les sentiments avec les autres.

ment de précision, vous pouvez alors être plus à l'aise et plus habile dans les relations avec eux. La capacité à capter les expressions des autres individus et à échanger sur le même niveau augmente le sentiment de sympathie. C'est la condition préalable à la compréhension de l'autre, à l'attachement, à la relation interpersonnelle qui est l'un des éléments essentiels à notre survie.

L'empathie sur le plan cérébral

Pour Tania Singer, l'empathie est la capacité à ressentir la douleur. Dans une étude sur des volontaires humains, Singer et son équipe ont découvert que l'empathie active certaines régions du cerveau responsables du sentiment de douleur. Attraper une cuillère brûlante provoque une sensation de brûlure dans la main, qui va être véhiculée par les nerfs jusqu'au cerveau dans les récepteurs de température, puis fera retour vers la main. Certaines régions sont responsables de la compréhension de la sensation et de l'intensité, d'autres régions sont mobilisées pour la localisation de la blessure ou pour la qualité désagréable ou insupportable de la douleur. Ainsi, la sensation de gravité et d'intensité de la souffrance peut varier selon le contexte.

RÉACTIONS ET CONTEXTE

Si vous êtes impliqué dans un grave accident, votre système de survie est tout entier occupé à analyser la situation et à chercher la meilleure stratégie pour vous en sortir, à tel point que vous ne percevez pas la douleur de vos blessures éventuelles.

Mais si vous êtes en contact avec des enfants dont vous apprenez qu'ils ont des poux, vous ressentez un prurit insupportable et vous vous grattez le cuir chevelu avec force. Vos sensations et vos comportements sont modulés par le contexte.

L'empathie qui a été étudiée par les chercheurs active les mêmes régions cérébrales que la douleur : l'insula antérieure et le cortex cingulaire antérieur. Si un de vos proches ressent une douleur forte, en le regardant, la zone de votre cerveau responsable du ressenti de la douleur va s'activer en même temps ! Vous ressentez de l'empathie pour la souffrance de votre proche. Par contre, si c'est vous qui avez cette douleur, toutes les régions s'activent. Les chercheurs ont étudié comment tout cela se joue grâce aux techniques de balayage du cerveau (imagerie par résonance magnétique ou IRM). Ce sont les femmes qui montrent le plus fort sentiment d'empathie : devant des images où on simule la piqûre d'un de leurs proches par une guêpe, elles manifestent une plus grande activité dans les régions cérébrales dépendantes du contexte douleur. L'empathie s'active même si le sujet ne voit pas le visage de la victime. Il semblerait (selon T. Singer) que nous sommes plus à même de sympathiser avec les autres si nous avons vécu des émotions ou des situations similaires à celle qu'ils vivent.

Dix ans après la découverte des neurones-miroirs, nous avons la preuve que nous partageons la dimension affective grâce à une trame neuronale qui soutient notre capacité empathique. Les chercheurs nous ont montré que le cerveau s'active au moment de l'émotion empathique de la même façon que chez le sujet qui vit l'émotion. Nous serions ainsi capables de moduler nos réactions automatiques d'empathie selon le contexte, le moment relationnel ou l'observation.

À quoi sert l'empathie ?

La compréhension des comportements affectifs de nos semblables est la pierre angulaire de notre vie sociale. Cela nous permet de communiquer et d'interagir les uns avec les autres de façon efficace mais aussi agréable. C'est aussi le moyen de prédire les intentions et les actions des autres. Notre réaction corporelle affective permet à l'autre de comprendre nos sentiments : si quelque chose se passe qui ne nous plaît pas, notre expression faciale, notre mimique, va tout de suite donner une information émotionnelle (dégoût, tristesse, étonnement, etc.) à notre interlocuteur et lui permettre de moduler ou modifier son comportement. Si au contraire la présence de l'autre nous est agréable, notre visage exprimera le contentement, le plaisir, qui sera en principe compris sans autre parole par notre interlocuteur ; à son tour, celui-ci va se sentir bien dans cette situation et aura envie de continuer.

On voit ainsi comment l'empathie est une capacité humaine essentielle pour la vie sociale et relationnelle (il existerait aussi de l'empathie chez les animaux qui leur permet d'établir des relations sociales complexes). Grâce à cette qualité, nous pouvons discerner les conséquences émotionnelles de nos comportements sur un autre être humain (souffrance, tristesse, colère) et les modifier pour arrêter cette souffrance. Cette capacité à partager l'émotion de l'autre permet une meilleure compréhension des actions et des comportements des uns et des autres et améliore ainsi les relations sociales.

EMPATHIE, SYMPATHIE, CONTAGION ÉMOTIONNELLE...

D'autres éléments sont associés à une définition plus large de l'empathie : la mimique, la contagion émotionnelle, la sympathie, la compassion. Chacun de ces éléments se rapporte à des phénomènes différents, liés entre eux et intervenant les uns par rapport aux autres, qui se produisent le plus souvent en même temps.

La différence entre mimétisme et contagion émotionnelle est importante. Le mimétisme est la tendance automatique à synchroniser les expressions affectives, vocales, posturales et motrices avec ceux d'une autre personne. C'est le mode d'apprentissage le plus important dans le jeune âge (Hatfield, Piaget...). Le mimétisme est un mécanisme qui participe, à un faible niveau sans doute, du phénomène d'empathie. Son rôle a été établi dans de nombreuses études portant sur les réponses émotionnelles à différentes mimiques de visages présentés aux sujets étudiés. Ces études montrent qu'un sujet réagit par une émotion cohérente à l'expression du visage (sourire, froncement de sourcils...) observée sur un autre visage. Cela permet d'avoir un comportement social et une compréhension de la personne dans la relation (Sonnby-Borgstrom, 2002).

La contagion émotionnelle est un autre processus apparenté à l'empathie, bien qu'elle en soit distincte : les bébés pleurent quand ils entendent d'autres enfants pleurer, les adultes eux-mêmes ont tendance à rire en entendant les autres rires... Selon Tania Singer, il faudrait tenir compte, par exemple, de la conscience de soi et des autres, de la capacité à distinguer ses besoins propres et ceux des autres individus, de la capacité à repérer si notre émotion provient de nous-même ou a été déclenchée par l'émotion de l'autre.

Il est important aussi de distinguer la sympathie, la compassion, autre élément intervenant dans la relation à l'autre, de l'empathie. Alors que l'empathie est la conséquence de la compréhension des sentiments de l'autre personne, la sympathie ou la compassion ne sont pas des sentiments forcément partagés par les deux sujets. Par exemple, un sentiment de tristesse présenté par une personne provoquera par empathie un sentiment de tristesse chez une autre. Par contre, si une personne éprouve de la sympathie pour celle qui ressent de la tristesse, cela se traduira plutôt par de la pitié ou de la compassion. Si une personne observe un sentiment de jalousie manifesté par une autre personne, elle ne se sentira probablement pas jalouse, mais elle ressentira de la sympathie ou de la compassion pour la personne jalouse.

Cette distinction entre sympathie et empathie est importante ; l'empathie désigne le sentiment de partager le sentiment de l'autre, alors que la sympathie, la compassion désignent la préoccupation du sujet à orienter ses sentiments vers l'autre et constitue une étape secondaire à l'empathie.

On considère aussi que l'empathie intervient pour chercher à augmenter le bien-être de l'autre ou des autres comme dans l'altruisme. Cependant, l'empathie ne désigne pas la motivation à l'altruisme. Par exemple, un policier peut utiliser l'empathie pour obtenir des renseignements ou des aveux en provoquant un sentiment de détresse ou de culpabilité chez son suspect ; un tortionnaire peut utiliser sa capacité empathique pour augmenter la souffrance de sa victime. L'empathie peut donc fonctionner en dehors d'un sentiment positif ou altruiste.

Malgré tout, l'empathie est considérée comme une étape nécessaire d'une chaîne de processus qui associe le partage, le souci des sentiments des autres, la motivation de ce qui permet l'engagement dans les relations sociales.

Le psy, l'empathie et la compassion : faut-il avoir vécu la même chose que son patient ?

Il y a quatre ans mon frère est mort en quelque mois d'un cancer que personne n'avait vu venir. Le monde s'est écroulé pour nous tous. Notre famille n'avait jamais été confrontée à un deuil si violent. (En fait si, mon père a appris la mort de son frère quand il avait onze ans, alors qu'il était séparé de sa famille ; il avait été envoyé avec un grand nombre d'enfants parisiens dans une famille d'accueil en province. Il était donc dans une ferme isolée en Creuse depuis un an quand il a vu arriver son père tout de noir vêtu pour lui apprendre que son grand frère était mort à Paris dans le bombardement de leur immeuble – le jeune homme sur la photo dans le salon de ma grand-mère.) Mes croyances sur la sécurité et l'immortalité n'y ont pas résisté.

Dans l'année qui a suivi son décès, une dame vient me consulter parce que, dit-elle, on lui avait dit que j'écoutais bien et que j'aidais les gens quand ils avaient vécu des choses horribles. « Mais peut-être que vous ne voudrez pas vous occuper de moi car finalement ce n'est pas aussi horrible que d'autres histoires ? » Je mets en route mon attention, mon empathie est allumée, je me sens bien professionnelle, et j'écoute. Petit à petit, je sens que je me dissous, je me glace : elle raconte la maladie de sa fille, parle des médecins, des hôpitaux, et de sa mort. Même maladie, même évolution, mêmes médecins... même mort que mon frère. Je n'arrive plus à écouter, je cherche par tous les moyens à échapper à la situation ; je bloque empathie, sympathie, compassion et tout le reste pour empêcher l'émotion de monter et de m'envahir. À la fin de l'entretien, elle me remercie avec chaleur, cela lui a fait beaucoup de bien, et elle demande à revenir la semaine suivante. Comment lui dire que ce n'est pas possible ? Je ne sais pas, donc je lui donne un rendez-vous. Et, au fil des entretiens, je vais m'apaiser en même temps qu'elle. Je progresse dans mon deuil en même temps qu'elle. Nous parlons de la mort, ou plutôt je lui permets de parler de la mort de sa fille, des circonstances et de ses émotions, et dans ma tête je fais le même travail qu'elle. Ce que je lui dis, je l'écoute aussi en écho. Et cela m'a fait du bien, car j'ai pu affronter ma propre peine. Je n'ai pas communiqué ma propre souffrance, elle a ignoré que j'avais vécu la même expérience qu'elle. Il n'y a pas eu de sympathie ; ce n'est pas cela qu'elle venait chercher. Mais il y a eu un partage d'émotions par « empathie de nos deux cerveaux » ayant communiqué dans le non-verbal, ce qui lui a permis de se sentir comprise et entendue.

Avec le temps, on se sent plus à l'aise en thérapie et plus apte à aborder toute expérience, toute émotion d'autrui avec d'autant moins d'appréhension qu'on a le sentiment d'avoir un bagage conséquent d'événements affrontés avec succès. Les expériences sur l'empathie nous ont montré que d'avoir vécu la même expérience que l'autre nous fait ressentir de la sympathie et de la compassion pour sa souffrance en même temps que de l'empathie pour le comprendre. Reste que le psy ne peut pas vivre toutes les expériences avant ses patients, bien sûr ! Mais il faut qu'il en ait vécu certaines. Nous puisons nos ressources dans une expérience qui est soit personnelle, soit « empathique ». En effet, il me semble qu'une partie des « choses que sait le psy », il les doit à l'observation et à l'écoute de ses patients. Justement l'empathie nous permet de comprendre le ressenti de nos patients sans avoir à passer par les mêmes épreuves qu'eux. Heureusement, on n'a pas besoin d'avoir vécu un viol pour comprendre ce qu'un être humain peut ressentir. Mais il faut avoir ressenti de la souffrance, il faut connaître la souffrance, qu'elle soit physique ou morale, pour être empathique.

Comment apprend-on l'empathie ?

Bizarrement, nous apprenons à être empathiques par l'apprentissage de la souffrance. La reconnaissance de notre émotion nous ouvre l'accès à la reconnaissance des émotions chez les autres humains : on sourit quand un enfant sourit, on pleure en regardant la mort du roi Lion, on a un sentiment de plénitude, de plaisir en chantant dans une chorale. Et pour cela nous n'avons pas besoin de mots. Cette capacité s'apprend, s'affine, s'ajuste tout au long de notre vie dès notre plus jeune âge, avec notre entourage et notre environnement. Elle s'apprend par l'observation. L'observation de soi et des autres, et la vérification de ce qu'on a compris.

On peut s'entraîner à l'empathie mais pas à l'émotion. L'émotion, c'est ce qu'on ressent, avant même de comprendre et d'analyser.

On peut s'entraîner à l'empathie mais pas à l'émotion.

Greffer de l'empathie chez les patients

Mme H. vient à ma consultation en demandant de l'aide. Personne ne la comprend, on lui reproche de ne pas faire ce qu'il faut. Elle vient de se séparer de son mari qui a agressé leurs enfants. Elle a le sentiment que les psys, le juge la soupçonnent ou l'accusent de ne pas faire ce qu'il faut. Elle ne sait pas quoi faire et n'arrive pas à se faire comprendre.

Et de fait, pendant ce premier entretien, je lutte contre un sentiment d'antipathie que j'observe : elle ne sourit pas, son visage est fermé, son corps est raide, elle ne fait que des phrases négatives, se justifie de tout, s'interdit toute expression émotionnelle. Le travail qui sera fait pendant les séances suivantes consistera à lui apprendre à observer son propre comportement gestuel, à sourire, à repérer ses émotions, à en parler ; elle retrouve un contact plus chaleureux et adéquat avec son environnement, comprend mieux ce qui se joue dans les relations et peut mieux se faire comprendre et obtenir de l'aide.

L'empathie avec les enfants

Les enfants connaissent encore mal leurs émotions. Elles montent et descendent en intensité sans grand rapport avec la situation et c'est normal, rien de dramatique ni d'effrayant, mais c'est difficile, bien sûr, et éprouvant.

Je vais faire un câlin à mon petit-fils cet été et je le vois les yeux pleins de larmes. Je lui demande ce qui lui arrive et il me répond avec du désespoir dans la voix : « Je passe de très mauvaises vacances. » Dans ma tête, tout de suite, tout se remet en question : il ne m'aime pas, il lui est arrivé quelque chose de grave dont on ne s'est pas aperçu, il a vu ou appris quelque chose que je ne sais pas. Et aussitôt je récapitule dans ma tête : on a acheté au moins trois glaces aujourd'hui, il a passé la journée à la piscine avec ses cousins, on a joué aux cartes tous les soirs, il riait très fort avec sa mère tout à l'heure… Je retrouve mon calme et lui demande ce qui se passe, ce qu'il ressent. « On n'a pas joué aux cartes longtemps ce soir. » Je reste assez scotchée par sa réponse mais je continue à écouter : « Je m'ennuie, je n'ai personne pour jouer avec moi. »

Ses émotions étaient très fortes et très présentes pour lui et envahissaient tout son champ de conscience, l'empêchant de prendre du recul. Le rappel de ce qu'il avait fait les jours précédents et de ce qui était prévu le lendemain a suffi pour lui faire retrouver le sourire avant de s'endormir.

Les adultes oublient facilement comme le monde des enfants peut être douloureux et difficile. L'émotion elle-même est une épreuve à vivre. Ils doivent la comprendre, l'accepter, l'apprivoiser, en prendre l'habitude, ne pas en avoir peur. Pour cela, ils ont besoin de ressentir que l'émotion de leur parent est sereine, confiante et sécurisante.

Peut-être que l'expérience est nécessaire pour être un thérapeute. Peut-être est-il nécessaire d'avoir vécu pour entendre et comprendre puis aider les autres en souffrance ?

Il est surtout important de rester en contact avec ses émotions et avec le souvenir de ses émotions.

Pour en savoir plus, reportez-vous page 269.

3 En savoir **plus**

14. La révélation de soi : savoir se dévoiler

André C., *Imparfaits, libres et heureux. Pratiques de l'estime de soi*, Paris, Odile Jacob, 2006.

Ben-Shahar T., *L'Apprentissage de l'imperfection*, Paris, Belfond , 2010.

Fanget F., *Oser. La thérapie de la confiance en soi*, Paris, Odile Jacob, 2003.

Koeltz B., *Comment ne pas tout remettre au lendemain*, Paris, Odile Jacob, 2006.

Pélissolo A. et Roy S., *Ne plus rougir et accepter le regard des autre*, Paris, Odile Jacob, 2009.

15. La guerre du « non », l'autorité entre parents et enfants

George G., *La Confiance en soi de votre enfant*, Paris, Odile Jacob, 2007.

George G., *Mon enfant s'oppose. Que dire, que faire ?*, Paris, Odile Jacob, 2006.

16. Savoir écouter avant d'agir

André C., *Imparfaits, libres et heureux*, Paris, Odile Jacob, 2006.

Apfeldorfer G., *Les Relations durables*, Paris, Odile Jacob, 2004.

Macqueron G., *Psychologie de la solitude*, Paris, Odile Jacob, 2009.

17. L'affirmation de soi du thérapeute

André C., *Imparfaits, libres et heureux*, Paris, Odile Jacob, 2006.

Fanget F., *Affirmez-vous ! Pour mieux vivre avec les autres*, nouvelle édition, Paris, Odile Jacob, 2011.

Fanget F., *Toujours mieux, psychologie du perfectionnisme*, Paris, Odile Jacob, 2006.

18. Non, je ne suis pas une mère parfaite

Georges G., *La Confiance en soi de votre enfant*, Paris, Odile Jacob, 2009.

Georges G., *Mon enfant s'oppose. Que dire, que faire ?*, Paris, Odile Jacob, 2000.

Gordon T., *Comment apprendre l'autodiscipline aux enfants. Une nouvelle approche constructive*, Montréal, Le Jour éditeur, 1990.

Manes S., *Comment devenir parfait en trois jours*, Paris, Rageot, « Cascade », 1997.

Millêtre B., *Le Livre des bonnes questions à se poser pour avancer dans la vie*, Paris, Payot, 2010.

– *Prendre la vie du bon côté. Pratiques du bien-être mental*, Paris, Odile Jacob, 2009.

– *J'éveille mon bébé*, Paris, Odile Jacob, 2005.

– *Bébé s'éveille*, Paris, Gründ, 1995.

19. Les relations animaux-maîtres, miroirs des relations humaines

Cabié M-C., Isebaert L., *Pour une thérapie brève*, Ramonville-Saint-Agne, Érès, 1997.

Dehasse J., *Tout sur la psychologie du chien*, Paris, Odile Jacob, 2009.

Dehasse J., *Tout sur la psychologie du chat*, Paris, Odile Jacob, 2005.

Dehasse J., *Mon chien est heureux*, Paris, Odile Jacob, 2009.

Dehasse J., *Mon animal a-t-il besoin d'un psy ?*, Paris, Odile Jacob, 2007.

Dehasse J., *Chiens hors du commun*, Montréal, Le Jour éditeur, 1996.

Dehasse J., *Chats hors du commun*, Montréal, Le Jour éditeur, 1998.

Kourilsky-Belliard F., *Du désir au plaisir de changer*, Paris, InterEditions, 1995.

20 Faut-il avoir vécu les mêmes choses pour avoir de l'empathie envers autrui ?

Hatfield E., Cacioppo J. T. et Rapson R. L., *Emotional Contagion*, New York, Cambridge University Press, 1994.

Singer T., « The neuronal basis of empathy and fairness », *in* G. Bock et J. Goode (dir.), *Empathy and Fairness*, Chichester, Wiley, 2007, p. 20-30, 89-96 et 216-221.

Sonnby-Borgstrom M., « Automatic mimicry reactions as related to differences in emotional empathy », *Scandinavian Journal of Psychology*, 4 (5), 2002, p. 433-443.

Vignemont F. de et Singer T., « When do we empathize ? », *in Empathy and Fairness*, John Wiley and Sons, 2006.

4 CONTINUER
le chemin

On a l'habitude d'appeler ça le développement personnel : tous ces efforts non pour se soigner mais pour se faire une vie intérieure plus douce, plus sereine, plus heureuse, plus lucide, plus créatrice. Tout en continuant de vivre vraiment, c'est-à-dire en continuant de se frotter au monde. Parfois c'est facile, parfois non. Mais l'important, c'est de pouvoir à chaque fois se dire ensuite : j'ai appris, j'ai grandi...

Où vas-tu ?
Suivre ses valeurs
de vie

Les psys sont-ils des êtres humains comme les autres ? J'ai parfois l'impression en consultation que mes patients me prennent pour un surhomme. Aux questions qu'ils me posent, aux attentes inquiètes de mes réponses, à l'écoute de mes conseils, face à mes attitudes, à mes froncements de sourcils, je me sens parfois mis sur un piédestal. Je devrais avoir une vie parfaite et, surtout, avoir toutes les bonnes réponses aux questions. Le psy sait tout, comprend tout, répond à tout. À un détail près, le psy est une personne comme une autre, il a ses limites, ses problèmes, ses angoisses, des questions non résolues, des réussites et des échecs.

La seule différence est qu'il a fait son métier d'essayer de comprendre (avec eux) les problèmes des gens et de les aider comme il peut. Il est témoin, compagnon, accompagnant.

« Où étais-tu ? » – les valeurs d'un thérapeute au fil de sa vie

Parfois mes patients semblent penser : « Mais où m'emmène ce psy ? Sait-il lui-même où il va ? Pourquoi fait-il ce qu'il fait ? » Contrairement à l'image du psy inaccessible, voire probablement impressionnant, complexant, savoir qui est votre psy, connaître sa trajectoire personnelle, son vécu, bref entrer dans les coulisses de sa vie peut être utile avant de vous confier à lui. Je vous propose, comme je l'ai fait, de rechercher vos valeurs de vie dans votre passé, dans votre présent et enfin dans votre avenir.

Quarante ans pour comprendre mon choix professionnel

Il m'a fallu plus de quarante années avant de commencer à comprendre pourquoi j'étais devenu psychiatre. Et il me reste certainement bien des choses à découvrir !

Je me suis longtemps mépris sur les origines de mon choix. À la trentaine, alors que je venais de finir ma spécialité, j'étais très sûr de moi lorsqu'on me posait la question : « Pourquoi es-tu devenu psychiatre ? » De manière quasi péremptoire, je répondais apparemment sans aucun problème : « Depuis ma petite enfance, je voulais être médecin. » Ma mère me disait : « [Lorsqu'une ambulance passait] tu t'arrêtais, tu sortais de la conversation et tu écoutais attentivement l'ambulance en disant : "Je veux être médecin." » Je ne me suis jamais écarté de cette idée, j'ai passé le bac, puis j'ai fait mes études de médecine sans trop me poser de questions.

Mais lorsqu'on ne se pose pas de questions, c'est la vie qui vous les pose. Alors que je voulais devenir médecin interniste, en quatrième année, je choisis un stage d'externe en psychiatrie durant l'été ; ces stages étaient réputés nécessiter peu de travail. J'ai pensé que, pour un stage d'été, cela conviendrait parfaitement, que je pourrais me reposer et m'amuser. J'arrivai donc tranquille dans ce stage de psychiatrie et là, oh surprise, contre toute attente je me passionnai pour cette expérience. Le maître de stage était, il est vrai, excellent, mais je fus moi-même surpris de mon intérêt pour une spécialité à laquelle je n'avais jamais pensé. Cependant, je persistais : « Non, tu veux être interniste, garde ton cap. »

Quelques années plus tard, alors que je commençais mon internat, j'effectuai un premier stage en endocrinologie et là, au lieu de me passionner comme les autres internes pour les hormones, le fonctionnement de l'hypophyse ou des glandes surrénales et pour cette spécialité au fond très technique, je me surpris à m'intéresser aux jeunes patientes qui souffraient d'anorexie mentale. Les autres internes disaient : « C'est de la psychologie, ça ne m'intéresse pas », alors que j'étais tout à fait pris par ces consultations.

Ces angoissés m'intéressaient tout particulièrement

Pour le stage suivant, je choisis la cardiologie. Mes collègues étaient tous enthousiasmés par le traitement des infarctus, ayant l'impression de sauver des vies ; ce n'était d'ailleurs pas qu'une impression. Pourtant, ils étaient agacés par ces angoissés qui souffraient de palpitations, qui se faisaient faire de grands bilans cardiaques alors que, selon eux, ils n'avaient rien : « Ce sont des angoissés, ils nous font perdre notre temps », disaient-ils. Mais ces angoissés-là m'intéressaient tout particulièrement et j'avoue que je commençai à manquer d'intérêt pour la technique médicale.

Âgé de vingt-cinq ans, j'avais presque terminé mes études. Je remplaçais un médecin généraliste pour me confronter à l'ensemble de la pathologie. Et cette expérience me confirma, une fois de plus, que c'était bien la psychologie et la psychiatrie qui m'attiraient. Je repartis donc en internat en psychiatrie dans l'intention de devenir psychiatre.

QUELS SONT LES OUTILS QUI PEUVENT AIDER À TROUVER SON CHEMIN ?

Je crois à une certaine ouverture d'esprit, à l'imprévu, à la surprise, à l'audace. Il faut savoir sortir des sentiers battus. Si votre chemin paraît tout tracé, c'est parfois l'imprévu qui vous aidera à changer de vie. Ne soyez pas fermés à l'inattendu.

N'hésitez pas à saisir les opportunités qui se présentent à vous. Ce fut le cas pour moi.

Accepter de s'engager sur un nouveau chemin

Je vécus le même type d'expérience quelques années plus tard. Je venais de rencontrer Christophe André qui dirigeait une collection d'ouvrages de psychologie : « Frédéric, me dit-il, j'aimerais bien que tu écrives un livre d'affirmation de soi pour Odile Jacob. »

Je fus sidéré par cette proposition ! Je rappelai à Christophe André que j'avais eu 6/20 au bac de français, et que si je me reconnaissais quelque talent oratoire, je pensais être un bien piètre écrivain. J'ai demandé quelques jours de réflexion et ai fini par accepter.

Dans une situation nouvelle, quel est le facteur qui peut aider à prendre une décision?

Au lieu de se juger soi-même comme incompétent lorsqu'on nous propose quelque chose, il est utile de regarder le contexte de la proposition et les raisons de celui qui vous fait cette proposition.

Dans le présent exemple, c'est mon respect pour Christophe André, dont je connaissais les écrits, mon respect pour la maison d'édition Odile Jacob, réputée pour publier des ouvrages de qualité, et aussi l'insistance de Christophe, qui avait pris la peine d'étudier mon travail, qui m'ont aidé à me jeter à l'eau. Je pense aussi que j'étais déjà plus âgé, j'avais une faible anxiété face à l'échec possible et j'avais déjà adopté la devise musulmane *Inch' Allah*.

Au fond, si quelqu'un que vous estimez, comme c'est mon cas pour Christophe André, vous fait une proposition, même si vous doutez de vous, pourquoi ne pas écouter cette offre?

LES BONNES RAISONS DE SE LANCER DANS UN PROJET INATTENDU

Si vous avez tendance à craindre de vous lancer dans une nouvelle aventure, à douter de vous et à ne pas franchir le pas, alors je vous conseille une méthode toute simple. Par écrit, étudiez les avantages et les inconvénients à vous lancer dans un nouveau projet, et aussi les inconvénients à ne pas vous y lancer.

La plupart du temps, on a plus à perdre à ne pas essayer de faire quelque chose qu'à décider de le faire, quitte à prendre quelques risques, cela évidemment après avoir pesé le pour et le contre, évalué les avantages et les inconvénients et éliminé les dangers éventuels.

Si vous regardez de plus près, vous verrez qu'en général, vous avez plus intérêt à saisir une opportunité en acceptant de ne pas toujours tout réussir qu'à faire du surplace, en restant à l'écoute de peurs parfois irrationnelles et excessives.

Comprendre son parcours de vie, identifier ses valeurs

C'est encore l'écriture, et en particulier celle de mon ouvrage *Où vas-tu? Les réponses de la psychologie pour donner du sens à sa vie*, qui m'a obligé à m'interroger sur mes valeurs et à faire mon bilan de vie. Je vous fais part de cette expérience afin de vous donner quelques petits trucs qui m'ont aidé et qui pourront vous aider dans la découverte de vos valeurs.

Connaître sa biographie

J'ai d'abord écrit ma biographie, qui est détaillée dans le livre en question et dont je ne ferai que rappeler ici l'essentiel. Nous avons vécu, mes parents et moi, dans une certaine pauvreté au départ. Mon père a dû travailler jour et nuit pour assurer l'essentiel à sa femme et à ses trois enfants. Je l'ai donc toujours vu énormément travailler. Mon père ne se plaignait jamais, il était content, disait-il, d'avoir du travail, c'était déjà bien ; il travaillait six jours sur sept. Il nous emmenait le dimanche (à l'époque sur la Nationale 7, car l'autoroute n'existait pas) jusqu'à la mer pour que nous puissions nous baigner. C'est cette véritable force de travail qui m'a impressionné. Mon père m'a montré que le travail pouvait permettre à une famille entière de s'en sortir. J'ai donc pris très jeune le goût du travail, ce qui m'a permis plus tard, je crois, de ne pas avoir peur de me lancer dans des études de médecine qui m'ont demandé d'autant plus d'énergie que je n'avais pas de don particulier pour les études.

Venait ensuite la biographie de ma mère, notamment le récit de son enfance qui m'a éclairé sur mon choix de psychiatre. Ma mère a été abandonnée très jeune par sa propre mère qui n'avait pas les moyens de la nourrir, alors qu'elle s'était occupée de ses frères et sœurs. Ma mère s'est donc retrouvée seule exclue de la famille. Je l'ai vue toute ma vie souffrir de cette situation, et je crois que si j'ai voulu guérir les bleus de l'âme et si j'ai choisi la psychiatrie, c'est peut-être pour une raison plus ancienne que celle que j'ai évoquée tout à l'heure, ayant été confronté très tôt à la souffrance de ma mère. Ce n'est qu'après mon stage d'externe que mon internat et mon remplacement sont venus confirmer mon choix de psychiatre, choix qui, au fond, s'était fait dès le départ.

Comment faire votre bilan de vie et trouver vos valeurs ?

Si vous traversez une période d'interrogations sur le sens de votre vie, vous pouvez vous aider de ces méthodes en essayant de retracer votre biographie et ainsi retrouver le chemin de vie déjà parcouru. Vous pouvez, par exemple, parler de votre enfance avec vos parents, vos proches, ceux qui vous entouraient à l'époque. Solliciter les souvenirs de plusieurs personnes est souvent utile. Vous pouvez vous aider des albums photos en faisant parler vos proches. Vous verrez que souvent beaucoup de détails reviennent. N'hésitez pas à discuter avec eux à partir de ces documents photographiques. Demandez-leur des précisions : « Quels sont les noms des personnes sur les photos ? Te souviens-tu des moments partagés ? Comment étiez-vous à l'époque ? Quels étaient vos comportements, votre tempérament ?… »

Vous pouvez aussi vous aider des carnets scolaires, relire les annotations des professeurs, revoir les photos de classe et en discuter avec vos proches. Vous pouvez aussi compléter votre biographie en vous intéressant à celles de vos parents : qu'ont-ils vécu eux-mêmes, comment ont-ils été élevés, avec quelles valeurs ? Quelle était leur culture familiale ? Comment étaient leur père ou leur mère avec eux ?… Il peut être très utile aussi d'enregistrer le récit de vos parents et de vos proches pour connaître ce qu'ils ont vécu lorsqu'ils étaient enfants, le contexte familial et culturel, la guerre s'ils l'ont vécue, afin de pouvoir retransmettre ces enregistrements à vos enfants et aux générations futures.

Le chemin de vie est transgénérationnel, nous héritons d'un passé et nous transmettons un avenir. Aller à la recherche de son passé en se fondant sur des faits, des souvenirs, des événements plus que sur des interprétations est souvent utile pour éclairer le chemin de vie que nous avons souvent, en partie, décidé nous-même de prendre.

Il existe une seconde façon d'aborder vos valeurs de vie qui consiste à étudier votre vie présente, c'est ce que nous allons voir maintenant.

> Aller à la recherche de son passé est souvent utile pour éclairer son chemin de vie.

« Que vis-tu actuellement ? » S'arrêter sur les valeurs du présent

Cette question, je l'ai souvent posée à mes patients, en particulier à ceux qui souffraient de stress. J'ai l'impression que certains de mes patients vivent à côté de leur vie, ils pédalent à côté de leur vélo. Ils font des milliers de choses chaque jour, sont complètement débordés, mais au final ils sont mal dans leur peau car ces choses ne sont pas les plus importantes. L'important, s'occuper de ses proches, être un bon père ou une bonne mère, donner aux autres ou s'occuper de soi et de ses besoins, ils n'ont plus le temps de le faire. Je suis fréquemment amené à leur demander ce qui est important pour eux, mais, avant de poser cette question, angoissante à ce stade-là, je conseille l'exercice du planning d'activités qui permet de considérer les valeurs de votre vie à l'instant *t*.

● L'EXERCICE DU PLANNING D'ACTIVITÉS

L'exercice se révèle utile lorsque vous avez, notamment, une décision à prendre, un choix à faire. Il est tout simple. Sur une feuille de papier, listez l'ensemble de vos activités hebdomadaires, jour par jour et même heure par heure, en attribuant à chaque activité une note de plaisir et une note de maîtrise de l'action, de 0 à 10, par exemple.

Sur une autre feuille, listez vos objectifs principaux de vie.

Au bout de huit jours, comparez celle-ci avec votre planning d'activités pour évaluer si, durant la semaine qui vient de s'écouler, vous vous êtes réellement consacré à vos objectifs principaux. Si vous êtes à côté de votre sens de vie, vous pourrez vous en rendre compte. Vous aurez passé la semaine à faire des choses qui ne font pas partie de vos objectifs prioritaires et n'aurez malheureusement consacré que peu de temps à ces derniers, par exemple bien élever vos enfants ou cultiver la qualité relationnelle dans votre couple.

C'est ainsi qu'un de mes patients, Martin, qui travaillait 14 heures par jour, ne se rendait pas compte qu'il passait complètement à côté de l'éducation de son fils handicapé. C'était pourtant bien là son sens de vie, mais il n'y consacrait pas de temps.

« Qu'est-ce que je vis actuellement ? » – revenir à soi

Le psy que je suis s'est aussi posé cette question à plusieurs moments de sa vie, dont l'un me revient particulièrement en mémoire. Vers l'âge de quarante ans, j'ai eu un gros coup de fatigue qui m'a conduit à faire un bilan médical complet.

Le professeur de médecine interne (tiens, revoilà la médecine interne), après avoir fait un bilan extrêmement rigoureux, m'explique que je souffre de stress excessif. Je lui réponds : « Ne vous inquiétez pas, je viens de louer une maison en

Ardèche et je vais aller cultiver les tomates, je serai tranquille. » Le professeur, très sérieux mais non dénué d'humour, me répond : « Oui, mais monsieur Fanget, tel que je vous vois fonctionner aujourd'hui, si vous allez cultiver les tomates en Ardèche, vous deviendrez très vite un producteur qui cherchera à les exporter dans la France entière puis dans l'Europe, et à mon avis vous viendrez à nouveau me voir pour excès de stress. »

Cette remarque m'a totalement sidéré tant elle était juste. Effectivement, le problème n'est pas de changer de vie – devenir producteur de tomates à la place de psychiatre –, mais c'est la façon dont on vit sa vie qui pose question. J'ai compris que j'étais trop exigeant avec moi-même, que je voulais trop en faire. J'étais probablement perfectionniste dans les bons et les mauvais aspects de ce trait de personnalité. J'ai compris que mon perfectionnisme m'avait permis de réussir, de devenir médecin, de bien faire mon travail (ce qui est une valeur très importante pour moi comme elle l'a été pour mon père). Le perfectionnisme était donc le moteur de ma réussite et de mon bien-être, mais c'était ce même perfectionnisme qui commençait à creuser ma tombe. Trop de perfectionnisme, trop d'énergie dépensée, épuise à long terme. Comme souvent en psychologie, un même trait de caractère peut recouvrir toute la palette du comportement, du bon à l'excès, du meilleur à l'extrême inverse.

Rebondir lors des événements de vie

Faire un bilan à l'aide d'un planning d'activités, définir vos objectifs régulièrement au cours de votre vie, soit à intervalles réguliers, soit lors d'un événement marquant, est fort utile pour savoir où vous en êtes de vos valeurs et comprendre ce que vous vivez à l'instant présent. J'ai eu l'occasion de refaire ce bilan de vie à d'autres moments.

Ce fut le cas lorsque j'ai eu un accident assez grave entraînant la perte partielle de mobilité de mon coude et un arrêt de travail de plusieurs mois. C'était la première fois que j'arrêtais de travailler. Je n'avais jamais envisagé arrêter un jour le travail, je ne m'étais jamais dit que cela pouvait m'arriver. Je me suis retrouvé totalement dépendant du jour au lendemain, sans pouvoir couper ma viande, boutonner ma chemise ou lacer mes chaussures. Dans ces moments-là, où l'on se trouve confronté à un événement grave et imprévu, on se pose la question des valeurs de vie. Est-ce que mes valeurs – le travail, être un bon médecin, un bon psychiatre – allaient encore pouvoir fonctionner après l'accident ? Comment allais-je continuer ?

J'ai aussi fait cet exercice au moment de mon divorce. Après trente-deux ans de vie heureuse, le coup de foudre dans un ciel serein est arrivé. Que devenaient alors mes valeurs « couple », « famille », « enfants » ? L'examen de mes valeurs de vie à ce moment-là m'a permis, je crois, lorsque j'ai divorcé, de mieux vivre la situation. J'étais plus ouvert aux différents couples qui m'entouraient, aux couples de mes amis, je me suis mis à plus parler avec eux de nos problèmes de vie à deux. Plusieurs d'entre eux m'ont dit que je m'étais davantage ouvert aux autres à la suite de ma séparation.

La valeur « enfants », qui avait toujours existé dans ma vie mais que j'avais un peu négligée à cause de mon excès de travail, est revenue au premier plan. Il était urgent pour moi (mes enfants étaient déjà grands) de renforcer nos liens, de savoir où en était notre attachement. Quant à mon corps, j'en prends le plus grand soin depuis, ayant désormais conscience que la santé, si elle n'est pas une valeur de vie, est un moyen ou un outil qui nous permet de réaliser bien des choses ; c'est lorsqu'on la perd qu'on le réalise.

La vie présente des événements apparemment négatifs qui peuvent nous enrichir et nous aider à affiner nos valeurs de vie. Ces valeurs se construisent dans notre passé comme nous l'avons vu, se régénèrent dans notre présent et se projettent dans notre avenir par le biais de ces questions de fond : « Que vais-je transmettre ? », « Que va-t-il rester après moi ? »

« Où vas-tu ? » – dérouler le fil d'Ariane, conducteur de notre sens de vie

Comment détecter vos valeurs de vie d'avenir ?

J'ai l'habitude de proposer un exercice que j'appelle « La dernière minute de vie » et qui se passe de la manière suivante. Je demande à la personne concernée : « Si vous mourez dans une minute, quel sera votre premier regret ? puis

le deuxième? puis le troisième? », je demande ensuite :
« Quelle sera votre première fierté? puis la deuxième? la
troisième? »

Si vous répondez franchement à cette question, vous mettrez dans vos premiers regrets ce qui est vraiment important
pour vous dans votre vie. Je dis alors à mes patients : « Si
vous ne l'avez pas fait, alors mettez-le en pratique maintenant, dès ce soir, ou demain au plus tard. Faites un premier
pas pour aller vers ce que vous regrettez de ne pas avoir fait.
C'est ce qu'il est urgent de faire maintenant. Ce sont ces
questions que je me suis posées lors de mon accident et de
mon divorce.

LES VALEURS DE VIE LES PLUS FRÉQUEMMENT CITÉES

Les valeurs de vie que mes patients expriment le plus souvent dans l'exer-cice de « La dernière minute de vie » sont les suivantes :

● être un bon parent;

● s'occuper de ses proches, de ses enfants, de son père en fin de vie, de son conjoint;

● aider les autres, être quelqu'un d'ouvert;

● être dans le partage, l'humanité;

● développer son sens artistique;

● développer son goût pour les cho-ses bien faites;

● développer son goût pour l'esthéti-que, la décoration;

● le fait de croire, souvent en des valeurs religieuses ou politiques;

● être une personne juste, la justice est très importante pour eux;

● la gentillesse, la compassion;

● ...

Et vous, que diriez-vous? À vous de faire ce petit exercice.

Les valeurs de vie sont une direction, pas un objectif

Il n'y a pas de bonnes ou de mauvaises valeurs de vie. Ce
sont des repères qui donnent une direction vers laquelle se
diriger. Il n'y a pas de hiérarchie. Quel serait le sens de « le
bon, c'est le sud ou l'est », cela ne veut rien dire. Chaque
direction a ses avantages et ses inconvénients. Pourquoi,
au fond, choisissons-nous telle ou telle direction? Ima-
ginez-vous à un rond-point, vous êtes en train de tourner
en rond, vous conduisez, quelle sortie avez-vous envie de
prendre? Cette sortie vous conduira vers une direction,
mais laquelle? Vous ne savez pas jusqu'où vous irez, si vous

décidez d'aller vers l'ouest, en partant de Lyon, vous arrêterez-vous à Saint-Étienne, à Roanne, à Bourges ou à Nantes ou traverserez-vous l'Atlantique jusqu'à New York, la Californie ou le Pacifique ?

Peu importe le point d'arrivée, ce qui compte, c'est que chacun d'entre nous trouve la direction qui lui convient et garde son cap.

Qu'est-ce qu'un bilan de vie ?

En général, les patients viennent me voir en disant : « Je veux faire le bilan de ma vie », faire la part des réussites et des échecs. Mais la valeur de vie n'a rien à voir avec un bilan comptable. Les valeurs de vie ne sont pas des réussites, et encore moins des échecs. Il s'agit plutôt de questions comme : « Est-ce que j'ai été dans la direction que je m'étais fixée ? », « Est-ce que j'ai été cohérent avec moi-même ? », « Laisserai-je l'image de la personne que je souhaite être à mes enfants ? » Les valeurs de vie ne se jugent pas ni ne s'évaluent. Ce qui s'évalue, ce sont les moyens que nous mettons en œuvre pour essayer de répondre à nos propres valeurs. Elles nous servent de cap, de guide, mais nous avons aussi le droit de nous en éloigner. Lorsque vous êtes sur votre route et que vous vous trompez de direction, vous avez toujours un moyen de vous rattraper. Même les GPS modernes, en cas d'erreur de direction, donnent un autre chemin pour arriver à destination. Acceptez de tâtonner, de chercher. Et restez ouvert à tout ce qui peut survenir, que vous n'aviez pas prévu, et qui peut donner un sens à votre vie.

Pour en savoir plus, reportez-vous page 339.

Faire autrement, faire avec : deux manières de changer

22

Dr Roger
Zumbrunnen

Quelque chose va mal dans votre vie et vous ne savez pas comment vous y prendre pour aller mieux ? Ou alors ça va, mais vous pensez que ça pourrait aller encore mieux, que vous pourriez vous améliorer ? Ou encore, vous êtes déstabilisé par une situation nouvelle dans laquelle vos réactions habituelles sont inadaptées ? Ces trois situations appellent une seule réponse, changer. Mais le changement a ses lois. Les connaître et les appliquer, c'est se donner les meilleures chances de réussir à changer quand c'est souhaitable ou nécessaire. Voici deux ou trois choses que l'expérience m'a apprises au sujet du changement personnel.

Comment changer ?

Quand on pense « changement », l'idée qui vient naturellement à l'esprit est celle du remplacement de quelque chose (ou de quelqu'un) par autre chose (ou par quelqu'un d'autre). Le comportement d'une personne, c'est sa manière d'agir, de sentir et de penser dans une situation donnée. Avec cette définition, changer, c'est *faire autrement*, c'est remplacer un comportement inapproprié par un autre comportement que l'on juge adapté ou plus désirable.

Faire autrement est donc une manière de changer. Il en existe une autre. Elle consiste non pas à faire autrement, mais au contraire à *faire avec*. Personnellement, j'ai mis beaucoup de temps, comme je vais l'expliquer plus loin, à concevoir le *faire avec* comme un moyen de changer. Je ne suis donc pas étonné de constater que certains de mes patients se montrent surpris lorsque je leur propose d'emprunter ce chemin pour aller vers le changement. Pour cette raison, je m'attarderai un peu plus longtemps sur ce mode de changement.

En réalité *faire autrement* et *faire avec* sont deux modes de changement complémentaires. Voyons d'un peu plus près comment on peut les mettre en pratique.

Faire autrement

Cela consiste donc à remplacer un comportement inadapté, inefficace ou indésirable, par un comportement nouveau, plus adapté à la situation ou plus conforme à ses souhaits. Pour cela, il faut faire preuve d'un peu d'imagination et chercher de nouvelles manières d'agir, de nouvelles manières de penser, de nouvelles manières de sentir. Lorsqu'on a trouvé, il convient de tester la faisabilité et l'efficacité de chaque nouvelle manière de faire. On retient ce qui marche et on s'entraîne inlassablement jusqu'à ce que le nouveau comportement soit bien acquis.

Un exemple, le trac aux examens

Jacques, un de mes patients, est un étudiant qui souffre d'un trac énorme aux examens, au point qu'à plusieurs reprises il a renoncé à la dernière minute à se présenter aux épreuves orales. Il raconte qu'au moment d'entrer dans la salle d'examen, il se dit : « Je serai nul, je vais rater, c'est terrible, je n'arriverai jamais à réussir cet examen. » En même temps, son corps est tendu, il a chaud et transpire, il ressent de petits tremblements dans ses jambes et un creux à l'estomac. Pendant l'épreuve, pour autant qu'il se présente à celle-ci, il est tellement concentré sur ses sensations pénibles et ses pensées catastrophiques qu'il n'arrive pas à rassembler ses idées et que sa présentation est confuse et incomplète.

Jacques peut envisager trois changements dans cette situation. Remplacer les sensations déplaisantes (tensions musculaires et tremblements) par des sensations plus adaptées, en s'initiant à une méthode de relaxation pour détendre ses muscles. Il peut également apprendre à remplacer ses pensées catastrophiques irrationnelles par des pensées plus réalistes, par exemple : « L'échec est possible, mais il n'est

pas assuré, et puis, est-ce si terrible de rater un examen ? »
Jacques peut encore envisager de changer sa manière d'agir,
par exemple en observant l'environnement (le paysage à
l'extérieur, les murs, la décoration, etc.) avant la séance
d'examen au lieu de laisser son attention se fixer sur les
phénomènes intérieurs déplaisants (sensations et pensées
pénibles).

Faire autrement dans ma vie

Dans ma vie professionnelle de psychiatre et psychothérapeute, je suis amené à explorer en permanence de nouvelles solutions, de nouvelles manières d'agir et de penser.
En effet, chaque traitement est toujours une nouvelle aventure. Il existe des points communs entre les symptômes de
deux patients souffrant d'une même maladie, par exemple
le TOC (trouble obsessionnel-compulsif). Les principes
du traitement sont connus et s'appliquent à la plupart des
patients. Et pourtant, au-delà des ressemblances, chaque
situation est différente, avec des variations infinies dues aux
particularités de chaque personnalité et de chaque contexte.
C'est à ce niveau qu'intervient la créativité du thérapeute et
du patient, autrement dit leur capacité à chercher de nouvelles pistes, de « tâter le terrain » et de choisir les solutions
qui semblent les plus adaptées, les plus utiles. Ce travail se
fait dans un esprit de collaboration entre le thérapeute et le
patient, qui est un partenaire actif, qui coopère en pleine
connaissance de cause à ce processus d'exploration avançant par tâtonnements successifs.

Au-delà des ressemblances, chaque situation est différente.

Il en va de même dans ma vie privée. Faire autrement,
c'est, par exemple, adapter peu à peu mon attitude face
aux enfants qui grandissent puis deviennent adultes, les
regarder autrement, leur parler différemment. C'est tenir
compte des limitations que l'âge et le corps m'imposent.
C'est renoncer au tennis parce que les genoux se plaignent
et le remplacer par de tranquilles balades à vélo. C'est m'as-
treindre à un régime draconien mais de courte durée, car
je ne veux pas renoncer longtemps aux plaisirs de la table.
C'est prendre plus de temps pour moi tout en essayant de
repousser la mauvaise conscience. C'est encore apprendre
l'effort et le plaisir que de retourner la terre du jardin et de

planter des légumes alors que jusque-là je m'étais borné à le contempler et à manger les salades qui semblaient arriver comme par enchantement dans mon assiette, toutes prêtes à être mangées.

Faire avec, la leçon de ma grand-mère

C'est un long cheminement intérieur qui m'a amené à comprendre que *faire avec*, c'est-à-dire accepter la réalité, est aussi une manière de parvenir à un véritable changement.

Un discours que je refusais d'entendre

C'était il y a fort longtemps. J'avais une douzaine d'années lorsque j'eus avec ma grand-mère une conversation que je n'ai pas oubliée tant elle m'a surpris et même choqué. Malgré son grand âge, mon aïeule était en assez bonne forme pour vivre seule et autonome, et manifester à l'occasion son goût de vivre. Pourtant, alors que je lui rendais visite un après-midi, elle me surprit beaucoup en glissant dans la conversation avec beaucoup de naturel : « Tu sais, maintenant il est temps que je m'en aille, j'ai bien vécu, j'ai eu mon lot d'années, mes joies et mes malheurs. À présent je peux mourir tranquillement, et c'est ce que je souhaite. » Pris de court, je ne sus quoi dire. Je me suis mis à protester en rétorquant qu'elle ne devait pas dire de telles bêtises, qu'elle allait vivre encore très longtemps, qu'il le fallait, etc. Sur le moment je ne me rendis pas compte de la stupidité de mes propos. Ceux-ci cachaient mal mon désarroi. J'étais triste à la pensée de la mort de ma chère grand-mère, et mécontent aussi de la voir préférer la compagnie des morts à la mienne ! Quelque temps après notre conversation, son vœu fut exaucé. Elle alla rejoindre ses chers disparus en « s'endormant » pour toujours après une courte maladie.

Ce que je n'avais pas pu voir à l'époque et mis bien des années à comprendre, c'est qu'au moment de notre conversation, ma grand-mère était arrivée à un point de son évolution intérieure où elle s'était « faite à l'idée » de la mort. La manière dont elle m'en parlait m'incite à penser qu'elle ne s'y résignait pas à contrecœur ou avec effroi, mais qu'elle l'accueillait avec sérénité. Loin d'être une défaite ou un recul, cette étape de sa vie marquait un tournant, un changement décisif qui lui permettait d'aborder tranquillement la fin de son existence. C'est que probablement, dans son esprit, les vivants pouvaient désormais se mêler joyeusement aux morts.

Il me fallut beaucoup de temps pour entendre la leçon de ma grand-mère. Sans doute la jeunesse envisage-t-elle difficilement qu'on puisse changer en acceptant la situation présente. Et pourtant, il était évident qu'accepter l'idée de sa mort avait modifié en profondeur la manière de voir et de sentir de ma grand-mère. Je finis par comprendre que changer ne consiste pas toujours à modifier son comportement. Accepter la réalité, si pénible soit-elle, peut aussi conduire à un changement véritable et profond. Mais je devais mûrir et faire d'autres expériences avant de parvenir à voir les choses ainsi.

Une chose que j'ai ratée avec mes malades

Quelques années après la conversation avec ma grand-mère, j'ai été confronté comme jeune médecin à des patients en fin de vie. Je le regrette aujourd'hui, mais je dois admettre que j'ai commis dans mon comportement envers eux la même erreur qu'avec ma grand-mère. Je ne voulais pas et ne pouvais pas entendre que ces hommes et ces femmes avaient accepté leur mort, alors que moi je me battais encore pour leur vie. Eux avaient passé un cap décisif, et ils agissaient en conséquence. Moi, par gêne, j'écourtais l'entretien s'ils se mettaient à me faire des confidences sur leurs espoirs (ou leur désespoir) pour le temps qui suivrait leur mort, ou à me solliciter pour l'organisation de leur enterrement ou de leurs dernières volontés. Pourtant, j'étais médecin et, quand on fait ce métier, on doit être prêt à rencontrer la mort. N'avais-je pas été préparé dès mes études à ce face-à-face ? En tant qu'étudiant en médecine, n'aurais-je pas dû être « vacciné » par le fait que mon premier contact avec un être humain, après avoir étudié en long et en large les plantes et les animaux, ait été un cadavre que j'allais côtoyer durant plusieurs mois en le disséquant minutieusement ? Et pourtant, malgré cette rude entrée en matière, le médecin hospitalier débutant que j'étais avait trop de hâte d'exercer son pouvoir thérapeutique pour accepter lui-même de *faire avec* sa propre impuissance à sauver ces patients.

Plus tard j'ai travaillé pendant une dizaine d'années comme psychiatre de liaison dans un hôpital général universitaire. Dans ce contexte, j'ai eu l'occasion de participer à un travail de recherche sur les mécanismes d'adaptation psychologique à la maladie physique. Dans mes conversations avec Edgar Heim, le responsable de l'étude, qui était mon aîné d'une vingtaine d'années, je lui disais que je ne comprenais pas pourquoi il tenait à inclure ce qu'il appelait l'« acceptation stoïque » dans la liste des stratégies adaptatives efficaces. Pour moi, ce comportement s'apparentait à de la résignation, à du défaitisme. Malgré les explications patientes de Heim, j'étais incapable d'en percevoir le caractère adaptatif et utile.

Le fondement scientifique du *faire avec*

C'est ma formation en thérapie comportementale et cognitive (TCC), avec la complicité involontaire de l'âge, qui m'a donné les clés pour comprendre et mettre en pratique le *faire avec* comme un puissant outil de changement. Pour aider le patient à changer, la TCC se sert de deux leviers issus des lois de l'apprentissage : le changement *opérant* et le changement *répondant*.

CHANGEMENT OPÉRANT ET CHANGEMENT RÉPONDANT

Le changement opérant est dérivé des travaux des psychologues américains E. Thorndike et B.F. Skinner, dans la première moitié du xxᵉ siècle. Il consiste à trouver des comportements plus adaptés ou plus efficaces que les comportements habituels. Par exemple, un patient anxieux apprendra une méthode de relaxation pour être plus détendu lorsqu'il doit affronter les situations qui provoquent de l'anxiété chez lui. Un patient déprimé apprendra à remplacer ses pensées excessivement négatives et défaitistes par une manière de voir les choses plus proches de la réalité, probablement moins déprimante que sa vision dépressive.

Quant au changement répondant, il prend sa source dans les travaux du médecin russe Ivan Pavlov, à la fin du xixᵉ siècle.

S'habituer, la grande affaire

À partir d'études restées fameuses, Pavlov a décrit le phénomène de l'habituation, à savoir que le sujet finit par s'habituer à une stimulation à laquelle il est exposé de manière répétée ou continue. Malgré sa simplicité apparente, le mécanisme de l'habituation est en réalité un phénomène complexe. Le sujet exposé à la nouveauté joue un rôle actif pour l'assimiler et trouver un équilibre avec elle.

En pratique, un patient phobique sera par exemple encouragé à se confronter de manière progressive et systématique à ce qui lui fait peur : parler en public, s'adresser à une personne qu'il craint d'aborder, rester dans un endroit fermé, conduire sur l'autoroute, etc. L'exposition assidue à la source d'anxiété produit peu à peu la diminution puis la disparition de la réaction anxieuse. Tout entraînement, qu'il soit sportif, professionnel ou artistique, est fondé sur le mécanisme de l'habituation par exposition répétée. On peut aussi s'habituer à des phénomènes intérieurs, par exemple les sensations et les pensées. Ce principe peut être utilisé pour s'accommoder de certaines sensations déplaisantes comme les palpitations, la chaleur, les tremblements, la douleur. Il peut aussi aider à faire face à des pensées inquiétantes. Il est probable que ma grand-mère et mes patients en fin de vie avaient réussi à apprivoiser l'idée de leur propre mort en s'y confrontant de toutes les manières : par un travail intérieur, par la confrontation répétée à l'image renvoyée par le miroir ou par le regard des autres, mais peut-être aussi par des lectures ou des conversations avec des interlocuteurs plus ouverts que moi.

Apprendre à accepter, une nouvelle voie de traitement

L'acceptation est devenue une préoccupation explicite des psychothérapeutes cognitivo-comportementalistes depuis quelques années. La notion est même au cœur d'un nouveau courant de la psychothérapie cognitive et comportementale, la « thérapie d'acceptation et d'engagement », appelée aussi « ACT » selon son abréviation en anglais. Comme son nom l'indique, cette approche, initiée par le psychologue américain Steven Hayes, préconise non pas de lutter contre ses émotions, souvenirs ou pensées pénibles, mais de les accepter, de les accueillir. En parallèle, elle incite le sujet à se concentrer sur ce qui est vraiment important pour lui, ses valeurs. Pour ma part, je préfère le terme *faire avec*, même s'il manque d'élégance, à celui d'acceptation. Il me semble que cette expression souligne à bon escient le caractère actif (« faire ») inhérent au processus d'assimilation de l'élément nouveau ou difficile. De plus, j'estime important de rattacher clairement ce processus de changement à l'apprentissage répondant. C'est en s'appuyant fermement sur les lois de l'apprentissage que la TCC a pu acquérir la rigueur et l'efficacité qui ont fait son succès.

Faire autrement et faire avec

Un changement équilibré et durable combine harmonieusement le *faire avec* et le *faire autrement*. Les deux processus sont étroitement liés l'un à l'autre. Ils agissent de concert, comme nos deux jambes bougent en alternance mais de manière coordonnée pour nous permettre d'avancer régulièrement. Un pas, je *fais avec*, pour le pas suivant, je *fais autrement*, et ainsi de suite. Prenons l'exemple de l'apprentissage de la natation. Pour apprendre à nager, on commence par s'immerger dans l'eau : il faut bien « faire avec » la présence de l'eau pour s'habituer au milieu aquatique. Assez vite, on se rend compte que les mouvements que l'on a l'habitude de pratiquer pour se déplacer sur la terre ferme sont inefficaces dans l'eau : il faut faire autrement. D'abord s'allonger à l'horizontale comme les poissons, qui ne nagent ni assis ni debout… et modifier les mouvements des bras et des jambes pour les rendre hydrodynamiques. Ensuite, il faut repartir sur le *faire avec* pour consolider la nouvelle position et les nouveaux mouvements, s'y habituer. Et ainsi de suite, l'apprentissage de la natation continue à progresser sur ses deux « jambes », le *faire avec* et le *faire autrement*. Il en va ainsi de tout changement, qui repose sur l'acquisition de nouveaux comportements (et l'abandon de comportements anciens devenus inutiles) par une alternance de *faire avec* et de *faire autrement*.

Mettre toutes les chances de son côté

Changer est une entreprise difficile, qui réclame beaucoup de motivation et de persévérance. Pour se donner les meilleures chances de réussir, voici trois trucs tirés de mon expérience.

Un pas, je *fais avec*, pour le pas suivant, je *fais autrement*, et ainsi de suite.

Ne chercher à changer que ce qui dépend de soi

Suivre l'enseignement du philosophe grec Épictète, qui recommande de limiter ses efforts à ce qui dépend de soi, c'est-à-dire à son propre comportement. Tout le reste ne dépend pas de soi, il est donc illusoire de vouloir le changer. C'est du temps perdu, et surtout de la frustration garantie, aussi bien pour soi que pour ceux que l'on aimerait faire changer. J'essaie de respecter ce principe dans mes traitements. Ainsi, une patiente se plaint devant moi de son mari. Il serait toujours agressif et peu respectueux à son égard. Je lui demande : « Est-ce que le comportement de votre mari dépend de vous ? Je ne crois pas. Alors, que pouvons-nous y faire, nous, ici ? Tout au plus, pouvons-nous examiner, si vous le souhaitez, en quoi votre propre comportement favorise le comportement pénible de votre mari. »

Il est tentant et souvent bien agréable de s'occuper des oignons d'autrui et de négliger sa propre cuisine. Je le constate jour après jour dans ma vie personnelle. Un petit examen de mon comportement a tôt fait de me convaincre, hélas, de ma propension à céder au délicieux petit plaisir de blâmer l'autre quand quelque chose ne va pas, au lieu de repérer et corriger la part qui me revient. La tentation est omniprésente de simplifier à bon compte tout problème en l'attribuant à autrui. Des lunettes introuvables au retard soi-disant dû au trafic, sans oublier le respect qui se perd en ville, la pollution de l'air, l'incivilité croissante ou les prix qui augmentent, la liste est infinie de toutes ces menues ou grandes misères qu'il est tellement agréable d'imputer à mes semblables, les autres… Hélas (ou heureusement), ce petit plaisir est de courte durée. La réalité est têtue, elle finit par se venger de ceux qui la nient. Je dois me rendre à l'évidence, c'est bien moi qui ai égaré mes lunettes, et non ma femme. C'est moi qui suis parti trop tard, les bouchons ont seulement aggravé mon retard. Et c'est encore moi (entre autres) qui, en voulant toujours davantage, contribue à polluer l'air, à nourrir l'incivilité ou à gonfler les prix.

Bref, au final, un peu d'honnêteté de ma part aurait l'avantage de me faire gagner du temps. Mais serai-je capable de me priver du petit ou grand plaisir de me décharger sur autrui ?

Limiter ses efforts à ce qui dépend de soi.

Se donner un objectif de changement concret et limité

Les objectifs vagues sont inatteignables. Il faut donc se fixer un objectif de changement concret. Un objectif concret, et non abstrait, cela signifie limité, compréhensible, débouchant naturellement sur une action à mener. Il doit être exprimé à la première personne (« je ») puisque c'est de son propre comportement qu'il s'agit.

QUELQUES EXEMPLES D'OBJECTIFS CONCRETS

« Je veux perdre 5 kg » vaut mieux que : « Ça ne va pas comme je suis. » « J'aimerais être capable de parler devant les autres » est préférable à : « Je n'ai pas confiance en moi. »

« J'aimerais apprendre à ne plus réagir au quart de tour » oriente vers une action concrète, contrairement à : « J'aimerais comprendre pourquoi je réagis toujours au quart de tour. »

S'appuyer sur un *leitmotiv* pour se tirer d'affaire!

J'utilise dans ma vie professionnelle personnelle le *leitmotiv* comme une roue de secours. Il s'agit d'une consigne apprise par cœur qu'on se donne à soi-même. Elle doit être brève pour être facilement mémorisée et retrouvée en cas de besoin. La formule sert d'aide-mémoire dans les situations critiques lorsque, sous le coup de l'émotion, on est perdu. Quand on a tout oublié, la formule est là pour rappeler l'essentiel et montrer la voie à suivre.

Voici deux exemples de l'usage des *leitmotive*. « Tu as la preuve ? » est un *leitmotiv* trouvé utile par une patiente portée à réagir de manière immédiate et très émotionnelle aux événements car elle les interprétait toujours de manière excessivement négative. Son fils n'était pas encore rentré de l'école? Il avait été renversé par une voiture. Son mari n'avait pas appelé du travail comme d'habitude? Il était fâché contre elle ou, pire, il n'osait pas lui annoncer une mauvaise nouvelle. Lorsqu'elle sentait que le scénario catastrophe prenait le dessus dans sa tête, cette patiente se raccrochait au *leitmotiv* pour s'efforcer de raison garder dans son interprétation de la situation et ne pas se laisser gagner par la panique. Autre exemple de *leitmotiv* : « Le roseau plutôt que le chêne ! » Cette formule inspirée de La Fontaine que je propose à mes patients, il m'arrive de l'utiliser pour moi-même lorsque je sens que je m'engage dans une attitude inutilement rigide.

Pour conclure

En guise de conclusion, je vous propose trois *leitmotive* qui résument l'esprit de ce chapitre :

- Ma cible ? Mon propre comportement !
- Faire avec ? Une autre manière de changer !
- Une ambition ? Respecter la réalité !

Pour en savoir plus, reportez-vous page 339.

Comment je gère le stress dans mon travail

« Comment faites-vous, docteur ? Vous paraissez si calme, vous n'êtes donc jamais stressé ? » Cette remarque m'a été faite par plusieurs de mes patients. Ils ne peuvent ignorer que, comme tout le monde, je vis des moments stressants dans mon travail. Je ressens moi aussi de l'anxiété, mais j'essaie de me soigner par moi-même comme je le recommande et, bien sûr, je tente de ne pas leur montrer ; ce serait un comble d'être stressé par son psy !

Tout le monde est stressé, moi y compris

Peu de personnes ignorent totalement le stress, surtout dans le travail, qui est aujourd'hui l'une des premières causes invoquées par les patients venant me consulter. Les raisons sont nombreuses, mais ce sont l'accélération du temps, le manque de reconnaissance, les pressions et les relations difficiles dans le travail qui sont le plus souvent mis en avant. Je rencontre aussi parfois des personnes qui font preuve d'une maîtrise et d'une distance face à certains événements stressants tout à fait étonnantes.

Une de mes patientes me racontait la pression exercée par son chef qui l'appelait sur son portable le soir pour lui demander d'organiser une réunion non prévue et la rappelait à la première heure le lendemain pour savoir si les participants avaient été tous contactés et étaient disponibles. Ensuite, il rappelait à quatre reprises dans la matinée jusqu'à ce qu'il ait la confirmation que tout était organisé. « Je ne me suis pas énervée, je sais qu'il fonctionne comme cela, mais cela n'a rien changé et même s'il ne m'avait pas appelée tout était

bouclé à midi », me confiait-elle. En l'écoutant, je me disais :
« Comment fait-elle ? Avec tout ce qu'ils doivent supporter,
je ne sais pas comment je ferais à leur place. »

LES ATTITUDES ANTISTRESS QUE J'ESSAIE DE METTRE EN PLACE

● Éviter de réagir sur-le-champ, surtout si l'on sait que l'on met systématiquement une pression inutile.

● Se dire en fin de journée une ou deux petites choses positives que l'on a réalisées et qui ont été utiles ou nous semblent intéressantes.

● Prendre quelques petites pauses, même très courtes, pour recharger les batteries au cours de la journée.

● Se débrancher du travail quand on fait autre chose en dehors et garder du temps à la fois pour soi et pour ses proches.

Je n'arrive pas toujours à maîtriser mon stress complètement,
mais je tente d'appliquer des petites méthodes mentales et
physiques pour éviter une usure que je n'ai jamais ressentie
et qu'on appelle le *burn-out*. Pour cela, il faut se méfier des
ruminations mentales, des insatisfactions et des doutes vis-
à-vis du travail qui peuvent devenir envahissants si l'on n'y
prend pas garde. Car, attention, le stress peut parfois conduire
tout droit au surmenage, à la fatigue, à la démotivation qui
sont les pires ennemis de l'équilibre et du bien-être au travail. Il faut trouver le bon dosage et être vigilant, mais il y
a aussi, hélas, le stress qui émane du travail en lui-même et
des personnes qui l'organisent et, là, on ne peut pas toujours
agir, il faut survivre dans ces moments difficiles.
Je me dis aussi qu'être un peu stressé et anxieux dans mon
métier, cela peut avoir du bon. D'autres avant moi l'ont certainement dit : « On ne peut comprendre que ce que l'on
ressent soi-même. »
Je me souviens d'un professeur, durant mes études de médecine, ayant un sens humaniste élevé mais aussi une bonne
dose d'humour, nous dire : « Le seul stage que la faculté ne
propose pas durant les études de médecine, c'est un stage de
malade, et c'est bien dommage car cela apprendrait beaucoup à certains d'entre vous. » Soigner, c'est aussi partager,
comprendre et faire vibrer en soi des émotions tout en gardant la distance nécessaire.

Qu'est-ce qui me stresse le plus ?

Comme chacun d'entre nous, je suis confronté chaque jour au stress dans mon travail et ce, depuis longtemps. J'ai vécu aussi des moments plus difficiles et j'en vivrai encore. Je me suis posé la question que je pose plus ou moins directement à mes patients qui viennent me voir pour des problèmes de stress au travail. Qu'est-ce qui me stresse vraiment et comment est-ce que je fais pour réagir ? Je vous livre un certain nombre de réflexions et d'anecdotes.

Est-ce que je travaille trop ?

J'ai toujours aimé le travail. Cela me rassure, me détend, et j'ai la chance de faire un métier qui me passionne. Je ne m'ennuie jamais et mon travail est à la fois très riche en échanges humains et très diversifié dans les tâches que j'accomplis au cours d'une semaine. Entre les consultations avec mes patients, les cours que je donne à la faculté, les formations et les interventions, conférences, réunions et un peu de temps consacré à l'écriture d'articles ou de livres, les journées sont bien remplies. Et si j'en faisais moins ? Par exemple, que ferais-je si j'avais terminé mon travail ? Eh bien je crois que cela me manquerait vraiment. Cela ne me rassurerait pas de n'avoir plus rien à faire.

J'espère que le travail n'est pas une thérapie. Chacun d'entre nous a des attentes et des valeurs qui lui sont propres dans son métier. Le travail m'apporte certainement une reconnaissance et un accomplissement qui me poussent parfois à en faire un peu trop. La limite entre le travail passion et le travail qui devient une dépendance est parfois étroite. Je n'ai jamais été ce que l'on appelle un *workaholic*, c'est-à-dire un accroc du boulot qui ne sait rien faire d'autre et ne s'intéresse qu'à son travail, même si je sais qu'il prend une place très importante dans ma vie. J'essaie de rester lucide : le travail n'est pas tout. Je devrais travailler moins si cela m'empêchait de continuer à faire les choses avec intérêt, me fatiguait ou me lassait et, enfin, si je ne trouvais plus le temps de me consacrer à mes proches. Il faudrait alors réduire la cadence et prendre du recul, merci de me le rappeler.

J'essaie de rester lucide : le travail n'est pas tout.

Est-ce que je me laisse déborder par le temps ?

Nous vivons aujourd'hui une accélération du temps qui fait que le travail s'accumule très rapidement ; le mien n'échappe pas à la règle. Comme tout le monde, je suis embarqué dans de nombreuses activités et le temps me manque souvent. Je n'ai pas la possibilité de consacrer tout le temps que je voudrais aux choses importantes à la fois dans mon travail et dans ma vie personnelle.

Le courrier qui s'accumule, de nouvelles demandes, pas mal de sollicitations… Comme tout le monde, je vis l'effet pervers des nouvelles technologies. Lorsque j'ai commencé ma carrière à l'hôpital, faire un simple courrier pouvait prendre pas mal de temps : il fallait le dicter, le donner au secrétariat, attendre qu'il soit tapé, le relire, le corriger le cas échéant, le signer. Aujourd'hui, envoyer un mail se fait quasiment instantanément. Même chose pour avoir accès à la documentation qui me sert beaucoup dans mon travail d'écriture et de recherche. Je me souviens, quand j'étais chef de clinique, je consacrais une demi-journée par semaine en bibliothèque uniquement à recopier des références et ensuite il fallait commander les articles et attendre parfois quinze jours pour les recevoir par courrier ; aujourd'hui j'y ai accès pratiquement instantanément grâce à Internet.

Si les nouvelles technologies ont vraiment facilité mon travail comme pour beaucoup d'entre vous, elles me font aussi parfois perdre inutilement du temps que je pourrais occuper ailleurs. Je devrais éviter de regarder un peu trop souvent ma boîte mail et laisser mon portable allumé lors de mes consultations (désolé, heureusement qu'il sonne rarement). Tous ces gestes qui sont devenus quotidiens donnent l'illusion d'agir en permanence, d'être en mouvement, alors que c'est une fuite en avant pas toujours efficace. Nous sommes de moins en moins maîtres de notre emploi du temps, embarqués que nous sommes dans une course effrénée à l'activisme. Par exemple, au moment de rédiger cet article, je pense au prochain ouvrage que je veux écrire. Vraiment, il faut que je fasse attention à ce que cette course au temps ne me fasse pas oublier l'essentiel qu'est le moment présent.

Est-ce que j'ai été harcelé dans mon travail ?

J'ai vécu il y a quelques années une mise à l'écart de la part de mon patron de l'époque qui avait pourtant soutenu ma carrière jusqu'alors. Cela n'a rien à voir avec le harcèlement moral qu'ont vécu certains, mais j'ai pu mieux comprendre ce que l'on appelle la « placardisation ».

J'ai dû déménager mes affaires d'un très beau bureau pour une pièce trois fois plus petite, et franchement déprimante, située là où il ne se passait rien. Quand j'assistais à une réunion où chacun est interrogé sur son projet d'activité, on m'ignorait et ne me demandait rien. On me rapportait des paroles qui s'étaient dites, que l'anxiété était un phénomène de mode et que cela passerait, que mon cas n'était pas une priorité. Je n'étais plus au courant des projets, et les postes des personnes qui travaillaient avec moi avaient été changés contre leur volonté.

MES RÈGLES ANTISTRESS POUR SURMONTER UNE SITUATION D'EXCLUSION

● **Je ne suis pas nul**
Et surtout, je suis dans la légitimité. Je n'ai rien fait, bien qu'on me regarde comme si j'avais fait quelque chose de mal puisque mon travail n'est plus reconnu et est jugé sans valeur. Heureusement, d'autres personnes extérieures ont toujours reconnu mon travail.

● **Je ne m'isole pas**
En m'ouvrant de ce que je ressentais à un ami et collègue, professeur de psychiatrie d'un autre service, j'ai eu de l'écoute et du soutien d'autres personnes extérieures, en particulier d'un chef de service qui m'a accueilli et dans le service duquel je travaille maintenant avec bonheur depuis plusieurs années. Sans ce soutien humain, personne n'aurait rien su et compris du problème.

● **Je décide de partir ou de rester quand il le faut**
C'est à ce moment-là que j'ai été le plus près d'orienter ma carrière hors de l'hôpital. Je dois l'avouer aujourd'hui, j'avais même visité un local et élaboré des plans pour me lancer dans une activité libérale. À un moment, dans une grande hésitation, je me suis posé une unique question : qu'est-ce que j'aimais le plus et à quelle place pensais-je être le plus utile ? J'ai persévéré et attendu avec la conviction que je voulais et devais rester à l'hôpital. Je ne le regrette pas aujourd'hui.

● **Je me ressource à l'extérieur**
Quand j'ai été confronté à cette situation, j'ai fait de nouveau pas mal de sport avec mes enfants, j'ai écouté beaucoup de musique...

En fait, personne n'avait rien contre moi, mais le message d'une personne était légitimé : « Il faut qu'il parte. » Le plus difficile dans ces situations est de ne pas avoir la possibilité de se justifier, s'expliquer et de se sentir poussé vers la sortie sans pouvoir agir.

Cette période n'a pas été très agréable et je me souviens avoir dû mettre en application quelques règles antistress que je recommande.

« À tout malheur, il y a quelque chose de bon. » Pas facile de s'entendre dire cette phrase, mais il est vrai que je n'ai jamais autant travaillé que durant cette période et que j'ai aussi goûté et apprécié le soutien de mes proches… J'ai essayé de voir ce qui était positif, j'ai compris que certaines personnes n'avaient rien contre moi. Il ne sert à rien d'ajouter de la difficulté à une telle situation en s'isolant ou en ayant une attitude négative envers les autres.

Est-ce que j'absorbe toutes les angoisses de mes patients ?

Je suis à l'écoute de mes patients et peut-être encore plus que de mes proches. Les patients expriment leur angoisse et leur mal-être quand ils viennent me voir en consultation. Parfois, certains sont gênés de montrer leurs émotions « à nu » et, même, s'excusent de s'énerver ou de pleurer. Je leur réponds que je comprends et que je sais ce que c'est que d'être mal et qu'en somme, c'est mon métier de les écouter, je suis là pour ça.

Le partage des difficultés humaines est l'un des stress du métier de psychiatre, comme de tous les soignants, qui s'ajoute aux difficultés inhérentes aux contraintes du travail en lui-même. J'ai ainsi suivi une personne qui avait un cancer et qui est décédée après plusieurs années de consultations régulières. Elle me disait que, sans sa maladie, elle ne serait jamais venue me voir et qu'elle était attachée à nos rencontres, car cela lui apportait du réconfort et de l'intérêt dans les choses de la vie. Pourtant, parfois, je n'avais pas l'impression de lui être très utile. Face aux mauvaises nouvelles, à l'incertitude, à ses doutes, il m'arrivait d'avoir du mal à trouver des mots : je l'écoutais. Après son décès, j'ai reçu une lettre de son conjoint me disant combien nos rencontres lui avaient fait du bien, qu'elle m'appréciait, combien dans les derniers moments je lui avais apporté, et cela, il voulait me le dire. À son tour cette personne, par cette lettre, me libérait peut-être de beaucoup d'angoisses de mes patients, par ce sentiment paisible qu'elle me transmettait. C'est sans doute cela l'empathie. Partager simplement une émotion avec quelqu'un sans chercher à fuir par des mots qui seraient inutiles. Celui qui ne donne et ne reçoit pas ces vibrations humaines ne peut pas faire ce métier. Si nous absorbons les angoisses de nos patients, ils nous apportent aussi beaucoup.

Et si je peux absorber les angoisses de mes patients, c'est que beaucoup de personnes me communiquent aussi des choses positives. Elles sont gaies, rient, me rapportent des faits amusants qui créent un équilibre avec leur ressenti négatif. Je me souviens d'une de mes patientes qui avait beaucoup d'humour et, je dois l'avouer, j'avais du mal à garder mon sérieux en l'écoutant me raconter tous ses petits malheurs tournés en dérision. Une fois elle m'a dit : « Je vous ai fait rire, docteur, je suis contente. »

C'est pour cela qu'il faut aussi savoir parler de choses plus gaies en consultation. J'essaie ainsi de transformer certaines vibrations négatives en quelque chose de positif. C'est aussi pour cela que l'on ne peut recevoir trop de patients en une journée, mais c'est la même chose pour d'autres métiers où l'on passe du temps avec un « client » ; pour rester disponible, il faut limiter.

LA BONNE DISTANCE

Certaines personnes vous communiquent leur anxiété par leur attitude et leurs paroles. Elles ne vous écoutent plus, car elles sont embarquées dans leur monde angoissé et dans leurs préoccupations. Quelle est la meilleure attitude ? Peut-être simplement trouver le recul qui convient tout en prenant en considération le ressenti de l'autre.

Comment je m'épanouis dans mon travail

J'aime et j'ai toujours aimé ce que je fais, je le répète. J'ai donc envie de parler aussi des valeurs positives qui font que je continue à prendre du plaisir dans mon travail. J'ai l'immense chance d'évoluer dans un cadre agréable et avec des personnes que je respecte et apprécie. Je travaille au sein d'une équipe très unie, soudée, qui sait conjuguer la collaboration et les relations amicales. Quand j'entends rire un collègue dans le couloir, quand on vous sourit, on vous dit bonjour, quand l'humour circule, c'est aussi ce qui donne un sens à votre engagement au travail.

Comment je suis devenu psychiatre

Je ne peux pas dire que c'est *tout petit déjà* que je voulais devenir psy. C'est à chaque étape de mon parcours que la direction s'est imposée d'elle-même comme une évidence. Je n'ai pas fait médecine pour être psychiatre, je ne savais pas ce que cela pouvait représenter. C'est en devenant médecin que je me suis orienté vers la psychiatrie, une discipline très différente des autres spécialités. La psychiatrie ne s'apprend pas seulement dans les livres et auprès des patients, mais aussi en observant les autres, en étant curieux et ouvert. C'est une vision à la fois naturaliste et intellectuelle du monde ; c'est ce côté littéraire qui m'a plu. C'est aussi pour cela que le choix du stress, de l'anxiété s'est imposé de lui-même. Suis-je moi-même stressé et anxieux au point de me plonger dans les problèmes des autres ? Je ne sais pas, mais ce que je peux dire, c'est que la vie des gens m'intéresse, tout comme les écouter et partager leur intimité. Le stress et l'anxiété sont des révélateurs de la personne, à la fois de sa psychologie et de son histoire personnelle. La psychothérapie est la troisième bifurcation de mon parcours : ce qui m'intéresse, c'est de mobiliser, de guider, d'ouvrir à chacun les possibilités de la guérison ou de la voie du bien-être. Plus que soigner, c'est aider à comprendre, à agir, à changer sa vision et le sens de sa vie, voilà ce qui m'importe dans la psychothérapie.

Je sais que c'est peut-être un privilège mais mon premier stress serait de ne pas pouvoir continuer à faire ce que j'aime et ce pour quoi j'ai cheminé et essayé de progresser pour aider au mieux les autres.

Certains pensent que les psychiatres restent plongés dans les activités purement intellectuelles et qu'ils analysent les moindres faits et gestes de leur entourage. Détrompez-vous,

La vie des gens m'intéresse, tout comme les écouter et partager leur intimité.

ils apprécient aussi les choses les plus simples de l'existence et savent rester au contact de la réalité. J'ai même connu un psy qui avait passé un CAP de plombier à ses heures perdues.

Sans avoir hélas ces aptitudes manuelles, bien utiles au quotidien, je me ressource simplement en ramassant les feuilles mortes, en taillant la haie ou la pelouse de mon jardin, en brossant les murs ou la terrasse. Ces activités peuvent sembler répétitives, mais cela me détend et me donne le sentiment de faire quelque chose de concret et de visible. C'est, je pense, une des petites choses qui m'aident à continuer à apprécier mon travail et à garder un certain sens de la réalité.

Mes trois conseils clés

1. Surmonter des moments difficiles

Rares sont ceux qui n'ont pas vécu une étape difficile, que ce soit dans les relations conflictuelles au moment de la menace ou de la perte de leur emploi ou lors d'un échec professionnel alors qu'ils s'étaient beaucoup investis. Souvent, il faut, à la fois, dépasser le sentiment légitime d'injustice, savoir affronter la situation et se ressourcer à l'extérieur, voire savoir se détacher et rebondir. Trop de personnes craquent et vivent de profondes souffrances, il convient de savoir prévenir et agir.

2. Véhiculer des valeurs positives

Certaines personnes véhiculent du stress. Pourquoi le travail ne serait-il pas aussi un lieu d'échanges, de respect, de considération d'autrui ? Savoir reconnaître le travail des autres, savoir dénouer les conflits sont des qualités à développer.

3. Trouver son propre chemin

Nous n'avons pas les mêmes valeurs, les mêmes attentes face à notre travail. Quel que soit le type d'activité professionnelle, chacun doit pouvoir trouver dans son travail une source d'épanouissement. Pour certaines tâches, il faut savoir changer, anticiper, car elles risquent de perdre de leur intérêt si on les fait tout au long de sa vie. Certains métiers laissent du temps, d'autres sont très prenants, on travaille seul ou on échange avec des interlocuteurs, on est dans un bureau ou bien on travaille à l'extérieur, mais plus on est en accord avec ses attentes, plus on aura de chances de s'épanouir.

Pour en savoir plus, reportez-vous page 339.

24

**Béatrice
Millêtre**

Faire confiance
à son intuition

« Secrets de psy, trucs de psy… », ça veut donc dire
qu'il faut que je parle de moi, mais pas trop. Et
que je donne des « trucs », mais pas trop simples
et qui tiennent la route. En fait, je n'ai aucune idée
de ce que je vais bien pouvoir dire sur ce sujet.
Pourtant, je le connais par cœur. Alors ?

Alors, je vais faire comme d'habitude (maintenant, je me
connais bien et je sais ce qui fonctionne avec moi) : c'est-à-
dire rien. Faire autre chose. Penser à mes autres livres, à mes
autres projets.

Comme d'habitude, ça a marché : je suis dans ma voiture, et
mon chapitre s'écrit tout seul pendant que je conduis. J'arrive à mon bureau, j'allume mon ordinateur, et le voilà qui
s'agence, s'étend – bref, se fait un peu à mon insu. Je n'ai
plus qu'à le relire, corriger les fautes d'orthographe, et tout
est bouclé. « Et ? », me direz-vous. Quel rapport avec l'intuition ? Tout simplement que c'en est. Alors que met-on sous
ce concept ?

Qu'est-ce que l'intuition ?

L'intuition recouvre deux concepts.

Le premier, tel que le définit le *Petit Larousse* : saisie immédiate de la vérité sans l'aide du raisonnement ; faculté de
prévoir, de deviner, pressentiment. Autrement dit : vous
« sentez » les choses.

Le second, qui est le raisonnement intuitif, est le processus sous-jacent conduisant à la conclusion. C'est à cela que
nous allons nous intéresser. En effet, le raisonnement intuitif, s'il est utilisé par de nombreuses personnes, est assez
mal connu et mène, de ce fait, à de nombreuses incompré-
hensions de la part de ceux qui ne le pratiquent pas. Pourtant, il existe depuis la nuit des temps.

Archimède et Rodin

Le raisonnement le plus fréquent, et le plus mis en lumière, est le raisonnement à la manière du penseur de Rodin. Une fois une problématique posée, on se « prend la tête entre les mains » et l'on réfléchit : de l'énoncé, je déduis ma première étape, de laquelle s'ensuit la deuxième, jusqu'à arriver au résultat. Il s'agit du raisonnement séquentiel, logico-mathématique. Les personnes qui raisonnent sur ce modèle réfléchissent à une chose à la fois, passant en revue un élément après l'autre. Le raisonnement se construit au fur et à mesure, un élément se déduisant du précédent, exactement comme en mathématiques. Ce n'est qu'en arrivant au bout de tous les indices qu'on accède à la conclusion.

LE RAISONNEMENT SÉQUENTIEL : UNE CHOSE APRÈS L'AUTRE

Imaginons que vous regardiez votre bureau. Vous le balayez du regard en commençant à droite, et vous voyez, dans l'ordre, un téléphone, un agenda, un pot à crayons, une règle, un ordinateur, une pile de papiers.

À l'inverse, nous trouvons l'effet Eurêka, bien connu des neuroscientifiques, dans lequel la conscience verbale est le dernier maillon de la chaîne de traitement des informations.

Bien évidemment, ce n'est pas une question de « tout ou rien ». Mon propos est juste de poser les idées en opposant les deux formes de raisonnement. Il est évident qu'Archimède réfléchissait à son problème depuis un moment, et qu'il avait les connaissances et les informations adéquates pour le résoudre. Seulement, il ne les a pas assemblées consciemment, en ce sens qu'il n'a pas eu conscience des étapes intermédiaires de son raisonnement (pas plus que nous ne décomposons chaque geste que nous faisons en sous-séquences), mais son cerveau l'a en quelque sorte fait pour lui, à son insu, d'où le célèbre « Eurêka » qu'il poussa dans sa baignoire lorsque le résultat arriva à sa conscience. C'est pour cela que l'on parle également de raisonnement intuitif.

Il semble que ceux qui ont un raisonnement intuitif effectuent un traitement parallèle et simultané des informations qui leur parviennent. Comme si vous aviez une vision panoramique de tout ce qui se trouve sur votre bureau. La parole étant séquentielle (vous ne pouvez prononcer qu'un mot après l'autre), vous n'avez pas de conscience verbale des objets qui y sont posés. Tout se passe comme si vous n'aviez pas accès aux différentes informations qui vont vous mener à l'aboutissement de votre raisonnement. Et, d'un coup, « plop », la conclusion s'impose à votre esprit, les pièces du puzzle se mettent en place, en quelque sorte sans que vous vous en rendiez compte car la conscience verbale n'est que le dernier maillon de la chaîne du raisonnement.

C'est ce fonctionnement que l'on appelle l'intuition. L'intuition n'est pas une vue de l'esprit mais le fruit d'un raisonnement hautement élaboré, très structuré, mais structuré différemment.

L'intuition n'est pas une vue de l'esprit.

Mettre ce raisonnement à profit

Ce raisonnement est particulièrement puissant, puisqu'il suffit de « ne rien faire », ou presque, pour produire un résultat. Oui, mais comment ?

Aussi paradoxal que cela puisse paraître, travailler sans travailler est réellement efficace. Plutôt que de lancer votre cerveau sur un problème, un dossier ou n'importe quoi d'autre en vous installant devant votre bureau et en faisant le « penseur de Rodin », il est souvent plus efficace d'aller faire un tour pour le laisser réfléchir tranquillement. Vous reviendrez et il aura tout seul, en quelque sorte, trouvé la solution que vous cherchiez poussivement auparavant. Il ne s'agit que d'une image, et en aucun cas de dédoublement de personnalité : simplement d'un processus par lequel vous arrivez à lâcher prise, ce qui est une étape nécessaire à votre mode de réflexion.

Comment procède-t-on ?

La première étape consiste à rassembler toutes les informations dont vous pouvez avoir besoin. Ensuite, accordez consciemment votre priorité au projet concerné. Alors, pendant que vous faites autre chose, vous êtes plus détendu et laissez libre cours aux processus automatiques de traitement des informations de votre cerveau. Le langage étant la dernière étape du processus, se produit alors l'effet Eurêka : vous avez réfléchi « à votre insu », et d'un coup la conscience de la solution vous parvient.

En prendre conscience

Prenez-en conscience afin, d'une part, d'être vous-même plus à l'aise, et surtout, d'autre part, de pouvoir l'expliquer autour de vous, à vos collègues à vos amis ou à votre famille. Une fois qu'ils auront compris que vous êtes efficace d'une façon différente et que vous atteignez votre but, ils seront plus enclins à vous faire confiance et à vous laisser faire.

Intuition et confiance

Les personnes présentant un raisonnement intuitif n'ont pas accès (ni immédiatement ni spontanément) au processus. Si bien qu'elles sont la proie d'évidences qu'elles ne peuvent ni expliquer ni justifier.
À la question : « Comment tu le sais ? » ou « Qu'est-ce qui te permet d'avancer telle ou telle hypothèse ? », l'intuitif ne peut que répondre : « Je ne sais pas. » Il peut alors se sentir décrédibilisé et perdre confiance en lui.
Résulte également de ce processus un décalage temporel avec ses semblables : traiter les informations en parallèle donne un résultat obtenu plus rapidement qu'en traitant les mêmes informations séquentiellement.
Tout se passe en fait comme si l'« intuitif » parlait javanais à quelqu'un qui ne connaît pas cette langue, mais qui commence à l'apprendre. Quelque temps plus tard, en maîtrisant les arcanes, il revient vers son interlocuteur et lui redit ce qu'il lui avait dit auparavant : appropriation ? Non, sim-

ple délai de raisonnement. Entre-temps, le « séquentiel » a pris en compte les éléments que l'« intuitif » avait perçus dans son environnement, les a traités et est arrivé au même résultat. Voilà ce que me décrivent quasi quotidiennement les personnes que je reçois, notamment dans le domaine professionnel.

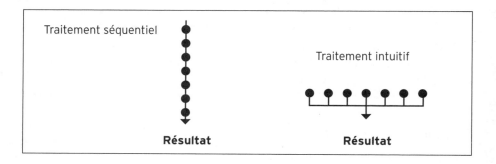

La difficulté à se faire entendre

Telle Lucie, prestataire de service dans une entreprise informatique. Il lui arrive fréquemment d'exposer ses idées concernant sa manière d'aborder un nouveau client. En règle générale, son chef ne lui répond pas. Il la regarde comme si elle n'était pas là et parle d'un autre sujet. Quelque temps plus tard (plusieurs semaines en général), il vient la trouver et lui dit qu'il a une idée sur la manière d'aborder la question, et il lui redit exactement ce qu'elle lui avait exposé. Elle ne peut s'empêcher de penser qu'il le fait exprès afin de s'approprier ses idées.

Ou encore Clémentine, qui, voyant les tenants et aboutissants de ses différents projets, les expose afin d'éviter les écueils qui lui semblent incontournables si on continue dans la direction actuelle. Évidemment, personne ne l'écoute mais, le moment venu, on lui reproche de ne pas avoir pris les devants.

Il en résulte frustration, colère, ressentiment, démotivation, perte de confiance... la liste est longue des conséquences liées à l'incompréhension des autres. Chacun étant, et c'est bien normal, persuadé qu'il n'existe qu'un seul mode de raisonnement projette sur les autres la manière dont il fonctionne, sans percevoir que ce n'est pas le cas.

En pratique, il s'agit que vous compreniez que deux fonctionnements existent et de tenir compte de votre interlocuteur.

Intuitifs, apprenez à donner des indices aux rationnels : ils sont dans votre cerveau et vous pouvez donc aller les y rechercher. Rationnels, acceptez que, lorsqu'un collaborateur vous donne une idée nouvelle, elle puisse être juste même si elle vous est incompréhensible au premier abord. Apprenez ensemble à tenir compte de vos expériences passées afin de vous faire mutuellement confiance.

Confiance en soi et adaptation aux autres

Qu'auraient dû faire Clémentine et Lucie à l'aune de ce que nous venons de dire ? Donner évidemment leur point de vue, tout en sachant qu'il ne sera pas compris en l'état. Il leur faut donc adapter leur discours à leurs interlocuteurs.

Pour Clémentine, elle pourrait, par exemple, prendre appui sur ses succès passés et dire à son chef quelque chose du genre : « Souviens-toi, la dernière fois, c'était bien pareil, je ne savais pas te l'expliquer, mais finalement on a été dans ma direction, alors fais-moi confiance aujourd'hui encore. » L'idée est ici qu'elle ait conscience de sa manière de fonctionner, qu'elle l'assume et puisse ainsi la faire comprendre aux autres.

Pour Lucie, l'idée est la même : « J'ai toujours eu cette espèce d'intuition, que je ne sais pas expliquer, mais faites-moi confiance, c'est ce qui m'a permis, dans mes boulots précédents, de développer la clientèle. »

Confiance en soi et adaptation aux autres sont finalement les deux clés.

Procrastination, le temps nécessaire de l'attente

« Je remets toujours tout au lendemain », me dit David. Par exemple, j'ai une lettre à écrire, importante, et pas moyen de m'y mettre. Au lieu de ça, je range mon bureau ! »

Que se serait-il passé si David avait écrit cette lettre au moment où il avait commencé à y penser ? Elle n'aurait pas été adaptée et il aurait dû la recommencer. Pourquoi ? Car c'est toujours le même mécanisme. Si vous ne faites pas une chose que vous devez achever (traiter un dossier, écrire une lettre…), votre « petite voix » vous dit que ce n'est pas le moment de s'y mettre : soit qu'il vous manque des informations, soit que la réflexion n'est pas terminée et que votre cerveau n'a pas fini de traiter les informations que vous lui avez données. Aussi ne culpabilisez pas ni ne pensez faire preuve de fainéantise, mais appropriez-vous la maxime : « La nuit porte conseil. » Dites-vous bien qu'il s'agit d'une efficacité différente, car vous arriverez à bon port au moment voulu.

Prenez-en conscience en « relisant » votre histoire et en vous demandant si, en général, vous dépassez les échéances qui vous sont données. Vous verrez que non, et qu'il ne s'agit donc pas de fainéantise, mais bien d'un processus différent de pensée et de maturation.

Concentration, dispersion, manque de travail

Je reçois souvent des parents inquiets pour leur enfant qui « ne sait pas se concentrer, se disperse et ne fiche rien ! ». Des jeunes eux-mêmes viennent me voir en me disant qu'ils ne sont pas normaux. Je pense ainsi à Benoît, inscrit à la faculté de médecine, et qui a peur de ne pas réussir ses études : « Pensez donc, j'ai révisé mon bac avec mon cours devant moi, bien sûr, une bande dessinée sur le côté, un Tolstoï sur les genoux, et mon ordinateur à côté ! Vous êtes bien d'accord que ce n'est pas normal et que je cours à l'échec ? » Eh bien non, je ne suis pas d'accord. Car enfin, la concentration est cette capacité que nous avons à mobiliser notre attention sur un sujet donné. Cela implique que lorsque nous cessons de nous concentrer, nous avons atteint un but : acquérir des informations, apprendre un cours, traiter un dossier… Ainsi, la première question à se poser est : « Ai-je atteint mon objectif ? » Si la réponse est « oui », ce qui est souvent le cas (et qui s'était produit pour Benoît qui avait réussi son bac avec mention), regardez de quelle manière vous avez procédé.

Que vous portiez votre attention exclusivement sur ce que vous avez à faire, ou que vous ayez besoin de lever le nez régulièrement, vous parvenez au même résultat. L'objectif est donc bien de vous observer afin de prendre conscience des processus par lesquels vous arrivez le mieux à faire ce que vous souhaitez. Que se passe-t-il lorsque vous bayez aux corneilles ? Soit vous venez de lire des informations et vous en consolidez la trace mnésique que vous venez de créer, soit vous butez sur un problème et le résolvez en ne pensant à rien.

Souvenez-vous, lorsque vous étiez étudiant : ne vous êtes-vous pas surpris, en examen, à lire votre sujet, puis à ne rien faire pendant 15-20 minutes ? Évidemment si, là, vous avez regardé vos voisins qui avaient déjà « gratté » trois pages, il y a de grandes chances que vous ayez été déstabilisé. Sinon, c'est certainement à ce moment que vous rédigiez votre devoir d'une traite et le terminiez avant tout le monde.

Le mindmapping®

Comment s'aider dans sa réflexion intuitive ? Une astuce consiste à vous servir d'un système de Post-it®. Écrivez une idée sur chacun, puis réorganisez-les tout simplement pour construire votre plan.

Le même principe préside aux cartes mentales (ou cartes heuristiques, *mind map*® en anglais) dont le principe est d'organiser vos idées sur papier et de manière très visuelle. Voici par exemple une carte mentale que j'utilisais pour mon cours de master sur le management humain.

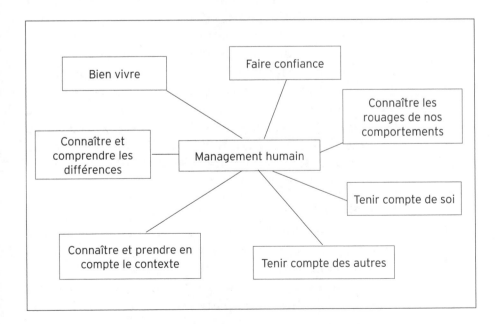

Chacune des branches était à son tour déclinée, afin de donner le contenu des différents chapitres.

Cela vous aidera dans votre réflexion, vous donnera un support visuel simple sur lequel vous appuyer.

Enfin, n'oubliez surtout pas de vous focaliser sur votre objectif et de vous rendre compte que, bon an, mal an, vous faites, à votre manière, ce que vous avez à faire.

Qui peut faire confiance à cette petite voix ?

Tous, mais à des degrés divers et de différents points de vue. À des degrés divers, car nous avons spontanément tendance à privilégier l'une ou l'autre des deux formes de raisonnement, selon notre personnalité d'abord, puis selon l'apprentissage que nous avons fait et enfin selon le contexte. De différents points de vue, car l'intuitif doit faire confiance à ses propres évidences, quand le rationnel doit faire confiance à celles de ses interlocuteurs.

Tous les intuitifs doivent apprendre à écouter leur petite voix, et d'abord à la laisser parler, car elle ne se trompe que rarement. Faites le chemin à l'envers, en énonçant d'abord votre conclusion, puis en allant rechercher les indices qui vous ont permis d'y parvenir : ils se trouvent quelque part, dans le « paysage » et dans votre tête. Vous pouvez également, ayant conscience que vous fonctionnez ainsi, expliquer à vos interlocuteurs que vous ne savez pas comment vous faites, mais que ça marche. Si vous vous appuyez sur vos expériences réussies, ils seront à même de vous suivre. Quant à vous, lorsque vous avez le choix, ne cherchez pas à savoir comment vous savez quelque chose, mais faites-vous confiance et laissez le processus se dérouler, naturellement, à votre insu : vous en serez d'autant plus efficace.

Rationnels et intuitifs

Les rationnels font partie de la majorité de la population. En toute logique, vous considérez que chacun fonctionne comme vous. Et vous pouvez regarder les intuitifs comme montrant des attitudes à tout le moins bizarres, voire incompréhensibles, particulièrement lorsqu'ils vous

exposent leurs idées qu'ils ne peuvent ni expliquer, ni justifier, ni argumenter. Ou lorsqu'ils donnent l'impression
de ne pas travailler parce qu'ils regardent par la fenêtre, ou
encore lorsque vous trouvez qu'ils se dispersent car ils font
mille et une choses, ou sautent du coq à l'âne.

Apprenez à les voir comme différents, et focalisez-vous
non sur leur manière d'être mais sur les résultats qu'ils
obtiennent et ont obtenus : vous verrez que vous arriverez aux mêmes conclusions qu'eux, mais par un chemin
différent.

Et les enfants ?

Sans vouloir faire de généralités, la plupart des enfants que
je reçois (mis à part ceux qui viennent pour des problématiques spécifiques comme l'énurésie) font partie des
« intuitifs ». Ils viennent me voir pour des problèmes de
concentration et de dispersion qui, nous l'avons vu, n'en
sont pas. Ils viennent aussi pour des problèmes d'échec
scolaire, qui surviennent une fois que les enseignants leur
demandent de justifier leur raisonnement, ce qui, nous
l'avons également vu, est difficile.

Du résultat au raisonnement

Prenons l'exemple de Paul. Malvoyant, il commence à
apprendre les divisions. La maîtresse lui apprend à les
poser, aussi commence-t-il par dessiner son cadre, pour
immédiatement écrire le résultat sans les étapes intermédiaires. La maîtresse a avoué à sa maman que s'il n'avait pas
été malvoyant, elle aurait immédiatement pensé qu'il avait
copié sur son voisin.

Une fois que nous avons compris que ces enfants n'ont fondamentalement pas de problèmes, le tout est de les aider
à tirer parti de leur fonctionnement particulier en le leur
expliquant. Il convient ensuite de les aider à atteindre les
nœuds de leur raisonnement en le déroulant à l'envers.

C'est ainsi que, pour ses exercices de mathématiques, Alexis,
Terminale S, écrivait son résultat (qui lui était évident) une
dizaine de lignes en dessous de l'énoncé, puis remplissait
en fonction de ce qu'il avait compris les étapes intermédiaires demandées.

Savoir attendre

Autre apprentissage : bayer aux corneilles quelques minutes avant de démarrer un devoir. Lire son énoncé, rêvasser, pendant que le contenu s'élabore en bruit de fond. Puis se lancer, sans brouillon, mais avec le système de la *mind map*® ou des Post-it®.

D'après mon expérience, le plus difficile est de se lancer et d'essayer une première fois. Que de parents, de jeunes et d'étudiants m'ont regardée les yeux écarquillés alors que je leur disais de ne rien faire pendant un quart d'heure, en me disant que je ne me rendais pas compte, mais qu'ils jouaient leur avenir. Si, si, je me rends très bien compte. Et surtout que ça marche ! Et diablement bien encore. Qu'il s'agisse de devoirs en classe, d'examens (bac, master…) ou des concours des grandes écoles, le résultat est là.

Alors apprenons à nos enfants à prendre conscience de leur différence, et surtout à en tirer le meilleur parti. Encouragez-les à se focaliser sur le résultat plutôt que sur le chemin et accompagnez-les dans leur direction. Car nous avons oublié que nous avons tous, à différents degrés, cette capacité, cette petite voix qui ne nous trompe que rarement.

Et après ?

Apprenons, tous autant que nous sommes, à considérer l'autre comme différent, sans projeter sur lui notre propre manière de faire. Ce qui est bon pour l'un ne l'est pas forcément pour l'autre.

Cette question rejoint celle de l'acceptation de soi et des autres et de la place de l'influence sociale. Quelle diversité de personnalités, de mode de fonctionnement le monde dans lequel nous vivons est-il capable d'accepter ?

Tout devrait être simple si vous vous fondez exclusivement sur le résultat que vous souhaitez obtenir : y parvenez-vous dans les temps ? Si la réponse est « oui », vous pouvez légitimement vous appuyer sur vos réussites passées. De même s'il s'agit d'une tierce personne.

Ainsi, à condition de reconnaître l'existence des autres, l'association entre les intuitifs et les rationnels devient-elle particulièrement efficace : l'un a des idées avec une vision globale, mais n'en voit pas les détails et s'ennuie à la mettre en pratique. L'autre a une vision précise des réalités, mais pas de vision immédiate d'ensemble et est particulièrement efficace dans la réalisation. La concrétisation des projets devient alors aisée et rapide. Et surtout les relations aux autres deviennent fluides et sereines.

UNE PHRASE CLÉ

S'il y a une maxime à retenir, c'est bien la suivante : « C'est normal pour moi, c'est normal pour lui. »

Par cette phrase, vous acceptez la différence chez vous et chez les autres.

Pour en savoir plus, reportez-vous pages 339-340.

25

Jacques
Van Rillaer

Réagir positivement au rejet

Avez-vous su méditer et manier votre vie ?
Vous avez fait la plus grande besogne de toutes.
La vraie liberté, c'est de pouvoir toute chose sur soi.
MONTAIGNE, *Les Essais*, Livre III[1]

**En 1962, au moment de choisir des études univer-
sitaires, la psychologie m'apparaissait comme un
métier d'avenir. J'avais lu avec enthousiasme *La
Guérison par l'esprit* de Stefan Zweig. L'ouvrage de
l'ami de Freud m'avait convaincu des merveilleux
pouvoirs du mental. Le livre *Les Prodigieuses Victoires de la psychologie moderne*, du psychanalyste
Pierre Daco, avait renforcé ma conviction. Je choisis les études de psychologie avec l'intention de
devenir psychothérapeute.**

Dès ma deuxième année d'études, je me suis adressé à la
Société belge de psychanalyse (affiliée à l'Association psychanalytique internationale) pour entamer une didactique
freudienne. La présidente m'a répondu que je devais attendre d'avoir mon diplôme de psychologue avant d'entamer
mon analyse. L'année suivante, j'apprenais par un professeur de mon université qu'il allait fonder, avec quatre autres
psychanalystes, l'École belge de psychanalyse, qui se ratta-
cherait à l'École freudienne de Paris, que venait de créer Jacques Lacan. Dans l'association lacanienne, les règles étaient
moins « obsessionnelles[2] » que dans la corporation « anna-
freudienne ». La porte était grande ouverte aux étudiants en
psychologie, aux philosophes, aux théologiens. Je pus ainsi
commencer une analyse didactique dès ma troisième année
de psychologie chez Winfried Huber, qui avait effectué la
sienne à Paris, chez Juliette Favez-Boutonnier.

Ma foi dans le freudisme a subi un premier coup important en 1968. Durant six mois, j'ai été assistant au département de psychologie clinique de l'Université de Nimègue (Pays-Bas), où la psychanalyse était déjà considérée comme une forme de psychologie dépassée. Le freudisme y était critiqué pour des raisons scientifiques (Freud avait généralisé à outrance ses observations), politiques (la psychanalyse, « idéologie bourgeoise », « subjectivisait » tous les problèmes humains) et surtout pratiques (les résultats n'étaient guère meilleurs qu'avec d'autres thérapies, nettement moins coûteuses). À Nimègue, j'ai assisté à des thérapies comportementales de phobies[3]. Croyant à l'époque que la modification de troubles sans mise au jour de leur sens « refoulé » entraînait des « substitutions de symptômes », j'ai observé avec étonnement que les traitements comportementaux de phobies s'accompagnaient, au contraire, d'un effet boule de neige positif : non seulement les phobies disparaissaient, mais les gens reprenaient confiance en eux-mêmes et apparaissaient plus heureux. Bien d'autres faits ont par la suite continué à effriter ma confiance dans le freudisme, notamment les médiocres résultats thérapeutiques de psychanalystes patentés (stagnations, détériorations, suicides), le spectacle de psychanalystes ne pouvant se libérer du tabac ou de l'alcool, la lecture du livre de Henri Ellenberger[4], où était révélé le mensonge de Freud concernant le cas princeps de la psychanalyse, le traitement d'Anna O.

Ellenberger m'avait également ouvert les yeux sur la légende de l'originalité des découvertes freudiennes. L'existence de processus inconscients, la signification des lapsus, l'importance de la sexualité et bien d'autres notions avaient été reprises par Freud à des prédécesseurs et des contemporains. Qu'en était-il alors de la valeur des énoncés spécifiquement freudiens ? Je décidai de faire le bilan de toutes ces informations et proposai à Marc Richelle, conseiller scientifique des éditions Mardaga, d'écrire *Science et illusions en psychanalyse*. J'avais lu d'un bout à l'autre les *Gesammelte Werke* de Freud pour ma thèse de doctorat, défendue en 1972. Je lus quelques milliers de pages d'auteurs du XIXe siècle, de psychologues scientifiques et d'épistémologues du XXe. Je conclus, à la suite de Hans Eysenck[5] et d'autres, que les énoncés les plus intéressants qui se trouvent chez Freud ne sont pas de lui et que l'essentiel de ce qu'il dit d'original se trouve réfuté par la psychologie scientifique. Le titre de mon livre est devenu *Les Illusions de la psychanalyse*.

L'expérience de l'adversité et du rejet

L'ouvrage, paru en 1981, me valut une forte animosité de quasi tous mes collègues psychiatres et psychologues cliniciens. J'avais heureusement déjà été nommé professeur à la faculté de médecine, mais je ne parvins plus à obtenir des enseignements en faculté de psychologie. Les autorités universitaires me chargèrent de tâches administratives absorbantes. J'étais très frustré. Un jour que j'avais un entretien avec le recteur dans le cadre de ces occupations, celui-ci me dit qu'il avait appris que je ne parvenais pas à travailler en équipe. Je répondis que, malheureusement, mes collègues cliniciens étaient presque tous freudiens et que je regrettais la pensée unique, en matière de psychiatrie et de psychologie clinique, dans notre université. Le recteur me répondit *illico* que le monde était vaste et qu'il y avait beaucoup d'universités où je serais mieux à ma place qu'à l'université de Louvain. Le choc était rude. L'idée qui m'est immédiatement venue est la réaction de Galilée face à la Sainte Inquisition lui demandant d'abjurer son hérésie et de jurer sa fidélité à l'Église. Comme Galilée, j'ai protesté de mon attachement à l'Institution. J'ignorais à l'époque que ce recteur, un physicien que j'imaginais gagné à l'esprit scientifique, était un ami de longue date du patron de la psychiatrie, un psychanalyste qui ne voyait point de salut hors de l'Église freudienne.

Réagir positivement en s'inspirant de « modèles »

Pour réagir positivement à cette invitation, brutale et inattendue, de quitter mon université, j'ai fait usage de ma formation de comportementaliste entamée quelques années plus tôt. Refusant de glisser sur la pente empoisonnante du ressentiment, je me suis efforcé, au lendemain d'une nuit blanche, de ne pas confondre l'université avec le recteur du moment, un homme qui, comme tous les hommes, était limité et n'aurait qu'un temps de fonction... et de vie.

Après m'être inspiré de la réaction de Galilée, je me suis inspiré d'une réaction de Skinner. J'avais lu qu'à l'approche de ses soixante ans, Skinner s'était senti *persona non grata* au département de psychologie de Harvard et qu'il avait alors décidé de s'organiser pour travailler le plus possible chez lui. J'avais lu aussi son article, « Intellectual self-management in old age[6] », dans lequel il expliquait comment se motiver à accomplir des comportements en organisant leurs conditions de stimulation et de renforcement. Je décidai d'adopter la solution « Skinner » : travailler le plus possible chez moi.

Faire du travail intellectuel efficace chez soi, sans collègues ni autorité régulatrice, est un comportement difficile. Jour après jour, on se trouve tenté d'adopter des « comportements d'évitement » : lire la presse et des ouvrages agréables, faire des interruptions et bavarder, regarder la télévision, se perdre dans des détails. La vie moderne offre une infinité de choses intéressantes et captivantes. Nous sommes invités à regarder et écouter plutôt qu'à réaliser.

Développer le pouvoir sur soi

La question fondamentale, pour ce problème comme pour tant d'autres, est celle de la gestion de soi. Je me suis focalisé sur cette question pour résoudre une difficulté personnelle, mais aussi parce qu'en tant que comportementaliste, je savais que l'objectif ultime d'une thérapie n'est pas seulement la disparition de troubles, mais l'acquisition durable, par le patient, de stratégies efficaces qu'il pourra utiliser, de façon autonome, dans une large variété de situations.

Rien de mieux, pour étudier ces stratégies, que de mener parallèlement des thérapies et la rédaction d'un livre sur le sujet. J'ai donc proposé à Marc Richelle d'écrire *La Gestion de soi*.

Skinner est un des premiers auteurs qui ont écrit sur la gestion de soi dans le cadre de la psychologie scientifique. Dans le cours qu'il donnait à Harvard dans les années 1950 – qui sera publié sous le titre *Science et comportement humain* –, le chapitre sur l'« autocontrôle » occupe une place centrale. Skinner, qui a toujours insisté sur la nécessité de tenir compte des contingences externes pour expliquer le

L'objectif ultime d'une thérapie est l'acquisition durable [...] de stratégies efficaces.

comportement, y développe l'idée que nous sommes capables de nous observer, de tirer des leçons du passé, d'expérimenter de nouvelles conduites, bref, de contrôler, en partie, ce qui nous contrôle. Il écrit : « Dans une large mesure, la personne semble maîtresse de son destin. Elle est souvent capable de modifier les variables qui l'affectent. Un certain degré d'autodétermination de leurs conduites est d'ordinaire reconnu à l'artiste et au scientifique, à l'écrivain et à l'ascète. Les exemples beaucoup plus modestes d'autodétermination sont plus familiers. La personne choisit entre diverses possibilités d'action, réfléchit à un problème abstrait et maintient sa santé et sa position dans la société par la pratique du self-control[7]. » L'habileté à se gérer devrait se développer d'autant mieux que la psychologie scientifique progresse et permet de mieux comprendre des lois du comportement : « À mesure qu'une science du comportement dégage mieux les variables dont le comportement est une fonction, ces possibilités [d'autocontrôle] devraient être grandement accrues[8]. »

Dans son ouvrage de 1953, Skinner emploie le terme « contrôle ». Ce mot, synonyme d'influence, suscite facilement la méfiance dans le langage courant. Aussi Skinner, comme la majorité des comportementalistes, préférera-t-il parler de *self-management* à partir des années 1970.

Pour Skinner, la gestion de soi n'est pas l'expression d'une entité mentale (l'âme, la volonté, l'autodiscipline). C'est une catégorie de comportements « opérants », c'est-à-dire d'opérations qui peuvent s'observer, s'analyser et s'apprendre. À vrai dire, les processus en jeu ne sont pas d'un accès facile pour l'observateur extérieur, ni même pour la personne. Skinner écrit à juste titre : « Tout comportement est fondamentalement inconscient, dans ce sens qu'il s'élabore et se maintient à la faveur de contingences efficaces alors même qu'elles ne font l'objet d'aucune observation ni d'aucune analyse[9]. » C'est particulièrement vrai pour la gestion de soi : « Nous pouvons être aussi inconscients des *stimuli* que nous utilisons dans la gestion de nous-même que de ceux que nous utilisons pour faire le poirier[10]. » N'empêche : nous pouvons apprendre à repérer et diriger des processus psychologiques importants.

Skinner est le plus grand nom de l'histoire du comportementalisme et, partant, un des chercheurs les plus célèbres de la psychologie scientifique. Il a fait ses études à Harvard et y est devenu professeur. Il a réalisé un nombre impressionnant d'expériences et publié une œuvre abondante. Une de ses principales contributions est l'application, dans différents domaines, de ce qu'il a appelé l'« analyse fonctionnelle » ou « analyse expérimentale du comportement ». Cette démarche porte sur quatre types de variables :

1. les comportements comme tels, leur fréquence, leur durée, leur intensité ;

2. les antécédents qui incitent à produire les comportements (appelés « *stimuli* discriminatifs ») ;

3. les conséquences antérieurement vécues des types de comportements (conséquences appelées « renforçateurs » lorsqu'elles rendent plus « forte » la probabilité de répétition d'un type de comportement) ;

4. les « contingences de renforcement » des comportements, c'est-à-dire les relations précises entre les comportements, leurs antécédents et leurs conséquences.

Skinner a montré la fécondité de cette approche pour analyser les conduites individuelles, mais aussi le fonctionnement de groupes et d'agences de contrôle (le gouvernement, la religion, l'éducation). Contrairement à une idée reçue, il ne s'est pas limité à observer des rats et des pigeons. Dès les années 1950 jusqu'à sa mort, il a consacré l'essentiel de son temps à analyser des « événements privés » : la pensée, la visualisation mentale, le développement de l'attention, le sentiment d'identité, etc.

À partir des années 1960, plusieurs de ses nombreux élèves ont développé des procédures de « modification du comportement » (*behavior modification*) et de gestion de soi (*self-control, self-management*).

Règles pour une vie intellectuelle productive

Voici des comportements inspirés de la lecture de Skinner, qui m'ont aidé à gérer mon existence d'universitaire « isolé[11] » dans le sens que je souhaitais.

● Il importe de réfléchir périodiquement à ses propres valeurs et objectifs. Cette réflexion devrait se prolonger par une concrétisation des objectifs en termes de comportements observables et quantifiables. Si l'on estime important de se maintenir en bonne santé physique, il est souhaitable de formuler des objectifs du genre « faire de vingt à quarante minutes de marche rapide, chaque jour, sauf en cas d'intempérie ». Il est utile de mettre par écrit les objectifs « comportementaux » que l'on se donne.

● La réalisation d'objectifs implique l'observation et l'analyse de comportements et de leurs déterminants. Il faut accorder une place privilégiée au repérage des réactions adoptées en vue de s'épargner des efforts : ces comportements, dits « d'évitement », sont « choisis » généralement sans que nous prenions conscience du processus.

L'ANALYSE COMPORTEMENTALE : UNE RUPTURE AVEC LA PSYCHANALYSE

Notons que l'observation et l'analyse comportementales tranchent radicalement avec la pratique freudienne. Freud n'accordait guère d'importance à l'observation méthodique des comportements actuels. Il recherchait des significations inconscientes, des souvenirs d'événements et de fantasmes refoulés. Il croyait que la remémoration est la condition nécessaire et suffisante pour changer. Le comportementaliste reconnaît évidemment que la conduite actuelle est, pour une large part, le produit du passé phylogénétique et ontogénétique de l'individu, mais il propose d'observer et d'analyser surtout des comportements actuels et leurs contingences. En outre, la compréhension intellectuelle n'est qu'un préalable au changement. L'adoption de conduites difficiles implique d'agir méthodiquement sur plusieurs variables : le contexte matériel, les relations interpersonnelles, la manière de penser, la façon d'agir, l'état de l'organisme, les conséquences des conduites.

● Nous sommes toujours un tant soit peu « contrôlés » (influencés) par l'environnement du moment. Toutefois, nous avons régulièrement le pouvoir de quitter notre environnement pour un autre ou, du moins, de modifier certains de ses éléments. J'avais décidé de travailler autant que possible dans un havre de paix et de suivre cet autre conseil de Skinner : aménager mon bureau en un lieu confortable et agréable. J'ai acheté une chaîne hi-fi, en sorte que les tâches ne demandant guère de concentration soient accompagnées de musique baroque. Cela s'appelle « contrôler son propre comportement par des *stimuli* librement choisis ».

● Skinner est un pionnier de l'enseignement programmé. J'ai retenu de cette pratique l'importance de la planification. Si l'on veut accomplir des comportements qui réclament des efforts et de la persévérance, il est souvent nécessaire de programmer des actions concrètes et de définir, avec précision, les circonstances et le moment où elles auront lieu. Des activités faciles ne demandent guère de programmation et d'efforts : c'est comme jouer quelques notes de musique. Si l'on veut exécuter une symphonie, c'est tout autre chose.

J'ai donc pris l'habitude – que j'ai toujours conseillée à mes étudiants – d'établir un horaire (un semainier) dans lequel je prévoyais uniquement les heures durant lesquelles j'accomplirais les tâches qui demandent des efforts et que j'appelle « à haute valeur » : lire des ouvrages difficiles, étudier de façon à mémoriser, rédiger. J'ai constaté que la planification ne pouvait pas s'appliquer à toutes les heures du jour : une organisation « obsessionnelle » convient à peu de personnes et est généralement abandonnée. J'ai tout de même appris à travailler à des tâches programmées d'avance selon un horaire défini préalablement. J'ai également noté chaque jour le temps passé aux « tâches à haute valeur », m'inspirant de cette observation de Skinner : « C'est vraiment une révélation pour moi de constater à quel point on peut travailler en se surveillant. Je calcule mon temps avec soin. De ce fait, je continue à travailler alors qu'autrefois je me serais interrompu parce que lassé du sujet. Je réalise maintenant que j'avais pris l'habitude de me dorloter[12]. »

Une autre observation de Skinner m'a guidé dans la planification de « tâches à haute valeur » : s'obliger à s'y mettre dès que l'heure est arrivée, quel que soit l'état affectif, mais aussi arrêter au moment prévu, de façon à éviter la saturation ou, comme l'écrit Skinner, l'« extinction » de l'intérêt pour l'activité.

● « Le comportement est façonné par ses conséquences », n'a cessé de répéter Skinner. Nous pouvons d'autant mieux nous gérer que nous comprenons mieux, dans la vie quotidienne, cette loi. Se motiver à un type de conduite, c'est d'abord faire l'inventaire des effets appétitifs de son accomplissement et des effets aversifs de sa non-réalisation. C'est ensuite porter une attention soutenue à ces deux catégories d'effets, les visualiser mentalement et se les répéter avec conviction à de nombreuses occasions. La force de ce que l'on appelle traditionnellement la volonté est avant tout une question de direction volontaire de l'attention.

La question de la gestion de soi se pose au quotidien. D'heure en heure, nous sommes devant ce choix, quand bien même nous n'en sommes pas conscients : accomplir des comportements peu agréables ou pénibles, maintenant ou dans peu de temps, mais dont les bénéfices (plaisir, épanouissement, diminution ou prévention de souffrances) s'obtiendront après un délai plus ou moins long, ou bien adopter des comportements agréables ou d'« évitement », dont les conséquences différées seront négatives au vu de nos objectifs essentiels. Vais-je faire de l'exercice physique (activité qui me demande un effort, mais qui est salutaire à long terme) ou vais-je feuilleter mon hebdomadaire favori ? Vais-je regarder le journal télévisé (activité facile et plaisante) ou vais-je continuer à étudier une matière aride qui me permettra peut-être de publier un article (effet éloigné et relativement abstrait) ?

La question de la gestion de soi se pose au quotidien.

Un de nos plus grands privilèges d'*Homo sapiens* est de pouvoir formuler des règles verbales du type : « Dans telle situation, tel comportement a telles conséquences » et de pouvoir visualiser mentalement ces conséquences. Ces opérations nous procurent un certain degré de liberté face à l'impulsion d'agir sous le contrôle de conséquences à court terme.

La difficulté de la gestion de soi réside dans le fait que les conséquences de comportements souhaitables sont éloignées dans le temps et présentent, de ce fait, une moindre force motivationnelle que des conséquences immédiates ou proches. Quand c'est possible, il importe de formuler des objectifs « intermédiaires » et d'apprendre à se réjouir dès qu'on s'en approche. On n'écrit pas d'emblée un manuscrit prêt à l'impression. Dès lors, il s'agit de s'arranger pour éprouver du plaisir aux différentes étapes de son élaboration : esquisse d'un plan provisoire, lectures préalables, organisation des notes, mise par écrit des idées sans souci de style, travail de mise en forme, relectures.

L'idéal est de trouver des satisfactions dans l'activité comme telle (en langage technique : trouver des « renforçateurs intrinsèques »). Skinner écrivait que, pour se motiver à écrire un ouvrage, l'anticipation des réactions des futurs lecteurs avait peu d'effet. Ce qui renforçait efficacement son comportement d'écriture, c'était le sentiment de résoudre des problèmes et des énigmes, d'arriver à formuler de façon claire ce qui était confus, de créer des phrases qu'il lui plaisait de relire[13].

● Je dois avouer que, à l'instar de Skinner, j'ai utilisé comme renforçateur régulier le plaisir de m'opposer et de critiquer. Lorsque le professeur de Harvard perdait son intérêt au travail, il lisait quelques pages d'un auteur avec lequel il était en total désaccord. L'effet, disait-il, était semblable à celui de plusieurs tasses de café[14]. Moi-même, j'ai gardé à portée de main quelques ouvrages de Lacan et de ses imitateurs. Lire une ou deux pages de galimatias a souvent suffi à me remettre au travail, avec le sentiment d'accomplir une noble tâche : écrire et préparer des cours dans un style parfaitement compréhensible. Depuis longtemps, j'ai fait une devise de cet énoncé de Karl Popper : « C'est un devoir moral de tous les intellectuels de tendre vers la simplicité et la lucidité : le manque de clarté est un péché, et la prétention un crime[15]. » Dénoncer des mystifications est devenu pour moi un puissant renforçateur.

● Enfin, la lecture de Skinner m'a bien fait comprendre que percevoir, s'observer, s'analyser, imaginer, se parler, penser sont des comportements qui dépendent de leur contexte, des effets qu'ils produisent et de l'état de l'organisme. *Thinking is behaving*, répète-t-il[16].

Certes, beaucoup de nos cognitions – tout comme beaucoup de nos actions – sont des processus automatisés dont nous ne prenons pas conscience. Certaines cognitions apparaissent de façon soudaine et sont désagréables (les « idées intrusives »). On ne peut y échapper qu'en se focalisant sur d'autres, que l'on choisit. N'empêche, nous pouvons prendre conscience activement de nos pensées comme de nos actions, nous pouvons modifier beaucoup de nos pensées tout comme nous pouvons modifier beaucoup de nos modes d'action. Cela requiert des observations, des analyses, des formulations d'objectifs « comportementaux » et des exercices répétés[17].

S'inspirer de modèles sans s'asservir à un maître

Skinner a souvent été présenté, à tort, comme un psychologue pour qui l'être humain n'est que le produit de ses gènes et de son environnement[18]. La lecture de ses textes, plutôt que de ce qu'on a écrit sur lui, m'a convaincu que, dans une certaine mesure, nous sommes les artisans de notre vie, nous disposons du pouvoir d'agir sur divers déterminants de nos conduites, de façon à atteindre des objectifs que nous avons choisis.

Depuis ma déconversion du freudisme, je n'ai plus eu le culte de la personnalité. Même si Skinner a pu être considéré comme le plus grand psychologue du XXe siècle[19], il n'est pas l'incarnation de la psychologie moderne, il n'est pas pour moi le Maître. Ce que je suis aujourd'hui, je le dois aussi à beaucoup d'autres : des collègues, ma femme, des amis, des étudiants, des patients et de nombreux auteurs, parmi lesquels Barlow, Ellis, Beck, Meichenbaum, Seligman, Hayes, mais aussi Épictète, Sénèque et Montaigne. Skinner, à travers son œuvre, a été un compagnon particulièrement apprécié pour m'aider à transformer une situation frustrante en une source d'épanouissement et de bonheur. J'ose croire qu'à travers moi, il a rendu des services à beaucoup de mes étudiants et patients.

Phrases clés

● « Qu'est-ce qui est à toi ? L'usage des idées » (Épictère, *Manuel*).

● « Lorsque tu t'irrites trop, lorsque tu as de mauvais sentiments, songe que la vie de l'homme ne dure qu'un moment et que, dans peu de temps, nous serons étendus » (Marc Aurèle, *Pensées*).

● « Le plaisir de vivre, s'il est aussi précieux que l'or, se trouve rarement à l'état de lingots. Il faut le recueillir grain après grain » (Burrhus Skinner et Margaret Vaughan, *Enjoy Old Age*).

Notes de ce chapitre pages 347-349

Pour en savoir plus, reportez-vous page 340.

Douleurs chroniques : la force des valeurs pour donner un sens à sa vie

26
Benjamin
Schoendorff

Je voudrais partager l'expérience d'Antoine, un de mes patients qui m'a fait réaliser la force d'introduire un travail sur les valeurs dans la prise en charge de la maladie chronique et du handicap invalidant.

Je tiens à rendre hommage au courage d'Antoine qui a accepté que je raconte son expérience. Avec son accord, j'ai modifié certains détails personnels tels que son nom et sa profession afin de protéger au mieux son anonymat. Je sais que s'il a accepté que j'écrive ce texte, c'est au nom de sa valeur de soutenir les autres et je l'en remercie en leur nom.

Un accident, ses séquelles, le traitement

Antoine a trente ans. Il est artisan bijoutier. Très habile de ses mains, il est passionné par son travail auquel il consacre de longues journées sans jamais compter sa peine ni son temps. C'est aussi un sportif ayant un large réseau d'amis qui partagent ses passions : la montagne, le vélo, le sport automobile. Il y a trois ans, Antoine est tombé de son scooter. Il ne se souvient pas des détails de l'accident, tout juste qu'il n'y a pas eu de collision avec un autre véhicule. Il n'allait pas vite mais sa tête casquée a tout de même heurté la chaussée avec force.

Après quelques jours d'observation à l'hôpital, Antoine est rentré chez lui et a repris sa vie normale, sans séquelles apparentes. Mais, quelques semaines plus tard, au cours d'un long voyage en voiture, il a ressenti une grande tension dans le cou et l'épaule. Sa tête penchait à droite et il avait les plus grandes difficultés à la maintenir dans son axe normal, au point que conduire devint de plus en plus difficile et douloureux. Il ressentait aussi de fortes tensions et des spasmes dans le cou et à l'épaule droite. Au cours des semaines suivantes, ses douleurs et ses tensions ne firent qu'augmenter et les spasmes se multiplièrent. Son cou et son épaule se contractaient sans relâche. Il lui devint de plus en plus difficile d'accomplir les gestes de grande précision que requiert son emploi.

Antoine alla alors consulter son généraliste qui le dirigea vers un neurologue. Celui-ci lui diagnostiqua un torticolis spasmodique et lui prescrivit des séances de kinésithérapie. La batterie de tests musculaires et neurologiques à laquelle il fut soumis ne permit pas de déceler la cause physiologique de son problème. Les médecins ne furent pas même en mesure d'affirmer que le torticolis était dû à l'accident.

Malgré les doutes de ses médecins, la posture d'Antoine demeurait visiblement anormale et sa souffrance grandissait. On lui prescrivit alors des injections de Botox, le puissant relaxant musculaire à base de toxine botulique que la chirurgie esthétique a rendu célèbre. Il se retrouva bientôt placé en arrêt maladie indéfini et on lui conseilla une prise en charge en thérapie comportementale et cognitive (TCC).

Premier contact

Quatre mois après son accident, Antoine se présentait dans mon cabinet. Il semblait désemparé. Il se demandait si, n'ayant pas su trouver la cause de son torticolis, les médecins ne cherchaient pas à se débarrasser de la difficulté en en faisant un problème « psy ». Je comprenais qu'une telle pensée puisse l'irriter. En effet, Antoine n'avait *a priori* pas de problème psychologique ni n'en a jamais eu. Bien intégré dans la vie professionnelle et sociale, il n'était ni anxieux ni dépressif. Ses relations familiales étaient normales. Il avait de nombreux amis, certains de très longue date. Antoine avait eu plusieurs relations amoureuses, sans pour autant avoir trouvé la partenaire avec qui s'engager. Au moment de l'accident, il était célibataire. Après sa mise en arrêt maladie et en raison de travaux dans son appartement, il est retourné vivre chez ses parents. Antoine est un homme sympathique, volontaire, sûr de lui et de ses opinions.

Notre premier contact est bon. Antoine accepte de s'engager dans la thérapie, puisqu'elle lui a été prescrite. Mais il ne fait pas mystère de ses doutes sur le fait qu'une prise en charge en TCC puisse lui être d'une grande utilité pour un problème avant tout physique. Il semble mal vivre l'incertitude médicale autour de son cas. Les relaxants musculaires et les antalgiques ne lui apportent qu'un soulagement passager. Les séances de kinésithérapie ne semblent pas avoir d'effet notable. Il attend beaucoup des injections de Botox.

Le Botox va avoir pour effet de relâcher quelque peu la pression dans le cou et l'épaule d'Antoine, mais ne lui permettra pas de retrouver une posture normale. L'effet relaxant se dissipera en quelques semaines et Antoine devra alors attendre qu'arrive à échéance le délai de rigueur entre deux séries d'injections. Les neurologues qui le suivent vont demeurer perplexes et Antoine va se mettre en quête d'opinions médicales alternatives.

Descente dans la spirale dépressive

L'espoir d'Antoine est qu'un médecin saura découvrir l'origine de son mal et lui prescrire un traitement à même de le guérir. L'incertitude est difficile à supporter, tant sur les causes de son trouble que sur son pronostic médical. La douleur et l'intensité de ses spasmes sont telles qu'il passe de longues journées allongé, concentré sur sa douleur, à essayer de s'en distraire. Quand il se lève enfin, c'est souvent pour s'asseoir à son ordinateur et jouer à des jeux en réseau. Pour lui, c'est un moyen efficace de s'évader de sa douloureuse réalité. Lui qui n'avait jamais été dépressif, le voilà qui se met à ruminer.

REPLI SUR SOI

Que dire à son entourage quand on est atteint d'une maladie inexplicable ? Qu'est-ce que les autres vont penser de moi ? Combien de temps ma famille et mes amis vont-ils supporter cet Antoine diminué ? Combien de temps pourrai-je rester en arrêt maladie ? Les autres vont se mettre à penser que je suis quelqu'un de bizarre. Je ne pourrai plus jamais approcher une fille. Comment supporter de montrer ma faiblesse ? Que vais-je devenir ?

Peu à peu, je vois Antoine se replier sur lui-même et son moral baisser visiblement. Son humeur se détériore. Petit à petit, je sens son irritation se transformer en colère. Il s'inquiète des risques de dépendance aux antalgiques et aux relaxants musculaires. Pour pouvoir sortir avec ses amis, il augmente parfois les doses et s'alcoolise. Le sport lui est interdit. Il hésite à s'engager dans de nombreuses activités, car il les paye souvent du prix de douleurs intenses le jour suivant. S'il marche dans la rue, il s'inquiète de ce que les gens qu'il croise vont penser de sa posture. Quand il croise un passant, le voilà qui fait de douloureux efforts pour se redresser et paraître normal. Il n'ose plus approcher les femmes. Son employeur semble plus préoccupé de son manque à gagner que du rétablissement d'Antoine et leurs relations s'enveniment. Peu à peu, la pensée qu'il est foutu, que rien n'aura plus jamais le goût d'avant fait son chemin. Lui qui avait pour habitude de contrôler pleinement sa vie se retrouve à présent à la merci des incertitudes de la science médicale, à la merci de son handicap, à la merci du soutien social. Cette position lui est particulièrement difficile. Il a toujours pensé que, dans la vie, il faut être fort et que montrer ou avouer sa faiblesse vous condamne assurément. Antoine sent que sa vie lui échappe et s'enfonce dans une amère spirale dépressive.

Première approche : la thérapie cognitivo-comportementale classique

Dans un premier temps, j'ai cherché à aider Antoine au moyen des méthodes de TCC traditionnelles que je pratiquais alors. Je lui ai proposé un entraînement à la relaxation, mais ses tentatives pour pratiquer la relaxation ont eu pour seul effet de lui causer des spasmes encore plus violents. Il se tendait visiblement dans le fauteuil de relaxation. Au bout de trois séances, il nous fallut abandonner.

Travailler sur les pensées

Nous avons ensuite essayé d'identifier les pensées d'Antoine qui pouvaient le limiter. Par le dialogue, j'invitais Antoine à remettre en cause ces pensées et à les confronter à la réalité. Les autres pensent-ils vraiment qu'il est un boulet ? Quelles preuves a-t-il que ce soit vraiment le cas ? Mais ce travail semblait avoir pour seul effet de convaincre un peu plus Antoine du bien-fondé de ses pensées dépressives.

Notre travail de thérapie avançait avec grande difficulté. Les problèmes d'Antoine venant d'une cause organique susceptible d'être un jour guérie, il s'accrochait à la pensée qu'avant la guérison physique, aucun travail « psy » ne pourrait avoir d'utilité autre que soulager son trop-plein passager. Pour lui, la consultation de psychothérapie était un lieu où « vider son sac ». Et le sac d'Antoine s'alourdissait à vue d'œil ! J'étais un peu triste de le voir ainsi limiter d'emblée l'utilité potentielle de notre travail. J'avais du mal à me résigner à l'idée que nos consultations ne puissent pas aider Antoine à avancer dans la vie – même avec son handicap.

J'ai alors continué à proposer à Antoine une thérapie plus active que la simple « papotothérapie » (ce terme, qui deviendra une plaisanterie entre nous, m'a échappé un jour où j'exprimais à Antoine mes frustrations devant le manque de direction de notre travail) dans laquelle nous semblions nous être enfoncés. Il demeurait dubitatif. Après tout, disait-il, la psychothérapie ne peut guérir les problèmes neurologiques. Nos consultations devenaient frustrantes pour lui comme pour moi. L'irritation d'Antoine était palpable. Parfois, je ne savais que faire pour la désamorcer. Je me mis à soupçonner que derrière ses résistances se tenait la pensée que si notre travail l'aidait à progresser, cela validerait les soupçons qu'il croyait percevoir chez ses médecins : que son problème pourrait n'être que psychosomatique… Or Antoine avait besoin que la réalité de sa situation et de sa souffrance soit reconnue inconditionnellement.

Se connecter au patient

Alors je choisis de valider son expérience, la réalité de son problème, l'ampleur de sa souffrance et l'intensité de sa frustration. Je reconnus que notre travail ne pourrait résoudre son problème physiologique et m'efforçai de valider au mieux les terribles difficultés de sa situation présente – difficultés rendues encore plus aiguës par les multiples faux espoirs qui jalonnaient son traitement médical. Mon but était de me reconnecter avec Antoine et avec son vécu. Pour ce faire, il m'a fallu accepter de m'ouvrir au désespoir de sa situation. C'est en ressentant pour moi-même ce désespoir, en l'acceptant et en le lui reflétant que je pus me reconnecter à lui. Et le courant passa. Et passa de mieux en mieux. Alors patiemment, chaque fois que nous arrivions à nous reconnecter l'un à l'autre, j'invitais Antoine à considérer la possibilité que notre travail puisse l'aider à vivre différemment avec sa situation telle qu'elle était et peut-être l'aider à retrouver le chemin d'une vie plus riche. « Avec le cou comme ça, impossible ! », répondait-il invariablement. « D'ailleurs, je préfère vous prévenir que si je devais rester comme cela, je préférerais me flinguer. »

Je ressentais une profonde tristesse à voir cet homme dont la situation me touchait si profondément rester coincé dans la souffrance. Nos consultations me pesaient et j'avoue que j'avais parfois du mal à suivre le fil des plaintes multiples d'Antoine. Malgré l'affirmation de son besoin de « vider son sac », je ne voyais pas en quoi ruminer à voix haute en ma présence le faisait progresser.

Deuxième approche : la thérapie d'acceptation et d'engagement

Quand j'ai pris en charge Antoine, je n'étais pas très expérimenté en TCC classique – un thérapeute plus expérimenté aurait peut-être su mieux. Ce n'est qu'après l'avoir rencontré que je me suis initié aux TCC de nouvelle génération, et notamment à la thérapie d'acceptation et d'engagement (ACT), une thérapie qui cultive l'acceptation et le contact avec ses valeurs personnelles. J'ai alors proposé à Antoine de parler de ses valeurs et de ce qui était vraiment important pour lui dans la vie. Dans un premier temps, il m'expliqua que tant qu'il aurait son handicap, la seule chose importante serait de s'en débarrasser. Il parlait des objectifs que son handicap lui interdisait d'atteindre : progresser dans sa carrière et créer son entreprise, fonder une famille, participer à des compétitions sportives, organiser des sorties à la montagne avec ses amis. Il se rembrunissait alors. Sa souffrance était palpable. Il n'avait plus envie d'en parler. Je suggérai alors à Antoine d'avoir une conversation un peu différente, qui ne soit plus tant à propos de ses objectifs, mais plus à propos de ses valeurs, ainsi que le propose l'ACT.

DES VALEURS DE VIE PLUTÔT QUE DES OBJECTIFS DE VIE

Du point de vue de l'ACT, les valeurs sont comme des directions de vie choisies plutôt que comme des objectifs que l'on se fixerait. Choisir une direction, c'est comme choisir d'avancer vers l'ouest. Ce n'est pas un objectif que l'on peut atteindre, car on pourra toujours continuer à progresser vers l'ouest. Si l'on s'arrête, quel que soit le chemin parcouru, on n'avancera plus en direction de l'ouest. On n'est ni plus ni moins orienté vers l'ouest qu'on avance vite ou que l'on avance lentement. Selon l'ACT, les valeurs sont comme des directions. Elles représentent les qualités des actions que l'on choisit de faire dans l'instant plutôt que le résultat de ces actions. Quand on oriente sa vie sur des objectifs, plutôt qu'en fonction de valeurs, on prend deux risques : celui de ne pas pouvoir atteindre ses objectifs, car alors la vie peut perdre son sens ; et celui de les atteindre, car quelle direction prendre alors ? Enfin, selon l'ACT, les valeurs sont des directions que l'on choisit pour soi et librement. Elles ne peuvent être imposées de l'extérieur, que ce soit par l'entourage, la société ou le thérapeute.

Agir dans le sens de ses valeurs

J'ai alors proposé à Antoine un exercice issu de l'ACT permettant l'identification de ses valeurs dans différents domaines de vie importants pour lui. Mon idée était d'arriver à l'aider à contacter les qualités humaines qu'il souhaiterait pouvoir incarner à travers ses actions, quel que soit son état physique. Mon espoir était qu'ainsi un espace se crée pour qu'il puisse de lui-même – avec son handicap, tel qu'il était – choisir des actions allant en direction de ses valeurs qu'il pourrait engager dès maintenant, sans plus attendre une éventuelle guérison. Bien sûr, ces actions seraient sans doute plus modestes que ce qu'il aurait pu réaliser s'il ne souffrait pas de son handicap. Et pourtant, du fait qu'elles seraient délibérément engagées au service de ses valeurs, j'avais bon espoir qu'elles pourraient lui permettre de retrouver la voie d'une vie qui vaille la peine d'être vécue. Mon espoir était renforcé par le fait que j'avais fait l'expérience dans ma propre vie de la puissance d'engager des actions au service de mes valeurs personnelles à un moment particulièrement difficile pour moi.

Donner du sens à ses actes

De notre travail autour des valeurs, il va ressortir, pour Antoine, que contribuer à la société et soutenir les autres étaient des valeurs importantes, comme l'étaient cultiver les liens familiaux et amicaux et prendre soin de son corps. J'ai alors proposé à Antoine de fixer le cap sur ses valeurs. Pendant quelques instants, je ressentis que l'atmosphère entre nous s'était allégée, et aussi qu'elle était plus chargée émotionnellement. Puis bien vite, les pensées dépressives d'Antoine sont revenues à la charge pour lui souffler qu'avancer de nouveau dans la vie ne serait possible qu'après sa guérison. Mon cœur se serra de voir Antoine acheter ces pensées. Mais j'avais aussi ressenti que quelque chose d'important s'était passé entre nous et qu'un lien plus fort s'était établi. Comme si un peu d'espace avait été dégagé à l'intérieur duquel Antoine pourrait un jour choisir d'avancer. C'était comme si un nouvel horizon s'était ouvert pour notre travail.

Sur le coup, pas grand-chose ne changea dans la progression de notre travail. Antoine restait fortement déprimé, s'accrochant au prochain rendez-vous avec les neurologues, puis à la possibilité distante d'une opération. Ses relations avec les équipes médicales ne s'amélioraient guère et son humeur semblait résolument sombre. Nos consultations s'espacèrent.

> Un nouvel horizon s'était ouvert pour notre travail.

Apprendre à se distancer de ses pensées

Nous nous rencontrions à présent toutes les trois semaines. Antoine ne manqua jamais une consultation. Nous parlions de ses difficultés du moment, et aussi de ses valeurs. Je m'efforçais de l'aider à créer un peu de distance avec ses pensées dépressives. L'approche frontale de la remise en cause du contenu de ses pensées n'ayant pas eu grand succès, je choisis d'aider Antoine à se distancer radicalement de ses pensées, selon les méthodes de distanciation que l'ACT nomme « défusion ». Mon but était d'aider Antoine à pouvoir faire la différence entre ce que disait sa tête d'une part, son moi profond de l'autre. Au moyen de métaphores, je l'encourageais à considérer ses pensées comme des conseillères plutôt que comme des réalités. Je lui demandais : « Imaginez que vos pensées soient comme des représentants de commerce particulièrement bons vendeurs ? Qui paye quand vous achetez ce qu'elles vous vendent ? Et si vous pouviez choisir d'acheter et de suivre les conseils des pensées qui vous sont utiles pour avancer plutôt que ceux des pensées les plus convaincantes ? » Nous arrivâmes ainsi à créer un peu d'espace permettant à Antoine d'avoir ses pensées négatives sans se sentir obligé de leur obéir ni de les combattre.

En prenant de la distance avec ce que lui disait sa tête, Antoine put se connecter plus directement à ses valeurs et à son cœur, malgré toute la difficulté de sa situation. Dans l'espace libéré, il put engager des actions, aussi modestes fussent-elles, lui permettant d'incarner ses valeurs et les choix de son cœur, plutôt que rester prisonnier des regrets de sa tête.

Agir en cohérence avec ses valeurs de vie

Je me souviens du jour où il choisit d'aider sa mère à rénover sa cuisine en se portant volontaire pour peindre un petit pan de mur. Malgré toutes les pensées qui lui disaient que par le passé, il aurait pu faire cela bien plus vite et bien mieux et qui lui conseillaient de tout laisser tomber, Antoine choisi de persister dans cette tâche, afin d'incarner sa valeur de contribuer. Il le paya d'intenses douleurs et de longues heures allongé le lendemain. Mais au ton de sa voix quand il m'en parla, je crus déceler qu'il avait enfin pu contacter la qualité très particulière qu'ont les actions engagées pour avancer en direction de ses valeurs. C'est une qualité essentielle qui ne se voit bien qu'avec le cœur et reste invisible pour la tête. C'est comme si, en réalisant ces actions, même en présence de la douleur, d'émotions ou de pensées négatives, la vie s'élargissait un peu. Et cette qualité fait qu'une fois qu'on a fait l'expérience consciente du « goût » particulier qu'ont les actions faites en direction des valeurs, ces actions vont se multiplier.

Un mouvement s'était engagé. Cependant, les choses continuèrent à évoluer lentement, très lentement. J'avais souvent la pensée que le fait qu'une guérison fût possible à plus ou moins court terme encourageait Antoine à l'attentisme plutôt qu'à l'action. Mais, sous la surface, les choses avançaient. Vivre avec ses parents lui devenait pesant et Antoine se mit à envisager de retourner vivre dans son appartement afin de redevenir plus autonome. Un jour, il proposa à un voisin retraité de l'aider bénévolement à travailler sur la faisabilité d'une affaire commerciale dont celui-ci rêvait. Pendant plusieurs semaines, il rendit des visites régulières à cet homme pour l'aider à mieux définir son projet.

Graduellement, je sentais que le climat de nos consultations s'allégeait. J'avais moins de difficulté à suivre la conversation. Antoine lui-même semblait plus engagé dans nos échanges. Son état physique ne s'était pas visiblement amélioré et les incertitudes médicales demeuraient. Il vivait dans l'attente d'une possible intervention neurologique, mais sans certitude aucune. Malgré cela, Antoine se plaignait moins. Il semblait visiblement plus disposé à remettre en question ses idées, plus ouvert à considérer ses pensées comme des pensées, plutôt que leur obéir aveuglément. Dans nos conversations aussi, il luttait moins pour les défendre. Un peu d'espace se créait ainsi entre nous, une nouvelle manière d'interagir. Ce qui me frappa le plus, c'est que ses choix personnels semblaient moins dépendre des raisonnements de sa tête et plus des choix de son cœur. Notre relation et notre connexion aussi s'en amélioraient.

Malgré la dépression et les pensées sombres, Antoine avait fait le choix déterminant de ne pas se couper de ses amis. Il leur parlait souvent au téléphone et organisait des sorties régulières avec eux. Au début de notre travail, Antoine achetait volontiers les pensées qui lui disaient qu'avec son handicap, aucun de ses amis ne voudrait rester en contact avec lui. Mais plus notre travail avançait, plus il engageait des actions lui permettant d'être l'ami qu'il voulait être. Antoine sut être présent pour ses amis qui vivaient des difficultés. Je fus particulièrement touché le jour où il me dit qu'il avait accepté de bon cœur un de ces longs trajets en bus qui lui coûtaient d'intenses douleurs physiques pour aller à la rencontre d'un ami qui vivait une douloureuse crise conjugale.

Ses choix personnels semblaient moins dépendre des raisonnements de sa tête [...].

Graduellement, la dépression d'Antoine s'est levée. Nos consultations sont devenues de plus en plus cordiales et centrées sur les actions qu'il entreprenait en direction de ses valeurs. Un jour, Antoine mentionna qu'il pensait se porter volontaire pour offrir du soutien scolaire à des enfants en difficulté. Ses offres de service furent déclinées car il n'avait pas le niveau universitaire requis. Un autre jour, un de ses amis mentionna un atelier coopératif de réparation de deux-roues. Antoine s'y est engagé. Il apprécie de pouvoir y partager son savoir-faire en mécanique. Il s'est repris à rêver avec ses amis de créer ensemble un atelier de bijouterie d'art. Afin de mieux prendre soin de son corps, il a choisi de réduire le temps passé devant l'ordinateur – suite à quoi il a observé une baisse de ses tensions musculaires, qui restent cependant présentes et douloureuses.

Contacter l'important redonne du sens à sa vie

Aujourd'hui, Antoine semble être transformé. Pourtant, rien n'a fondamentalement changé dans sa condition. Il demeure gravement handicapé par un torticolis spasmodique qui déforme sa posture et lui cause d'intenses douleurs. Ses capacités physiques restent de ce fait gravement diminuées. Plus de trois ans après le déclenchement de son problème, il demeure dans l'incertitude de la possibilité d'une guérison éventuelle. Pourtant, aujourd'hui, Antoine a repris le chemin d'une vie qui vaut le coup.

Quand je lui ai demandé ce qui lui avait le plus parlé dans notre travail, il a répondu sans hésitation : « D'avoir parlé des valeurs et de ce qui était vraiment important pour moi. » Ce travail a longuement mûri et, accompagné du travail de distanciation et de défusion, a permis à Antoine, malgré tout ce que lui soufflaient ses pensées, de s'engager pour incarner, à sa mesure, les qualités importantes pour lui.

Le travail sur les valeurs, une voie efficace

J'ai choisi de partager cette expérience car elle illustre combien le travail autour des valeurs peut permettre de décoincer les personnes en grande souffrance chronique et au pronostic incertain. Contacter ce qu'il y a de vraiment important dans la vie peut permettre à chacun de retrouver la voie d'une vie riche de sens. Ce travail sur les valeurs issues de l'ACT, et fondé sur des recherches sur l'intelligence verbale, peut venir enrichir et dynamiser la thérapie cognitivo-comportementale. D'ailleurs, l'ACT a récemment été classée par l'American Psychological Association comme une des rares psychothérapies validées pour la douleur chronique – et la seule validée pour toutes les formes de douleur chronique. En travaillant avec Antoine, j'ai été touché par son courage face à la douleur et l'incertitude, et sa détermination à continuer d'avancer même dans les phases de désespoir intense. J'ai aussi été touché par la profondeur de la connexion qui s'est établie entre nous une fois que notre travail s'est centré sur les valeurs d'Antoine. J'espère que le partage de cette histoire, que je vous offre avec son accord, pourra permettre à d'autres personnes en grande souffrance de prendre le chemin d'identifier leurs valeurs et les actions par lesquelles elles peuvent, ici et maintenant, les incarner. J'espère aussi qu'elle pourra inspirer les thérapeutes à engager avec leurs patients cette conversation sur leurs valeurs qui peut se révéler si importante.

Pour en savoir plus, reportez-vous page 340.

4 | En savoir **plus**

21. Où va-t-on ?
Suivre ses valeurs de vie

Fanget F., *Où vas-tu ? Les réponses de la psychologie pour donner du sens à sa vie*, Paris, Les Arènes, 2007.

Monestès J.-L., *Faire la paix avec son passé*, Paris, Odile Jacob, 2009.

Schoendorff B., *Faire face à la souffrance. Choisir la vie plutôt que la lutte avec la Thérapie d'Acceptation et d'Engagement*, Paris, Retz, 2009.

22. *Faire autrement, faire avec :*
deux manières de changer

Cottraux J., *Les Thérapies comportementales et cognitives*, Paris, Masson 2004.

Cet ouvrage est un classique pour les professionnels, mais il est aussi accessible au grand public désireux de s'informer sur la thérapie comportementale et cognitive.

Épictète, *Le Manuel*, Paris, Garnier-Flammarion, 1964.

Le Manuel est une édition de poche de l'enseignement d'Épictète, philosophe gréco-romain du Ier siècle apr. J.-C. C'est lui qui a dit, entre autres : « Il y a les choses qui dépendent de nous, et celles qui ne dépendent pas de nous. » Mais aussi : « Ce qui nous dérange, ce n'est pas ce qui nous arrive, c'est l'idée que nous nous en faisons. » Ou encore : « En cas de problème, le sot accuse les autres. Celui qui est un peu

plus intelligent se blâme lui-même. Le sage ne s'en prend ni aux autres ni à lui-même. » L'édition recommandée ici contient en prime un texte magnifique d'un autre philosophe stoïcien, l'empereur romain Marc Aurèle lui-même ! Zumbrunnen R., *Changer dans sa tête, bouger dans sa vie*, Paris, Odile Jacob, 2009.

L'auteur a réuni dans cet ouvrage pratique ce qui lui a paru le plus utile pour aider ses patients et s'aider lui-même à changer durablement.

23. Comment je gère le stress dans mon travail

Servant D., *Ne plus craquer au travail*, Paris, Odile Jacob, 2010.

Servant D., *Soigner le stress et l'anxiété par soi-même*, Paris, Odile Jacob, 2003.

24. Faire confiance à son intuition
Livres

Grozdanovitch D., *L'Art difficile de ne presque rien faire*, Paris, Denoël, 2009.

Millêtre B., *Petit Atelier de mieux-être au travail pour salariés de tous horizons*, Paris, First, 2010.

– *Le Livre des bonnes questions à se poser pour avancer dans la vie*, Paris, Payot, 2010.

– *Prendre la vie du bon côté. Pratiques du bien-être mental*, Paris, Odile Jacob, 2009.

– *Petit Guide à l'usage des gens intelligents qui ne se trouvent pas très doués*, Paris, Payot, 2007.

Mintzberg H., *Le Management*, Paris, Éditions d'Organisation, 1989.

Pink D., *L'Homme aux deux cerveaux*, Paris, Robert Laffont, 2007.

Sites Internet

www.penser-autrement.net

Test Eurêka-BM® : un questionnaire élaboré pour permettre de prendre conscience de votre type de raisonnement. Pour vous, votre hiérarchie et vos collaborateurs.

http://learninglab.etwinning.net/web/mindmapping/

25. Réagir positivement au rejet

Bjork D. W., *B. F. Skinner. A Life*, New York, Basic Books, 1993.

Skinner B. F., *Science and Human Behavior*, New York, Macmillan, 1953 (trad. : *Science et comportement humain*, Paris, In Press, 2005).

Skinner B. F. et Vaughan M., *Enjoy Old Age*, New York, Norton, 1983 (trad. : *Bonjour sagesse*, Paris, Robert Laffont, 1986).

Bréhier É. (trad.), *Les Stoïciens*, Paris, Gallimard, « La Pléiade », 1962.

Van Rillaer J., *La Gestion de soi*, Wavre, Mardaga, 1992, 4e éd. : 2000. Ouvrage épuisé. Une édition remaniée est prévue pour septembre 2011.

26. Douleurs chroniques : la force des valeurs pour donner un sens à sa vie

Vowles K. E., Wetherell J. L. et Sorrell J. T., « Targeting acceptance, mindfulness, and values-based action in chronic pain : Findings of two preliminary trials of an outpatient group-based intervention », *Cognitive and Behavioral Practice*, 2009, 16, p. 49-58.

Vowles K. E. et McCracken L. M., « Acceptance and values-based action in chronic pain : A study of treatment effectiveness and process », *Journal of Consulting and Clinical Psychology*, 2008, 76, p. 397-407.

Wicksell R. K., Ahlqvist J., Bring A., Melin L. et Olsson G. L., « Can exposure and acceptance strategies improve functioning and life satisfaction in people with chronic pain and whiplash-associated disorders (WAD) ? A randomized controlled trial », *Cognitive Behaviour Therapy*, à paraître.

Wicksell R. K., Melin L., Lekander M. et Olsson G. L., « Evaluating the effectiveness of exposure and acceptance strategies to improve functioning and quality of life in longstanding pediatric pain. A randomized controlled trial », *Pain*, 2009, 141 (3), p. 248-257.

Wicksell R. K, Melin L. et Olsson G. L. « Exposure and acceptance in the rehabilitation of children and adolescents with chronic pain », *European Journal of Pain*, 2007, 11, p. 267-274.

Ouvrages en français présentant le travail sur les valeurs

Schoendorff B., *Faire face à la souffrance. Choisir la vie plutôt que la lutte avec la Thérapie d'Acceptation et d'Engagement*, Paris, Retz, 2009.

Schoendorff B., Grand J. et Bolduc M.-F., *Guide clinique de Thérapie d'Acceptation et d'Engagement*, Bruxelles, De Boek, à paraître.

ANNEXES

NOTES

Notes introduction

1. Kay Redfield-Jamison, *De l'exaltation à la dépression. Confession d'une psychiatre maniaco-dépressive*, Paris, Robert Laffont, 2003.
2. Alexandre Jollien, *Le Philosophe nu*, Paris, Seuil, 2010.
3. Jean-Marie Boisvert et Madeleine Beaudry, *S'affirmer et communiquer*, Québec, Éditions de l'Homme, 1979.
4. Ivy Blackburn et Jean Cottraux, *Psychothérapie cognitive de la dépression*, Paris, Masson, 1988.
5. Jon Kabat-Zinn, *Au cœur de la tourmente, la pleine conscience*, Bruxelles, De Boeck, 2009 ; – Zindel V. Segal et coll., *La Thérapie cognitive basée sur la pleine conscience pour la dépression*, Bruxelles, De Boeck, 2006.
6. Voir Catherine Meyer, dans sa préface de la nouvelle édition du *Livre noir de la psychanalyse*, Paris, Arènes, 2010.

Note chapitre 2, partie 1

1. « J'ai décidé d'être heureux parce que c'est bon pour la santé » est une citation de Voltaire. Elle est aujourd'hui significative des travaux de Christophe André sur le bonheur.

Notes chapitre 7, partie 1

1. Jacques Lecomte, *Guérir de son enfance*, Paris, Odile Jacob, 2004.
2. Jacques Lecomte, *Donner un sens à sa vie*, Paris, Odile Jacob, 2007.
3. Shelly L. Gable et Jonathan Haidt, « What (and why) is positive psychology ? », *Review of general psychology*, 9 (2), 2005, p. 103-110 (p. 104).
4. Jacques Lecomte, *Introduction à la psychologie positive*, Paris, Dunod, 2009.
5. http://www.psychologie-positive.net
6. Voir sur le site mentionné ci-dessus la rubrique « Association ».
7 C'est mon ami Stefan Vanistendael qui m'a fait comprendre l'importance d'associer optimisme et réalisme. Il qualifie la résilience d'« optimisme réaliste ».
8. Nelson Mandela, *Un long chemin vers la liberté*, Paris, Livre de Poche, 2002, p. 753.

9. Martin Luther King (1961). « Love, law, and civil disobedience », *A Testament of Hope. The Essential Writings and Speeches of Martin Luther King Jr.*, New York, HarperCollins, 1991, p. 47-48.

Notes chapitre 10, partie 2

1. Sondage Ifop, États généraux de la femme, 2010.
2. santefemmesactices.com
3. santefemmesactices.com
4. *Les Prolégomènes d'Ibn Khaldoun*, Kessinger Pub, 2008.
5. Isabelle Germain, « Et si elles avaient le pouvoir... », *À dire vrai*, Paris, Larousse, 2009, p. 107. Une enquête portant sur le mode de garde et d'accueil d'enfants de moins de sept ans, menée en 2002 par la DREES. Ces chiffres n'ont presque pas changé.
6. Anne Eydoux, Marie-Thérèse Letablier, avec Nathalie Georges, *Les Familles monoparentales en France*, Insee, juin 2007.
7. Francine Dufort, « Travail salarié, famille et santé mentale des femmes : revue de la littérature », *Santé mentale au Québec*, vol. 10, n° 2, 1985, p. 64-72.
8. Pierre Bourdieu, *La Domination masculine*, Paris, Seuil, « Points », 2002.
9. Brigitte Grezy, *Petit Traité contre le sexisme ordinaire*, Paris, Albin Michel, 2009, p. 128.
10. Étude dirigée par Michel Ferrary entre janvier et octobre 2008, parue dans *Le Monde* en 2009.
11. Christophe André et François Lelord, *Comment gérer les personnalités difficiles*, Paris, Odile Jacob, 1996.
12. Cynthia Fleury, *La Fin du courage*, Paris, Fayard, 2010.

Notes chapitre 11, partie 2

1. Derek Denton, *Les Émotions primordiales et l'Éveil de la conscience*, Paris, Flammarion, 2005.
2. Pascal Boyer, *Et l'homme créa les Dieux*, Paris, Robert Laffont, 2001.
3. Scott Atran, *Au nom du Seigneur. La religion au crible de l'évolution*, Paris, Odile Jacob, 2009.

4. Gerald Edelman, *Plus vaste que le ciel. Une nouvelle théorie générale du cerveau*, Paris, Odile Jacob, 2004.

5. Jean-Pierre Changeux, *Du vrai, du beau, du bien. Une nouvelle approche neuronale*, Paris, Odile Jacob, 2008.

6. Voir note 2, Pascal Boyer.

7. Voir note 3, Scott Atran.

8. Richard Dawkins, *Le Gène égoïste*, Paris, Odile Jacob, 1996.

9. Jean Hamburger, *La Raison et la Passion*, Paris, Seuil, 1984.

10. « Les athées », *Le Monde des religions*, janvier-février 2006, n° 5.

11. « La conscience », *La Recherche*, mars 2010.

12. Hubert Reeves, *Poussières d'étoiles*, Paris, Seuil-Sciences, 2008.

13. Antonio Damasio, *L'Erreur de Descartes*, Paris, Odile Jacob, 2006.

14. André Comte-Sponville, *L'Esprit de l'athéisme. Introduction à une spiritualité sans Dieu*, Paris, Albin Michel, 2006.

Notes chapitre 19, partie 3

1. Abraham A. Moles, *Les Sciences de l'imprécis*, Paris, Seuil. 1995.

2. M. W. Fox, *Canine Behaviour*, Springfield, Charles C. Thomas, 1978.

3. J. P. Scott et J. L. Fuller, *Genetics and the Social Behavior of the Dog*, Chicago, The University of Chicago Press, 1965.

4. Fitzhugh Dodson, *Tout se joue avant 6 ans*, Paris, Marabout, 1976.

5. Joël Dehasse, *L'Éducation du chien, de 0 à 6 mois*, Montréal, Éd. de l'Homme, 1982.

6. Abraham Maslow (1908-1970), fondateur de la psychologie transpersonnelle, mais aussi de la théorie de motivation et des besoins

7. Stanilas Grof, *Psychologie transpersonnelle*, Paris, Éditions du Rocher, 1985.

8. Carlos Castaneda (1925-1998), qui a suivi don Juan, sorcier toltèque, et écrit ses expériences dans une douzaine de livres publiés de 1968 à 2000.

9. Joseph Banks Rhine (1895-1980). http://fr.wikipedia.org/wiki/Joseph_Banks_Rhine (2010-04-12). Cité dans J. Dehasse, *Chiens hors du commun*, Montréal, Éd. de l'Homme, 1993 ; 2ᵉ édition : Montréal, Le Jour éditeur, 1996.

10. *DSM : Manuel diagnostique et statistique des troubles mentaux*, de l'Association psychiatrique américaine.

11. *What the Bleep Do We Know ?*, http://www.whatthebleep.com/ (2010-04-12).

12. William R. Miller et Stephen Rollnick, *Motivational Interviewing*, Guilford Publ., 1991.

13. Joël Dehasse, « Le chien conscience », *in Tout sur la psychologie du chien*, Paris, Odile Jacob, 2009. p. 413-421.

14. Raymond et Lorna Coppinger, *Dogs. A New Understanding of Canine Origin, Behavior and Evolution*, Chicago, The University of Chicago Press, 2001.

15. La personnalité est essentiellement définie par la génétique ; on peut forcer l'expression psychologique et comportementale de la génétique à l'aide de psychotropes, le temps que l'on administre les psychotropes, mais guère au-delà de leur arrêt.

16. La responsabilité universelle signifie que nous sommes responsables (de l'universalité) des expériences et des sensations que nous vivons ; c'est le karma, qui est le rééquilibrage de la balance des expériences réalisées ou refusées, qui fait que nous nous proposons dans cette vie ces expériences nouvelles ou répétitives, agréables ou désagréables.

17. Ho'oponopono : philosophie hawaïenne de réconciliation. http://fr.wikipedia.org/wiki/Ho%27oponopono. 2010-04-16.

Notes chapitre 25, partie 4

1. *Essais*, 1592, adaptation en français moderne par A. Lanly, Paris, Honoré Champion, 1989, livre III, ch. 13 ; ch. 12.

2. Expression de Lacan visant l'Association internationale, présidée par Anna Freud (*Écrits*, Paris, Seuil, 1966, p. 312).

3. Les psychiatres du CHU avaient conclu un accord avec le département de psychologie clinique : ils lui adressaient les patients phobiques pour être traités, à titre « expérimental », par thérapie comportementale.

4. *The Discovery of the Unconscious*, New York, Basic Books, 1970. Trad. : *À la découverte de l'inconscient. Histoire de la psychiatrie dynamique*, Villeurbanne, Éd. Simep, 1974, p. 406-408.

5. H. Eysenck et G. Wilson, *The Experimental Study of Freudian Theories*, Londres, Methuen, 1973 ; S. Fisher et R. Greenberg, *The Scientific Credibility of Freud's Theories and Therapy*, New York, Basic Books, 1977.

6. *American Psychologist*, 1983, 38, p. 239-244.

7. *Science and Human Behavior*, Macmillan, 1953, p. 228. Trad. : *Science et comportement humain*, Paris, In Press, 2005, p. 214.

8. *Ibid.*, 1953, p. 241 ; trad. : 2005, p. 224.

9. *L'Analyse expérimentale du comportement*, Wavre, Mardaga, 1971, p. 322.

10. *About Behaviorism*, New York, Knopf, 1974. Rééd. : Penguin Books, 1988, p. 199.

11. Le département de psychologie de l'Université de Louvain a changé radicalement depuis une dizaine d'années. L'hégémonie du freudisme a cessé, la logomachie lacanienne a disparu, les TCC se sont fort bien développées, grâce notamment au professeur Pierre Philippot. J'ai fini par donner des cours à des étudiants en psychologie et par développer des collaborations fructueuses au sein de mon université.

12. *The Shaping of a Behaviorist. Part Two of an Autobiography*, New York, Alfred Knopf, 1979, p. 171.

13. « How to discover what you have to say : A talk to students », *The Behavior Analyst*, 1981, 4, p. 1-7. Réédité dans *Upon Further Reflexion*, New York, Prentice-Hall, 1987, p. 138.

14. *The Shaping of a Behaviorist, op. cit.* note 12, p. 94.

15. *Objective Knowledge*, 1972. Trad. : *La Connaissance objective*, Bruxelles, Complexe, 1978, p. 55.

16. Par exemple dans « How to discover what you have to say », *op. cit.* note 13, 1987, p. 132.

17. Pour des procédures concrètes, voir par exemple les pages sur le « pilotage cognitif » dans J. Van Rillaer, *Psychologie de la vie quotidienne*, Odile Jacob, 2003, p. 233-246 ; 269-272.

18. Pour une discussion sur cette présentation, voir Marc Richelle, *B. F. Skinner ou le péril behavioriste*, Wavre, Mardaga, 1977 ; J. Van Rillaer, « Jacques-Alain Miller,

Frédéric Skinner et la liberté », *Journal de thérapie comportementale et cognitive*, 2007, 17, p. 3-7.

19. En 2002, Steven Haggbloom et une équipe de dix chercheurs de l'Université de l'État de l'Arkansas ont établi une liste des cent psychologues les plus éminents du xxe siècle, sur la base des citations de leur nom dans les principaux manuels et les revues les plus prestigieuses de la psychologie (« The 100 most eminent psychologists of the 20th century », *Review of General Psychology*, 2000, 6, p. 139-152). Skinner est numéro un, suivi, dans l'ordre, par Piaget, Freud et Bandura.

LES AUTEURS

Christophe André est psychiatre et psychothérapeute. Il exerce à l'hôpital Sainte-Anne à Paris. Il est notamment l'auteur de *L'Estime de soi* (2007), *Vivre heureux* (2003), *Imparfaits, libres et heureux* (2006), et *Les États d'âme. Un apprentissage de la sérénité* (2009) aux éditions Odile Jacob.

Fatma Bouvet de la Maisonneuve est médecin psychiatre à la consultation d'alcoologie pour femmes à l'hôpital Sainte-Anne à Paris. Elle est l'auteur de *Les Femmes face à l'alcool – Résister et s'en sortir* (2010) aux éditions Odile Jacob.

Laurent Chneiweiss est médecin psychiatre, spécialiste des troubles de l'anxiété. Il est notamment l'auteur de *Maîtriser son trac* (2003) et de *L'Anxiété* (2001) aux éditions Odile Jacob.

Joël Dehasse est vétérinaire comportementaliste, systémicien et coach en comportement animal, développement personnel et bien-être humain. Il exerce à Bruxelles. Il est l'auteur de *Mon animal a-t-il besoin d'un psy ?* (2007), *Tout sur la psychologie du chat* (2008), *Mon chien est heureux* (2009) et *Tout sur la psychologie du chien* (2009) aux éditions Odile Jacob.

Nicolas Duchesne est médecin psychiatre, attaché des hôpitaux de Montpellier. Il exerce à Montpellier, enseigne à l'AFTCC et dans plusieurs universités. Il a publié *Des hauts et des bas. Bien vivre sa cyclothymie* (2005) aux éditions Odile Jacob et a collaboré à *L'Affirmation de soi par le jeu de rôle* (2007) chez Dunod.

Frédéric Fanget est médecin psychiatre et psychothérapeute. Il enseigne à l'université Lyon-I. Il est notamment l'auteur de *Affirmez-vous. Pour mieux vivre avec les autres* (2002), *Oser. Thérapie de la confiance en soi* (2003), *Toujours Mieux !*

Psychologie du perfectionnisme (2006), *Oser la vie à deux* (2010) aux éditions Odile Jacob.

Gisèle George est pédopsychiatre depuis plus de vingt ans. C'est l'un des meilleurs spécialistes de l'enfance et de l'adolescence. Elle est notamment l'auteur de *Mon enfant s'oppose* (2006) et de *La Confiance en soi de votre enfant* (2009) aux éditions Odile Jacob.

Bruno Koeltz est médecin thérapeute comportementaliste et cognitiviste. Il est l'auteur de *Comment ne pas tout remettre au lendemain* (2006) aux éditions Odile Jacob.

Gilbert Lagrue est professeur honoraire à la faculté de médecine de Paris XII. Spécialiste des maladies vasculaires, il a été l'un des pionniers de la tabacologie en France. Il est notamment l'auteur de *Parents : alerte au tabac et au cannabis* (2008) et de *Arrêter de fumer ?* (2006) aux éditions Odile Jacob.

Jacques Lecomte est psychologue, chargé de cours à l'université Paris-Ouest et à la faculté de sciences sociales de l'Institut catholique de Paris, président fondateur de l'Association française et francophone de psychologie positive. Il a notamment publié *Guérir de son enfance* (2004), *Donner un sens à sa vie* (2007) aux éditions Odile Jacob, *Introduction à la psychologie positive* (2009) aux éditions Dunod et *Élixir de bonheur* (2010) chez InterÉditions.

Gérard Macqueron est médecin psychiatre. Membre de l'AFTCC, il exerce à Paris et intervient également à l'hôpital Sainte-Anne. Il est auteur, avec Stéphane Roy, de *La Timidité. Comment la surmonter* (2004) aux éditions Odile Jacob.

Béatrice Millêtre est docteur en psychologie, psychothérapeute spécialiste en sciences cognitives, auteur de plusieurs ouvrages visant à améliorer le bien-être mental parmi lesquels *Petit Guide à l'usage des gens intelligents qui ne se trouvent pas très doués* (2007) chez Payot, et *Prendre la vie du bon côté* (2008) aux éditions Odile Jacob. Elle enseigne à Bordeaux-II et Paris-V ainsi que dans diverses écoles de commerce.

Christine Mirabel-Sarron est médecin psychiatre. Elle exerce à l'hôpital Sainte-Anne à Paris. Elle enseigne à Paris-V, Paris-VII, Paris-VIII et dans différentes universités en province et à l'étranger. Elle est notamment l'auteur de *La Dépression, comment en sortir* (2002) aux éditions Odile Jacob.

Jean-Louis Monestès est psychologue clinicien et psychothérapeute, membre du laboratoire CNRS de neurosciences fonctionnelles et pathologies. Il est l'auteur de *La Schizophrénie. Mieux comprendre la maladie et mieux aider la personne* (2007), *Faire la paix avec son passé* (2009), *Changer grâce à Darwin* (2010) aux éditions Odile Jacob.

Stéphany Orain-Pélissolo est psychologue et psychothérapeute, spécialiste des thérapies comportementales et cognitives, de l'EMDR (*Eye Movement Desensitization Reprocessing*) et de la MBCT (*Mindfulness Based Cognitive Therapy*). Elle enseigne à l'université Paris-V.

Didier Pleux est psychologue clinicien, docteur en psychologie du développement, directeur de l'Institut français de thérapie cognitive. Il est notamment l'auteur de *« Peut mieux faire ». Remotiver votre enfant à l'école* (2001), *De l'enfant roi à l'enfant tyran* (2002), du *Manuel d'éducation à l'usage des parents* d'aujourd'hui (2004), d'*Exprimer sa colère sans perdre le contrôle* (2006), de *Génération Dolto* (2008), et de *Un enfant heureux* (2010), aux éditions Odile Jacob.

Stéphane Roy est psychologue-psychothérapeute au centre hospitalier George-Sand à Bourges. Il est l'auteur, avec Gérard Macqueron, de *La Timidité. Comment la surmonter* (2004) aux éditions Odile Jacob.

Aurore Sabouraud-Séguin est médecin psychiatre. Elle dirige le centre du Psychotrauma de l'Institut de victimologie spécialisé dans les traitements aux victimes de traumatismes. Elle est notamment l'auteur de *Revivre après un choc* (2001) aux éditions Odile Jacob.

Benjamin Schoendorff est psychologue et psychothérapeute diplômé en TCC ; il est l'un des pionniers de l'introduction la thérapie d'acceptation et d'engagement (ACT) en France. Il anime de nombreuses formations à l'ACT et aux thérapies comportementales et cognitives. Il est l'auteur de *Faire face à la souffrance. Choisir la vie plutôt que la lutte avec la thérapie d'acceptation et d'engagement* (2009) aux éditions Retz.

Dominique Servant, médecin psychiatre, est responsable de l'unité Stress et anxiété au CHU de Lille. Membre fondateur de l'Association française des troubles anxieux et de la dépression (AFTAD), il est l'un des meilleurs spécialistes français du stress et de l'anxiété. Il est l'auteur de *Soigner le stress et l'anxiété par soi-même* (2003, 2009), *L'Enfant et l'adolescent anxieux. Les aider à s'épanouir* (2005), de *Relaxation et méditation. Trouver son équilibre émotionnel* (2007) ainsi que de *Ne plus craquer au travail* (2010) aux éditions Odile Jacob.

Jacques Van Rillaer est docteur en psychologie. Il est professeur émérite de l'Université de Louvain. Il a pratiqué la psychanalyse freudienne pendant une dizaine d'années, puis s'est réorienté vers les TCC. Il est l'auteur, entre autres, des *Illusions de la psychanalyse* (1981), de *La Gestion de soi* (1992) aux éditions Mardaga et de *Psychologie de la vie quotidienne* (2003), aux éditions Odile Jacob.

Roger Zumbrunnen est médecin psychiatre et psychothérapeute à Genève, spécialiste des troubles anxieux. Il est notamment l'auteur de *Pas de panique au volant !* (2002) et de *Changer dans sa tête, bouger dans sa vie* (2009) aux éditions Odile Jacob.